ro
ro
ro

rororo

Mirco Buchwitz schreibt und produziert eine Mischung aus Literatur und Musik, Kabarett und Hörspiel. Ab 2003 tourte er mit entsprechenden Bühnenprogrammen, gewann unter anderem den renommierten «Kabarett-Kaktus», trat in der Lach- und Schießgesellschaft auf und war zu Gast bei der Sat.1-Comedy-Reihe «Slam Tour mit Kuttner». 2011 erschien sein Debütroman «Nachtleben» im Aufbau Verlag.

Rikje Stanze ist seit 2010 regelmäßiger Gast bei Poetry-Slams und stand auf Lesebühnen von Hannover bis New York. Ihre Texte wurden in Anthologien und Hörbuchprojekten veröffentlicht. Sie ist zudem eine der Leiterinnen des Projekts DemenzPoesie®: Gedächtnisrehabilitation durch Vortrag und Entwicklung von Gedichten.

Mirco Buchwitz & Rikje Stanze

Arschbacken zusammenkneifen, Prinzessin!

Roman

Rowohlt Taschenbuch Verlag

Originalausgabe
Veröffentlicht im Rowohlt Taschenbuch Verlag, Reinbek
bei Hamburg, Dezember 2014

Umschlaggestaltung yellowfarm gmbh, Stefanie Freischem
Illustration Volker Bahmer, yellowfarm gmbh
Innentypografie Friederike Petereit
Satz Adriane Text OTF (PageOne) bei
Dörlemann Satz, Lemförde
Druck und Bindung CPI books GmbH, Leck, Germany
ISBN 978 3 499 26907 3

für Mütter

PROLOG
Gib dem Affen Zucker

Wenn man sich einen Zettel mit der Aufschrift *Dildo häufiger abspülen!* an den Badezimmerspiegel klebt, hat man mit an Sicherheit grenzender Wahrscheinlichkeit zu wenig Sex. An dem Punkt war ich vor knapp zwei Jahren. Nach etlichen gescheiterten Beziehungsversuchen war ich eine Weile (Achtung: Gynäkologendeutsch) sexuell recht aktiv. Allerdings bin ich kein einziges Mal flachgelegt worden. Ich habe flachgelegt. Es dauerte aber nicht lange, bis mich das Ganze langweilte. Bei einem meiner letzten One-Night-Stands dachte ich nur: Pfff ... noch 'n Penis!, als der Kerl seine Boxershorts herunterstrampelte. (Ja, ich mag das Wort *Penis* ebenso wenig wie Sie. Wenn man lieber das Objekt selbst in den Mund nimmt als den Begriff, der es beschreibt, ist irgendwas im Busche. PS: Die Sache mit den Klammerbemerkungen wird sich durch den kompletten Roman ziehen. Wenn es Sie nervt, sollten Sie jetzt sofort mit dem Lesen aufhören. Wenn nicht: Willkommen in meiner Welt! PPS: Manchmal habe ich das Gefühl, mein ganzes Leben ist eine einzige Klammerbemerkung.)

Eines Morgens erwachte ich neben einem Kerl in Bayern-München-Bettwäsche und hatte die bahnbrechende Erkenntnis, dass man seinen Traummann nicht sturztrunken an irgendeiner Theke abschleppt. Daher legte ich mir einen imaginären Keuschheitsgürtel um und griff verstärkt auf meine Spielzeuge sowie diverse Internetseiten zurück. Natürlich handelte es sich dabei eher um vaginale Astronautennahrung: Es erfüllte seinen Zweck, aber lecker ging anders. Der Vorteil war jedoch, dass es unkomplizierter war, den Computer auszuschalten, als einen Kerl loszuwerden. Außerdem bombardierte mich das Internet nicht mit Anrufen und SMS, wenn ich meine Ruhe haben wollte. Viren konnte man sich unglücklicherweise bei beiden Varianten einfangen.

Darüber hinaus hatte ich die Schnauze gestrichen voll davon, mich ständig in meinen Tagträumen zu verlieren. (Meine dreimonatige Affäre mit George Clooney war die Hölle!) Im Laufe der Zeit hatte ich weibliche wie männliche Hauptrollen in allen erdenklichen Filmen gespielt. Schon seit meiner Kindheit war ich süchtig nach Filmen – durch meine älteren Brüder war ich mit Arnold Schwarzenegger, Bruce Willis und Sylvester Stallone groß geworden. Mit dem jungen Adriano Celentano wäre ich sofort nach Feuerland-Mitte durchgebrannt, und manche Bud-Spencer-Filme konnte ich heute noch auswendig mitsprechen. («Hör mal zu, du Schlauberger, wenn du nicht deine Kauleiste dichtmachst, zieh ich dir ’nen Scheitel, dass deine Ohren bis Timbuktu schlackern!») Obwohl ich mich für die unterschiedlichsten Filme interessierte, hatte sich mein Geschmack mit dem Älterwerden deutlich gewandelt. Beispielsweise lieh ich mir keine DVDs mehr aus, auf deren Hüllen Blödsinn stand wie: *Erleben Sie, wie nur eine Nacht das Leben von fünf Twentysomethings grundlegend verändern kann!* Lieber sah ich mir zum unzähligsten Male die 1974er Version vom Kettensägenmassaker an. Da wusste ich von vornherein, wie nur eine Nacht das Leben von fünf Twentysomethings grundlegend verändern konnte. Stichwort: Kannibalismus. Twentysomethings können mich mal. Und zwar kreuzweise. (Nehmen Sie es nicht persönlich, sollten Sie selbst zu dieser Altersgruppe zählen. Sie werden mir in absehbarer Zeit zustimmen. Versprochen!)

Der eingangs erwähnte Zettel war dann so etwas wie ein Weckruf, dass ich vielleicht doch nach einem brauchbaren Kerl Ausschau halten sollte. Die Hoffnung auf den vielbeschworenen Mr. Right hatte ich zwar aufgegeben, aber wenigstens Mr. Not Completely Fucking Wrong wäre eine feine Sache gewesen.

ERSTER AKT

La Boum II

Jetzt bloß nicht an Afrika oder so was denken!, ging es mir durch den Kopf, als ich die zweite Banane des Abends in die Schokolade tauchte. Morgen, beschloss ich, morgen wird gespendet. Und gefastet! Innerlich ballte ich eine Faust. Solidarität mit Afrika! Wahre Ehrfurcht vor meiner Selbstlosigkeit leuchtete in den Augen der mich anhimmelnden Masse. Fasten für Afrika! Es brandete Jubel für meinen Enthusiasmus auf. Ich war drauf und dran, zur Revolution aufzurufen, als ich einen Kellner, offenbar den Schokobrunnen-Supervisor, bemerkte. Obwohl schon ein Viertel der Banane zwischen meinen Lippen verschwunden war, schaute er nicht dezent beiseite, sondern machte einen Schritt auf mich zu. Dabei zwinkerte er süffisant, als wollte er sagen: «Verstehe schon, Schätzken. Sag, wann und wo!» Sofort kam mir diese Dokumentation über Schnappschildkröten in den Sinn, die ich einige Wochen zuvor gesehen hatte. Die Biester lauerten in Ufernähe und konnten ausgewachsene Gnus zu sich ins schlammige Wasser zerren und verspeisen. Sei die Schildkröte!, sagte ich mir. Unmissverständlich starrte ich dem Kellner erst auf den Schritt und dann in die Augen, bleckte meine Zähne und biss ruckartig in die Banane. Anschließend fixierte ich ihn und schaukelte in Zeitlupentempo meinen Kopf hin und her. Ich hörte mich fauchen.

«Wollte nur fragen, ob Sie die vielleicht gebrauchen können», sagte der Kellner. Erst jetzt bemerkte ich die Serviette in seiner Hand. «Sie haben da einen Schokofleck auf Ihrer ... Ihrer Trainingsjacke.»

Ey, du hast den gerade angefaucht!, durchzuckte es mich. Es war einer dieser Momente, in denen ich mich fühlte wie Vögelchen Tweety, wenn es in einem Zeichentrickfilm abgefackelt wurde. (Soundeffekt: Fump. Chrrz. Knirsch. Brösel.) Wortlos schnappte ich mir die Serviette und huschte gen Klo.

Für unsere Weihnachtsfeier hatte die Firmenleitung sämtliche Festsäle des protzigsten Hotels der Stadt angemietet. Im Konzertsaal bespaßte eine Soul-Cover-Band das Publikum, im Atrium klimperte ein Jazztrio, und in anderen Räumen lief Lounge-Musik. Überall schwänzelten Kellner mit Tabletts voller Sekt oder Wein herum. Es gab etliche Buffettische mit warmen Speisen und Snacks, und ich entdeckte wenigstens fünf Schokobrunnen. Dekadenz pur. Obwohl ich den Großteil meines geschichtlichen Wissens aus Filmen hatte, war ich sicher, dass auf diese Weise das Römische Reich vor die Hunde gegangen war. (Warum sehe ich gerade einen schokoverschmierten Russell Crowe vor mir?)

Meine Trainingsjacke hatte schon den ganzen Abend Blicke auf sich gezogen. Während bekannte Kollegen wohl nur dachten: «Ach, die Ina wieder!», glotzten mich andere an, als hielten sie mich für eine Reinigungskraft, die sich dreist durchfutterte. Aus irgendeinem Grund hatte ich die Mail übersehen, in der darauf hingewiesen wurde, dass man sich in Abendgarderobe kleiden, sich also herausputzen sollte. Problem Nummer eins: Ich kleidete mich nicht, ich zog mich an. Problem Nummer zwei: Ich besaß dementsprechende Klamotten sowieso nicht. Auf der Arbeit selbst gab es keinen Dresscode, sodass ich dort konsequent Jeans und T-Shirt, Stoffturnschuhe und eben eine Trainingsjacke trug. Es war einer der wenigen Vorteile meines Jobs.

Seit ich mein Studium mit einigen Trödelsemestern abgeschlossen hatte, arbeitete ich in einem Callcenter. Ursprünglich wollte ich nur einige Monate überbrücken, bis ich etwas Anständiges gefunden hatte, aber mittlerweile waren daraus sieben Jahre geworden. Zu allem Überfluss handelte es sich um das Callcenter einer Bank. Mein zwanzigjähriges Ich, diese dumme Sau, konnte mir deswegen stundenlange Vorträge über das Spießertum an sich und die Ausbeutung des Proletariats im Speziellen halten. Aber ich war, wie man im Callcenter-Jargon sagte, kundenorientiert: Weder schwatzte ich neunzigjährigen Witwen Sparbriefe mit zehnjähriger Laufzeit auf, noch verpasste ich Hartz-IV-Empfängern zusätzliche Kredite. Außerdem rief nicht ich wildfremde Leute an, sondern wildfremde Leute riefen mich an. Weil ich selbst es wie die Pest hasste, mit Callcentern zu telefonieren, hatte ich ganz zu Anfang ein Experiment durchgeführt. Einen Nachmittag lang rief ich bei verschiedenen Hotlines an, um herauszufinden, was mich selbst bei Callcenter-Agents (sprich: Äidschends) zur Weißglut trieb. Die Ergebnisse waren eindeutig:

Wenn sie mir das Gefühl gaben, ich wäre geistig minderbemittelt, nur weil ich keine Ahnung von Sachen hatte, mit denen sie sich selbst tagtäglich befassten. Wenn sie mich unterbrachen, bevor ich meine Frage gestellt hatte, um dann etwas zu erklären, auf das ich überhaupt nicht hinauswollte. Wenn sie sagten, sie hielten kurz Rücksprache mit ihrem Vorgesetzten, um mich dann stundenlang in der Warteschleife verrotten zu lassen. Wenn sie jeden einzelnen Satz mit der Nennung meines Namens begannen oder beendeten. Wenn sie mich mit einer erbärmlich geschauspielerten Dauerfreundlichkeit abfertigten, die sogar Florian Silbereisen zum Kotzen bringen würde, ich aber nie das Gefühl hatte, mit einem echten Menschen zu sprechen. Und genau darum ging es: Man musste mit den Kunden reden, wie man erwartete, dass mit einem selbst geredet wurde. Ganz einfach. Es war der alte «Ich blas dir einen, dafür leckst du mich»-Trick.

Ich stieß die Klotür auf. Über eines der Waschbecken gebeugt begutachtete sich meine Teamkollegin Jeannette im Spiegel.

«Na?», fragte ich, worauf sie schützend eine Hand vor ihr rechtes Auge riss. «Alles tutti mit deinem Auge?»

«Ja, ja, das ist halt nur gerade nicht geschminkt.»

«Verstehe», sagte ich, ließ es aber wie eine Frage klingen.

Unverändert die Hand vor ihrem Gesicht, starrte Jeannette mich einäugig an, als wäre sie der Douglas-Zyklop.

«Musst du auf Toilette?», fragte sie.

Ich hielt ihr den Klecks auf meiner Trainingsjacke hin und begab mich an das Becken neben ihrem. «Nee. Will nur die Schokolade ein bisschen einreiben.»

Jeannette nickte.

Wir schwiegen.

Ich legte die Stirn in Falten.

«Willst du nicht mal deine Hand runternehmen?», fragte ich, aber Jeannette verzog nur den Mund. «Was denn?»

«Geh doch ruhig mal auf Toilette und lass mich erst fertig schminken, ja?»

Langsam ließ ich das Kinn auf meine Brust sinken und schaute sie von unten herauf an.

«Verstehe ich das gerade richtig», setzte ich an, «du willst nicht, dass ich dein ungeschminktes Auge sehe?»

Jeannette zuckte mit den Schultern. Du Mädchen!, dachte ich. (Anmerkung am Rande: Das Wort *Mädchen*, bezogen auf erwachsene Frauen, ist in meinem Vokabular eines der gnadenlosesten Schimpfworte überhaupt. Mädchen sind diese Art Frauen, bei denen man das Gefühl hat, sie leben in einem rosa Plastikpuppenhaus, das Mario Barth für sie gebastelt hat. Mädchen erzählen in Gesprächen mit Kerlen beispielsweise, dass sie neulich nur eine Jacke kaufen wollten, dann aber mit drei Paar Schuhen nach Hause gekommen sind und anschließend ihren Wagen nicht anständig eingeparkt bekommen haben. Im nächsten Moment sagen sie Dinge wie «Typisch Frau halt», um zu signalisieren, dass sie sich des Klischees bewusst sind, setzen dann aber ihr niedlichstes Lächeln auf und wollen genau dafür geliebt werden. Ich könnt so derbe reinschlagen!)

«Jeannette», sagte ich schließlich. «Zeig mal dein Auge her. Du schaffst das!»

Zögerlich senkte sie ihre Hand. Auf der Stelle verzog ich

mit gespieltem Ekel mein Gesicht und gab einen angewiderten Laut von mir.

«Ina!»

«Das ist echt mal mit Abstand das hässlichste Augenlid, das ich je gesehen habe!», sagte ich. «Schmier da mal schnell was drüber, das ist ja widerlich.»

«Du bist so doof.» Während Jeannette ihr Antlitz reparierte, zupfte ich Papiertücher aus dem Spender und drehte den Wasserhahn auf. «Tolle Party, oder?», fragte sie.

«Schon ein bisschen übertrieben alles.»

«Findest du?»

«Kein Mensch braucht fünf Schokobrunnen. Habe ich alle erst mal gefilmt, um da eine Collage von zu machen.»

«Machst du das immer noch? So komische Sachen aufnehmen?»

«Mach ich ganz automatisch. Handy rauskramen, Videofunktion anschalten und laufen lassen. Habe inzwischen über sechzig Clips auf meinem Blog.» Grinsend ergänzte ich: «Hollywood extra-light.»

Ohne darauf einzugehen, fragte Jeannette: «Hast du dich auch für die Spätschichten an den Feiertagen gemeldet?»

«Soll das ein Scherz sein?»

«Ich mache alle drei Weihnachtstage, Silvester und Neujahr. Gibt Zuschläge. Und ist sowieso nie was los.»

«Ich hatte erst überlegt», antwortete ich am Fleck rubbelnd, «aber dann ist mir eingefallen, dass ich ein Leben habe.»

«Und hat Annika dir wegen dem Dreiundzwanzigsten Bescheid gesagt? Da machen wir Frauenabend, und ich dachte, vielleicht hättest ja auch mal wieder Lust. Wir brauchen noch eine achte Person zum Parfumwichteln.»

Parfumwichteln, ging es mir durch den Kopf. Augenblicklich wurde mir wieder bewusst, weshalb aus Jeannette und mir keine besten Freundinnen geworden waren, als sie vor drei Jahren im Callcenter angefangen hatte. Damals war sie neu in der Stadt und auf der verzweifelten Suche nach einem Freundeskreis gewesen. Meiner Samariter-Natur entsprechend war ich einige Male mit ihr ins Kino gegangen, wobei sich schnell herausgestellt hatte, dass wir keinerlei Gemeinsamkeiten hatten. («Sterben da Menschen in dem Film, Ina?» – Wir haben uns Rambo IV dann nicht zusammen angesehen.) Nichtsdestotrotz meldete Jeannette sich daraufhin regelmäßig, lernte schließlich Annika kennen, die Freundin meines besten Kumpels Henning, und wurde Teil ihrer Proseccoclique. Das war ein Kreis von Mädchen, bei denen ich nicht wusste, was sie außer kichern und übereinander lästern sonst noch veranstalteten. Ganze zwei Male hatte ich mich mit ihnen getroffen, weshalb ich Jeannettes Einladung nun mit einem skeptischen Blick quittierte.

«Kannst du dir ja noch mal überlegen», sagte sie und stopfte ihre Schminkutensilien zurück ins Glitzertäschen. Abschließend zog sie ihr knallenges Kleid zurecht und schaukelte ihre Titten in Position wie Wasserbomben.

«Wie sehe ich aus?», fragte sie.

«Wenn du nachher einen Schuh auf den Stufen verlierst, passt das schon.»

«Gut, ich muss los, ich habe gerade den Kronenbergh am Wickel.»

«Wen?»

«Karsten Kronenbergh, kennst du den etwa nicht?», fragte sie. «Der ist Teamleiter in der Vierten. Eigentlich dachte ich, dass der was mit der Buttgereit am Laufen hat, aber der hat eben die ganze Zeit zu mir rübergeguckt.»

«Ein Teamleiter? Das spricht sich doch mit Lichtgeschwindigkeit herum.»

«Na, das will ich doch hoffen», sagte Jeannette, bevor sie davonstöckelte.

Eine Klospülung rauschte. Kurz darauf kam Claudia Sengbusch aus einer der Kabinen. Claudia war vier Jahre jünger als ich, sah aber aus wie ihre eigene Mutter. Außerdem war sie Trägerin eines schwarzen Gürtels im Scheißelabern. Eilig warf ich das Papiertuch in den Müll.

«Iiiina!», tirilierte Claudia. «Na, du bist aber flott gekleidet für so einen Abend.» Flott, wiederholte ich in Gedanken. Wahrscheinlich hatte Claudia die Hälfte ihres Vokabulars aus Schlagersendungen und würde mich als Nächstes fragen, ob ich schon beschwipst war.

«Ich bin ja eben die ganze Zeit im großen Saal gewesen, bei der Band», legte sie los, «die sind richtig gut, mit echtem Neger, musst du dir gleich mal angucken, aber ich kann nicht mehr tanzen, oh, mir tun so die Füße weh. Huhuhu!» Ächzend stützte sie sich am Waschbecken ab und zog sich mit der freien Hand ihre Schuhe aus. «Öach!», machte sie und knetete ihre Fußsohle, als wäre sie Hefeteig. «Das tut gut, ohaa, und was ich schwitze.» Damit zupfte sie die Bluse von ihrer Brust und pustete unter den Stoff. Mein Blick blieb an ihrem altbackenen Blümchenkleid hängen, das sie wahrscheinlich in einer Nacht-und-Nebel-Aktion aus dem Sarg ihrer Oma geklaut hatte. «Ich bin das ja gar nicht mehr gewohnt, ich bin ja am Wochenende so selten weg, die Kinder, weißt du ja, und wenn man dann keinen Mann hat, der auch mal aufpassen kann, na ja, da kommt man halt nicht so oft raus, der kümmert sich ja so gut wie gar nicht um die Jungs, aber dafür ist so ein Abend wie der hier echt toll, da hat meine Mutter die mal wieder genommen, macht sie ja ab und zu, wobei, jetzt, wo die älter werden, wird ihr das auch manchmal zu anstrengend und, ooooch!» Mit Gewalt presste Claudia ihre Zehen in alle verfügbaren Richtungen und verdrehte die Augen. Ich gaffte den elektrischen Handtrockner an und grübelte, was wohl geschah, wenn man tief genug mit nassen Fingern hineinlangte.

«Was das guttut, so 'ne Fußmassage», schnaufte Claudia. «Ist natürlich immer besser, wenn das wer anders macht, schon klar, aber so ist auch gut, ja, ach, das wäre überhaupt mal 'ne Idee gewesen für die Feier hier, so'n Ruheraum mit Massagen. Das wäre doch jetzt mal super, oder, Ina?» Ein Stromschlag wäre jetzt mal super, dachte ich. «Oder, Ina?», wiederholte Claudia. «Das wäre doch 'ne gute Idee jetzt.» Wie in Trance nickte ich vor mich hin. Gerade wollte ich mich abwenden, da setzte sie nach: «Ach, hier! Was hat die Jeannette erzählt, sie will was von dem Kronenbergh? Ich wollte ja nicht lauschen, aber ich war halt auf dem Klo, konnte ich ja nichts machen, ne? Klar, oder? Das ist ja auch wirklich ein hübscher Mann, mit dem hab ich mich mal in der Kantine unterhalten, über Nachtisch und so, er hat dann aber keinen genommen, ich so 'nen kleinen Vanillepudding, trotzdem toller Typ, aber der ist doch mit der Franziska Buttgereit zusammen, oder? Oder nicht mehr? Ich dachte. Und jetzt will die Jeannette was von ihm?» Mit einem neugierigen Grinsen, frisch vom Gartenzaun, legte Claudia den Kopf schräg.

«Ohne Artikel», hörte ich mich nuscheln.

«Was?»

«Keine Artikel vor Namen setzen. Einfach nur Jeannette, ohne das *Die* davor.»

«Hmhm», machte Claudia.

Ich wusste nicht, was ich bescheuerter fand: Leute, die Artikel vor Namen setzten, oder solche, die andere deswegen korrigierten. Es war eine der Sachen, die ich einfach nicht unkommentiert stehen lassen konnte. Artikel vor Namen ließ ich nur durchgehen, wenn über Kleinkinder oder Idioten gesprochen wurde.

«Ich gehe mal eine rauchen», sagte ich.

«Viel Spaß!», rief die Claudia mir hinterher.

In der Raucherlounge waberten Qualmschwaden. Ein DJ spielte Schlager der Siebzigerjahre, und von einer Sitzecke schallte Altherrengelächter herüber. Es waren Männer aus dem Vorstand, denen die Schmerbäuche hemmungslos über den Hosenbund quollen, als wäre noch immer Wirtschaftswunderzeit. Die Krawatten hingen ihnen locker um den Hals, und alle schmauchten Zigarren. Es war wie auf den Geburtstagen meines Opas früher, weshalb ich mich sofort zu Hause fühlte. Selbst in diesem Raum gab es ein Buffet, das allerdings weitestgehend leergeplündert war. Obwohl es in meinem Bauch rumorte, begutachtete ich die Reste und steckte den Tabaksbeutel zurück in meine Hosentasche. Was war ein All You Can Eat schon wert, wenn man nicht mit anständigen Magenschmerzen nach Hause ging? Einige Tage zuvor hatte ich außerdem einen Zettel mit der Aufschrift *Lieber Kalorien als Krebs!* an meinen Badezimmerspiegel gepappt. Weil kein sauberes Besteck mehr zu finden war, pulte ich ein Plastikspießchen mit Grinsedelphin am Stielende von der Tischdecke und tunkte einen Mettkloß ins Aioli. Wie es sich gehörte, blieb er in der klebrigen Masse stecken. Über das Buffet gekrümmt stocherte ich dem Kloß hinterher. Gerade als ich ihn erwischt hatte, zerbröselte er und klatschte zurück ins Schälchen. Bloß gut, dass du keine Gehirnchirurgin geworden bist!, dachte ich.

Just in diesem Moment bemerkte ich den Kerl neben mir. Er war in meinem Alter und lächelte mich mit perfekten Zähnen an, hatte eine dezente Solariumsbräune und einen Dreitagebart. George Michael in der Callcenter-Variante. Augenblicklich hatte ich Last Christmas im Ohr, und mir verging der Appetit. Wortlos stippte der Kerl einen Mettkloß mit seinen Fingern ins Aioli. Bevor er ihn in den Mund steckte, ließ er seinen Blick demonstrativ zwischen seiner Hand und meinem Spießchen hin und her wandern.

«Praktisch denken», sagte er.

Wie auf Knopfdruck antwortete ich: «Särge schenken.»

Der Kerl stockte. In seiner Backentasche klemmte der Mettkloß, und George Michael bekam einen Touch von Hamster. Anstatt sich ins Laufrad zu flüchten, fragte er: «Sie arbeiten in der Fünften, oder?»

Wären wir uns nicht auf einer Firmenfeier, sondern in

freier Wildbahn über den Weg gelaufen, hätten wir uns keinesfalls gesiezt. Rightyright!, ging es mir durch den Kopf. Testphase eins!

«Wollen wir uns nicht duzen?», fragte ich und streckte ihm meine Hand entgegen.

Im Laufe der Jahre hatte ich eine ganze Reihe Persönlichkeitstests entwickelt, um die grundlegenden Charakterzüge eines Kerls im Schnellverfahren auszuloten. Neben Fahrstil- und Filmwissen-Check hatte sich der Handschlag-Quickie als eine der zuverlässigsten Methoden herauskristallisiert. Vernichtend war es, wenn ich einen schlaffen Lappen zu spüren bekam, zupackte und der Kerl erst daraufhin fester zugriff. Sofort wusste ich: Aha! Einer, den ich kontrollieren könnte! Weil ich das aber gar nicht wollte, wurde er umgehend disqualifiziert. In diesem Fall bestand mein Gegenüber jedoch mit Bravour. Sein Handschlag war weder übertrieben hart, noch war er zu schluffig. Ohne meine Finger zu zerquetschen, ließ er mich spüren, dass er auch fester zugreifen konnte. Er demonstrierte also gleichermaßen Selbstbewusstsein – ohne es aber überzubetonen – wie auch die Fähigkeit, sich anzupassen. Ich vergab bemerkenswerte 8 von 10 Punkten.

«Kronenbergh», sagte der Kerl. «Karsten Kronenbergh.»

«Maibach», antwortete ich. «Gerührt. Nicht geschüttelt.»

«Ehhhm ... was?»

«Wegen James Bond?», versuchte ich zu erklären. «Wie du dich gerade vorgestellt hast?»

Obwohl Karsten nickte, hatte ich nicht das Gefühl, dass er es verstanden hatte. «Ja, ich bin aus der Fünften», beantwortete ich seine ursprüngliche Frage. «Angefangen habe ich mal in der Dritten. Schön hochgearbeitet.»

«Dann geht's bei mir wohl seit Jahren bergab. Ich war mal in der Siebten in der Baufinanzierung. Da war ich aber noch kein Teamleiter.»

«Und bringt das was?», fragte ich.

«Was? Was bringt was?»

«Teamleiter sein.»

Statt zu antworten, knibbelte Karsten am Etikett seiner Bierflasche herum. Höchstwahrscheinlich hatte er damit gerechnet, mich mit seinem Posten zu beeindrucken. Jeannette war nicht die einzige Kollegin, die sich an Teamleiter heranschmiss, um im Falle einer Beziehung in der gefühlten Mitarbeiterhierarchie aufzusteigen.

Erst nach einem Augenblick des Zögerns sagte Karsten: «Bringt nicht so wirklich was.»

«Muss man ständig kurzfristige Urlaubsanträge absegnen und eigentlich nur Informationen von oben nach unten weiterreichen, ne? Und dann verdient man nicht mal wirklich viel mehr als das Fußvolk.»

Karsten nahm einen Schluck Bier. Kurz schaute er sich um, aber schließlich sagte er schmunzelnd: «Genauso isses. Mitarbeiter nerven, die Kohle stimmt nicht, und meinen Wagen und die Wohnung habe ich mit Firmenkrediten bezahlt. Lebenslänglich haben mich die Säcke. Lebenslänglich! Zum Glück habe ich übernächste Woche erst mal Urlaub.»

So überraschend nett war der Moment, dass ich umgehend Testphase zwei einläutete: Versteht er meinen Humor? Ich hob den Grinsedelphin-Spieß auf Karstens Augenhöhe.

«Wäre es eigentlich moralisch in Ordnung, mit dem Ding Thunfischhäppchen zu essen, oder kommt man für so was in die Hölle?», fragte ich.

Ziellos trudelte Karstens Blick umher.

«Delphin!», sagte er dann, als habe er ein Rätsel gelöst. «Wegen den toten Delphinen in den Thunfischnetzen!» Verstohlen schob er hinterher: «Ganz schön böse.»

Erst jetzt fiel mir auf, dass er ein wenig lallte. Ich schaute mich nach Jeannette um, konnte sie aber nirgends entdecken. Stattdessen bemerkte ich Franziska Buttgereit, die am DJ-Pult lehnend zu uns herüberschielte. Ein leeres Cocktailglas umklammernd, nagte sie an einer Ananasspalte, die sie der Länge nach in ihren Mund gestopft hatte.

«Dich habe ich schon ganz oft in der Kantine gesehen», sagte Karsten.

«Ja?»

«Nö», antwortete er feixend. «Das behaupte ich nur, um aufmerksam zu wirken.»

Na, der hat doch mal was! Der Gedanke hinterließ ein unerwartetes Knistern hinter meinen Schläfen.

«Ich teste dich gerade», hörte ich mich sagen.

«Hm. Und? Wie halte ich mich?»

«Ganz anständig so weit. Ich glaube ja, dass ...»

«Karsten?»

Vor uns stand Franziska Buttgereit und musterte Karsten, als wären sie beim Wiegen vor einem Boxkampf. Deutlich einschüchternder wäre sie gewesen, hätte die Ananas ihr kein sonnig gelbes Grinsen auf die Wangen gemalt.

«Soll ich dir deine Zahnbürste und die anderen Sachen mit

zur Arbeit bringen oder kann ich das alles einfach wegschmeißen?», fragte sie.

Für einen Sekundenbruchteil konnte ich Karsten in sich zusammensacken sehen, aber er richtete sich sofort wieder auf.

«Franziska, mir tut das wirklich leid», sagte er. «Haben wir doch vorgestern drüber geredet. Uns ist doch beiden klar, dass das nicht funktioniert hat, oder?»

Tolle Antwort!, dachte ich. Irgendwie verständnisvoll, aber dennoch geradeaus. No Bullshit!

Mit spitzen Fingern zupfte Franziska am Kragen ihres Blazers herum.

«Lass dir nicht einreden, dass dreißig Grad die perfekte Temperatur ist», wandte sie sich an mich, bevor sie mit gerecktem Kinn aus dem Raum stolzierte.

«Was war das denn?», fragte ich.

«Ein Fehler», sagte Karsten kaum hörbar. «Ein richtiger Fehler.» Kopfschüttelnd starrte er die mit Flecken und Krümeln übersäte Tischdecke an. «Bei dir kann man direkt sein, oder?»

Allein für die Frage hätte ich ihn knutschen können.

«Direkt sein ist wichtig», sagte ich.

«Ich würde dich wirklich gerne kennenlernen. Ich bin echt kein Arschloch. Auch wenn der Flurfunk vielleicht was anderes behauptet. Ich hatte was mit vier Frauen hier aus der Firma. In zwei Jahren. Ich arbeite vierzig Stunden die Woche, dann noch die ganzen Überstunden und ständig irgendwelche Seminare. Ich komme kaum noch raus aus dem Laden. Klar guckt man da auch mal, was sich hier so ... so ergibt.»

Sein Gesichtsausdruck war derartig hilflos, dass es mir die Sprache verschlug.

«Hast du mich wirklich schon mal in der Kantine gesehen?», fragte ich schließlich.

«Hast als Zeitarbeitskraft angefangen und bist dann übernommen worden», sagte er. Dabei kratzte er den Fetzen eines Salatblatts von der Tischplatte und dröselte ihn mit den Fingerspitzen zu einem Kügelchen, bis es aussah wie ein Popel. Iss das jetzt bitte nicht!

«Ich wusste schon die ganze Zeit, wie du heißt. Wo du wohnst, weiß ich auch.» Er schnipste das Blättchen beiseite und ergänzte grinsend: «Wäre ich du, würde ich jetzt sofort eine Unterlassungserklärung oder so was gegen mich erwirken.»

Scheiße, jetzt ist der auch noch ehrlich! Ich schaute mich um. Etliche Kolleginnen gafften zu uns herüber.

«Auf dich stehen hier eine ganze Menge Weiber, oder?», wollte ich wissen.

Verschmitzt zuckte Karsten mit dem Mundwinkel.

«Das ist das andere Problem. Die richtige Abwimmeltaktik finden. Freundlich, aber klar. Musste ich eben gerade wieder bei einer anwenden, die ein bisschen zu aufdringlich war.»

Obwohl ich mir keinen Ärger mit Jeannette einhandeln wollte, war ich neugierig geworden, was sich hinter Karstens geleckter Oberfläche verbarg.

«Gehen wir nächste Woche mal einen Kaffee trinken?», fragte ich. «Oder abends ein Bier?»

«Ja, sehr gerne.» Karstens Mettatem zog mir in die Nase.

«Möchtest du jetzt vielleicht noch ein Bier? Wollte mir gerade noch eins holen.»

Unentschlossen fummelte ich am Reißverschluss meiner Trainingsjacke herum. Es war bereits kurz nach eins. Außerdem hatte ich keine Lust, dabei beobachtet zu werden, wie ich mit einem Teamleiter anbandelte.

«Nee, lass mal, Keule», sagte ich. «Für mich reicht's heute.»

«*Keule* habe ich ja ewig nicht mehr gehört», kicherte Karsten. Gerade wollte ich mich rechtfertigen, da fragte er: «Oder soll ich uns zwei Espressi holen?»

Ich kniff meine Augen zu Schlitzen zusammen.

«Wenn Espressi klargeht», sagte ich mit Betonung auf dem i, «dann geht Keule aber auch klar.»

Begleitet von einem leichten Schwanken fuchtelte Karsten mit dem Zeigefinger herum.

«Hören Sie mal, Signora, ich war die letzten fünf Sommer in Italien. Wenn ich eins kann, ist das Cappuccini und Espressi bestellen. Außerdem ist ...»

«Wir sind hier aber immer noch in Deutschland!», unterbrach ich ihn. Dabei rollte ich jedes R, als würde ich mich als Backgroundsängerin bei Rammstein bewerben. «Bei eingedeutschten Wörtern hängt man bei der Mehrzahl einfach ein s ans Ende. Alles andere klingt total affektiert.»

«Hört, hört!», sagte Karsten mit verschränkten Armen. «Hängt man also immer ein s dran bei eingedeutschten Wörtern, was?»

«Genau, Keule!»

«Weil alles andere total affektiert klingt, ne?»

«Jupp.»

«Immer?»

«Auf jeden!»

«Im März kriegen wir ja auf allen Etagen neue Computers», sagte er. «Schon gewusst?»

«Das ...», ich schnappte nach Luft. «Das ist was ganz anderes!»

«Hängt man immer ein s dran.»

Unsere Blicke kreiselten umeinander. Ein wohliges Kitzeln glühte zwischen meinen Beinen. Es gibt hier nichts zu beschönigen: Seit ich den erwähnten Keuschheitsgürtel angelegt hatte, lief ich mehr oder minder dauergeil durch die Weltgeschichte. Sexuell war ich komplett unterfüttert. Stichwort: Sahelzone. (Ganz ehrlich, ich habe keine Ahnung, wo genau die blöde Sahelzone liegt, aber ich habe gehört, dass es dort verdammt trocken und trostlos ist.)

«Lass mal nächste Woche treffen», sagte ich und steckte den letzten Mettkloß in meinen Mund. Nachdem ich Karsten angehaucht hatte, ergänzte ich: «Mit Zähneputzen vorher!»

Ohne mich nach ihm umzuschauen, machte ich mich vom Acker. In meiner Vorstellung schmachtete er mir hinterher wie Pierre Cosso damals Sophie Marceau. (Sollte Ihnen diese Referenz nichts sagen, empfehle ich dringend das Kettensägenmassaker.)

Während der Bahnfahrt breitete sich das Knistern hinter meinen Schläfen über den Rest meines Körpers aus, bis ich es nicht mehr vom Kitzeln zwischen den Beinen unterscheiden konnte. In den Spiegelungen im Fenster bemerkte ich mein seliges Lächeln.

«Du Mädchen», sagte ich hörbar zu mir selbst.

Um mich abzulenken, schaltete ich mein Handy von Offlinemodus auf empfangsbereit. Eine SMS poppte auf. *Hallo Ini! Brauche vor Weihnachten ganz, ganz dringend meine Tupperschalen! Komm doch vorher noch mal vorbei. Liebe Grüße, Mama!*

Sonderlich geschickt war meine Mutter noch nie darin gewesen, Vorwände zu finden, um mich zu einem Rückruf zu bewegen. Diese Nachricht stellte aber selbst für ihre Verhältnisse einen neuen Tiefpunkt dar. Ob ich die Tupperschalen vor Weihnachten oder an Heiligabend zurückbrachte, war natürlich komplett egal. Anstatt mich aber zu ärgern, dass ich ihr SMS-Schreiben beigebracht hatte, und mir lediglich vorzunehmen, mich demnächst zu melden, antwortete ich: *Rufe morgen mal durch.*

Anschließend klickte ich die Videofunktion meines Handys an und filmte die vorbeirauschenden Häuserfassaden. In Gedanken spielte ich vorsorglich schon mal verschiedene Möglichkeiten durch, wie man *Karsten!* am überzeugendsten stöhnen konnte.

Wenn Träume fliegen lernen

Regungslos gaffte ich auf die Mattscheibe meines Fernsehers. Schon vor über einer halben Stunde hatte ich den Ton ausgeschaltet. Eine Hand in Al-Bundy-Manier in die Trainingshose geschoben, hing ich o-beinig auf meinem Sofa, mit dem Hintern auf halb acht am äußersten Rand der Polsterkante, die Füße auf dem Wohnzimmertisch abgelegt. Jede Sekunde drohte ich abzurutschen. Es war ein Balanceakt der Sonderklasse und die größte Herausforderung, die ich an einem Sonntagabend anzunehmen bereit war. Sonntag war Schlabberklamottentag mit Dauerberieselung. Unter dem ausgefransten Bademantel meines Papas, der sich in solchen Momenten wie ein Superheldenumhang anfühlte, trug ich ein T-Shirt mit dem Schriftzug *Sumsen ist buper!* Vor einigen Jahren hatte Henning es mir, samt Einladung zu einer Singleparty, zum Geburtstag geschenkt. Überreicht hatte er es mir mit den Worten «Das Shirt auf so einer Party ist der ultimative Kerle-Test!».

Nachdem ich mich stets geweigert hatte, solche Bunten Abende der Torschlusspanik zu besuchen, war es Henning damit gelungen, mich neugierig zu machen. Zwei Samstage später lehnte ich an der Theke eines in Schweißgeruch und Billichpafümm erstickenden Schlagerladens. Niemals zuvor war ich von derartig vielen Opel-Spacken in Ed-Hardy-Kluft angebaggert worden, die es für charming hielten, mich zu

DJ Ötzi anzutanzen. Einen Großteil konnte ich abwimmeln, indem ich die unvermeidliche Frage, ob ich Kurze trank, mit «Auf jeden, Keule. Gibt Haare auf der Brust!», gefolgt von einem Rülpser, beantwortete. Wenn ich sie damit nicht loswurde, griff ich zur Wunderwaffe aller Abwimmeltaktiken. Ich stürzte den Schnaps herunter und lallte: «Ich bin übrigens schwanger. Haste mal ’ne Kippe?» Es war ein Trauerspiel. Seitdem trug ich das T-Shirt nur zu Hause.

Grübelnd strich ich jetzt mit den Fingern über den ausgewaschenen Aufdruck.

«Ina! Wake up!», hörte ich eine Stimme.

«Was ’n los?»

«Ob du ein bisschen verliebt bist, habe ich gefragt.»

«Ich habe keinen Schimmer, Babe.»

Gedankenverloren kraulte ich Johnny Depps Haare. In Embryostellung eingerollt hatte er seinen Kopf in meinen Schoß gelegt und streichelte meinen Oberschenkel.

«Karsten hat schon was», fuhr ich fort, «aber der ist halt Teamleiter, da geht sofort das Getratsche los. Außerdem ist Jeannette scharf auf den.»

«Ich würde mich sehr freuen, wenn du endlich einen anständigen Kerl findest», sagte Johnny mit anbetungswürdigem Akzent. «Das mit uns kann nicht so weitergehen, Ina. Sure, ich habe wegen dir mit Vanessa Schluss gemacht, aber ...»

«Deinetwegen», korrigierte ich ihn. «Richtig heißt es: deinetwegen.»

«Sorry. Danke, dass du mir immer so ... so behilflich bist. Anyway, du musst jetzt an dich denken. Nimm bitte keine

Rücksicht auf mich. I don't think, dass der Hollywood-Lifestyle dir gefallen würde. Rote Teppiche, überall Paparazzi und die ganze Oberflächlichkeit. Du solltest Karsten wirklich eine Chance geben.»

«Ich weiß. Aber ich habe halt Schiss, dass das wieder so einer ist, der sich auf den zweiten Blick als totales Muttersöhnchen entpuppt. Muttersöhnchen gehen mir so dermaßen auf den Sack, weil ...»

«Sack?»

«Ja, ja», lenkte ich ein, «eigentlich dürfte ich nicht Sack sagen, weil ich keinen habe, weißt du ja, aber manchmal habe ich echt das Gefühl, dass ich mehr Eier in der Hose habe als diese ganzen Bengel, denen ich über den Weg laufe. Diese ganzen Kerle, die glauben, Frauen zu widersprechen wäre an sich schon chauvinistisch. Ausgerechnet die werden dann auch noch Frauenversteher genannt, obwohl sie echt rein gar nichts gecheckt haben.»

«May I say something?»

«Oh, but of course, beautiful!»

Johnny richtete sich auf. Wie üblich umwehte ihn der Duft von Vanille und Tabasco.

«Ich glaube, dass du viele Kerle durch deine ...», er schaute mein T-Shirt an, «well, you know, deine große Klappe abschreckst.»

Ich ließ meinen Kopf in den Nacken fallen.

«Ey, wenn jedes Mal meine Körbchengröße eine Nummer gestiegen wäre, wenn mich jemand burschikos genannt hat, hätte ich inzwischen Titten wie Lollo Ferrari zu ihren besten Zeiten.»

«God bless her», sagte Johnny und bekreuzigte sich.

«Ich konnte mit diesem ganzen Mädchenkram halt noch nie was anfangen. Habe ich schon mal erzählt, dass ich mir zum siebten Geburtstag einen zweiten Ken gewünscht habe, weil ich keine Ahnung hatte, was ich mit Ken und Barbie spielen sollte? Und dann habe ich meinen Eltern voll die Szene gemacht, weil sie mir keinen zweiten rosa Rennwagen kaufen wollten. Ich schmeiße mich auf den Boden und brülle: Dann halt schwarz! Mein Papa lacht sich scheckig, und meine Mutter fummelt wie immer besorgt an ihren Haaren herum. Aber hat voll was gebracht. Ken und Kenny haben dann statt ihrer Haare Autos frisiert und sind illegale Rennen gefahren.»

Sanft küsste Johnny meine Schläfe. «Weißt du noch, wie wir damals auf dem Weg nach Las Vegas in der Wüste liegen geblieben sind und du meinen Cadillac wieder flottgemacht hast?»

Natürlich erinnerte ich mich. Zu verdanken hatten wir es meinem Papa. Wenn ich als Kind Langeweile hatte, habe ich meine Nachmittage oft mit ihm in unserer Autowerkstatt verbracht. Deswegen konnte ich Zündkerzen ebenso wechseln wie Leuchten, Reifen und Öl (nicht nachfüllen: wechseln!). Außerdem wusste ich, wenn mein Auto verreckte, zumindest, an welchen Teilen ich herumruckeln musste, um festzustellen, ob sie in Ordnung waren.

«Das ist doch aber auch so eine Sache, die ich vor Kerlen immer erst mal geheim halte», sagte ich. «Wenn einer zum ersten Mal vorbeikommt, mache ich ja vorher sogar einen Kontrollgang durch die Wohnung, um zu gucken, dass der

Werkzeugkasten oder die Bohrmaschine nicht irgendwo rumliegen, damit es ihn nicht zu sehr einschüchtert, falls er selbst zwei linke Hände hat.»

«I like patente Frauen!»

«Ja, klar. Weil ich bei dir auf der Insel die ganzen Möbel zusammengeschraubt habe, als Vanessa mit den Blagen in Paris war. Irgendwie kann ich nicht das typische Bilderbuchblondchen sein, auch wenn die Männerwelt das vielleicht gerne so hätte.»

«Well, what can I say? Du bist blond, und du ...»

«Dafür kann ich aber auch vierzig Minuten am Stück Blondinenwitze erzählen», fiel ich ihm ins Wort. «Die dreckigen!»

Johnny nickte nur. In den vergangenen knapp zwanzig Jahren hatten wir dieses und ähnliche Gespräche unzählige Male miteinander geführt. Nie ließ Johnny es sich anmerken, sondern lauschte jedes Mal mit der gleichen Aufmerksamkeit und stellte immer genau die richtigen Fragen.

«Was wünschst du dir denn, Ina?»

Ich machte dicke Backen.

«Also, wenn es nach mir ginge», setzte ich an, «dann würde ich gerne mal im strömenden Regen in irgendeinen fremden Kerl stolpern, die Haare hängen einem ins Gesicht, man ist total durchgeweicht, lächelt sich an und weiß sofort: Das issa, der Kerl fürs Leben! Dann fährt man mit einem Taxi nach Hause, reißt sich die Klamotten vom Leib, springt klitschnass in die Kiste, und die Sache ist besiegelt, weil nämlich ...»

«Ina!»

«Ja, ach, piss die Wand an», nölte ich. «Der gute alte Hollywood-Fickregen halt!»

«Seriously, Ina: What do you want?»

Unschlüssig sah ich Johnnys goldenen Eckzahn an.

«Ich will einen Kerl, der Schwächen eingestehen kann», sagte ich dann. «Der aber auch nicht sofort den Schwanz einzieht, wenn ich ihm Kontra gebe, sondern auch mal sein eigenes Ding durchzieht und nicht ständig macht, was ich ihm sage. Wie du damals, als du ‹Wenn Träume fliegen lernen› gedreht hast, anstatt mit mir ...»

«What a piece of shit!»

Johnny schnappte sich sein Glas Rum vom Wohnzimmertisch und nahm einen Schluck.

«Hauptsache ehrlich», sagte ich. «Wenn das nicht drin ist, bin ich raus aus dem Spiel. Nächste Haltestelle Kloster.»

«Maybe, and just maybe», fing Johnny an, «musst du dich dafür auch selbst ein wenig mehr öffnen und nicht immer die starke Frau spielen, you know? Maybe Tim was right.»

Nickend strich ich Johnny eine verfilzte Haarsträhne hinters Ohr. Tim, einer meiner Exfreunde, war nicht nur Ehrendoktor der Hobbypsychologie gewesen, sondern hatte darüber hinaus Beziehungsratgeber verschlungen wie normale Kerle Pornohefte. Restlos alles musste mit möglichst vielen Ich-Botschaften ausdiskutiert werden. (Neuesten Statistiken zufolge lassen sich 91,3 % aller Kerle übrigens nur auf Beziehungsgespräche ein, um ihrer Partnerin einen Gefallen zu tun. Beziehungsgespräche sind quasi für Kerle, was für Frauen der Analverkehr ist.) Einmal schlug Tim vor, dass wir etwas aufschreiben sollten, das wir einander nicht zu sagen trauten. Na gut, dachte ich, etwas, das ich eigentlich lieber für mich behalten würde. Um es hinter mich zu bringen, notierte ich das Erstbeste, das mir in den Sinn kam, und entfaltete anschließend Tims Zettel. *Ich würde mir wünschen, dass du mir mehr Vertrauen entgegenbringst, Ina.* Es lief mir kalt den Rücken herunter. Ich versuchte noch, ihm meine Notiz zu entreißen, aber es war bereits zu spät. Regelrecht verstört las er vor, was ich aufgeschrieben hatte: *Würde ich sie nicht rasieren, hätte ich schwarze borstige Haare an meinen Brustwarzen?* (Jupp. Stichwort: Thema verfehlt.)

«Du solltest wirklich nicht so viel Angst davor haben, ein kleines bisschen weiblicher zu sein», sagte Johnny. «Ein bisschen emotionaler. Und ein bisschen leiser vielleicht. Just to see what happens.»

«I'll try, Babe. I'll try.»

Damit zog ich mir die Wolldecke über den Kopf und kuschelte mich an mein abgegrabbeltes Johnny-Depp-Kissen.

Titanic

«Inchen!»

Mein Teamleiter hob beide Hände mit Victoryzeichen in die Luft, worauf ich ihm meinerseits die Teufelshörner entgegenstreckte.

«Da issa, der Gunnar!»

Grinsend erhob er sich und kam auf mich zugestratzt. Bis vor einem halben Jahr hatte Gunnar noch genauso telefoniert wie ich. Seit seiner Beförderung wurde von Woche zu Woche deutlicher, dass er von seinem neuen Posten komplett überfordert war. Von einigen Kollegen wusste ich, dass sie Wetten darauf abgeschlossen hatten, wie lange er es noch als Teamleiter machen würde. Ein halbes Jahr war die zuversichtlichste Prognose. Genau genommen beherrschte Gunnar seinen Job in etwa so sicher wie Bruce Darnell die deutsche Sprache. Ähnlich wie der versuchte auch Gunnar, mangelnde Kompetenz mit Charme und Humor wettzumachen. Blöderweise hatte er den Charme eines Pädophilen, gepaart mit dem Humor von Fips Asmussen. Fiel jemandem etwas herunter, sagte er etwas Schwachsinniges wie: «Schmeiß weg. Ach, haste schon!», und tagtäglich wünschte er mir einen entspannten Eierfarbend. (Ich könnt mich ja beömmeln!)

«Moin, moin!», sagte er und drückte meine Hand mit dem übertriebenen Selbstbewusstsein eines Scheiternden. «Alles klar auf der Andrea Doria?»

Zum Glück spreche ich drei Sprachen fließend: Deutsch, Englisch und Idiotisch.

«Jo, jo!», machte ich. «Alles roger in Kambodscha.»

Stumm lachend riss Gunnar den Mund auf. Dabei deutete er mit dem Zeigefinger auf mich, als wollte er sagen: «Super gekontert, Mausipopausi!» Einen Ellenbogen gegen mein Becken gepresst, legte ich den Kopf schräg, kniff ein Auge zu und wackelte meinerseits mit dem Finger. Einige Sekunden standen wir uns in dieser Pose gegenüber.

Bevor ich vor Scham im Boden versinken konnte, sagte Gunnar: «Inchen, hier, du musst dringend ein paar Tage Urlaub verplanen, du hast noch fünf Stück und kannst nur zwei mit ins neue Jahr nehmen. Mach das heute mal, bitte.»

«Okidoki, Scheffe!», hörte ich mich sagen, worauf Gunnar ein glückliches Kieksen von sich gab.

Durch die Glasfassade unseres Großraumbüros schien winterliches Sonnenlicht. Allgemeines Gebrabbel füllte den Raum. Die Flachbildschirme, auf denen angezeigt wurde, wie viele Kunden warteten, leuchteten knallrot. Von einunddreißig Anrufern hing einer seit knapp sieben Minuten in der Warteschleife. Nachdem ich das Headset aus meinem Fach geholt hatte, setzte ich mich an eine unserer sogenannten Teaminseln. Jede dieser Inseln bestand aus zwei aneinandermontierten Tischen, an denen jeweils vier Kollegen telefonierten. Einen hatte man neben sich, die beiden anderen saßen einem, abgegrenzt durch eine stirnhohe Trennwand, gegenüber. Im gesamten Büro befanden sich etwa dreißig Stück davon. Als mir der Begriff Teaminsel zum ersten Mal zu Ohren gekommen ist, habe ich gefragt: «Heißt das so, weil wir hier alle zusammen gestrandet sind?» Ich bekam nicht mal ein müdes Grinsen.

Gerade erst hatte ich mich am Computer angemeldet und war noch nicht für Kunden erreichbar, als mein Telefon klingelte. Im Display blinkte Karstens Name. Ich sah mich um. Obwohl es keine festen Arbeitsplätze gab, hockte Jeannette wie üblich in der hintersten Ecke des Raumes. Niemand konnte einem dort über die Schultern schauen, weshalb es auch niemand bemerkte, wenn man während eines Telefonats Solitaire spielte oder im Internet herumdaddelte. Weil ich unter allen Umständen vermeiden wollte, dass sie oder andere Kollegen von meiner Bekanntschaft mit Karsten erfuhren, begrüßte ich ihn mit einem knappen: «Hallo!»

«Schönen guten Morgen», sagte er. «Habe gerade gesehen, dass du dich angemeldet hast, und dachte, ich rufe gleich mal an.»

Augenblicklich knisterte es wieder, und irgendetwas in mir schmolz dahin. Vielleicht der Eisberg in meinem Herzen, dachte ich frohlockend. (Fun Fact: Es war das erste Mal in meinem Leben, dass ich frohlockte.) Der Eisberg, ja, er schmolz! Bedrohte er in diesem Moment noch unsere gemeinsame Zukunft, die sich, der Titanic gleich, auf Wellen der Zuversicht auf ihn zubewegte, würde er nun bald Geschichte sein; versunken in den Tiefen des Zweifels, sodass wir ohne Furcht dem Sonnenuntergang entgegenschippern konnten. (Musikeinspielung: Celine Dion, «My Heart will go on».) Selbst wenn der Kahn sinken sollte, ich würde Karsten nicht in den Fluten ersaufen lassen wie Rose, diese selbstsüchtige Schlampe, die noch mehr als genug Platz hatte auf ihrer Scheißtür, oder was auch immer das sein sollte. Bibbernd und mit blau gefrorenen Lippen würde ich Karsten zu mir hinaufzerren und etwas Romantisches sagen wie: «Ey, wenn, dann nippeln wir gefälligst beide ab, Keule! Ich hab echt keinen Bock, jetzt noch sechzig Jahre weiterzumachen, ohne noch mal mit dir zu vögeln, nur um dann irgendeinen blöden Diamanten ins Wasser zu schmeißen, den ich mein Leben lang für teures Geld hätte verscherbeln können!» (Sie müssen das für sich behalten, aber ich liebe «Titanic». Wenn mich jemand fragt, weshalb ausgerechnet mir ein angeblich so mädchenmäßiger Film gefällt, erkläre ich für gewöhnlich, wie brutal und mitreißend die Actionszenen gemacht sind, und die Lovestory, na ja, die nimmt man halt so mit. Aber um ehrlich zu sein, will ich auch wenigstens einmal in meinem Leben meine orgasmuserschütterte Hand gegen eine beschlagene Autoscheibe klatschen.) Einige Sätze hindurch konzentrierte ich mich nur auf den Klang von Karstens Stimme, ohne ihm wirklich zuzuhören. «Wenn du nicht in das Drecksrettungsboot kletterst, und zwar pronto, steige ich da auch nicht rein!», brüllte ich mit zerzausten Haaren, als Karsten fragte: «Und?»

Stille.

Scheiße, worum ging's gerade?!

«Ina?»

Nachdem meine innere Mutter mich ob meiner Wortwahl gemaßregelt hatte, zog ich mein emotionales Korsett zurecht.

«Warte mal kurz», sagte ich schließlich. «Das eine Programm hier öffnet sich nicht richtig.» Ein guter Film lebt von seinen Soundeffekten, daher hackte ich auf meine Tastatur ein. «So, jetzt funktioniert's. Was hast du gefragt?»

«Ich wollte nur wissen, ob das Kaffeetrinken noch aktuell ist und wann du Zeit hast.»

In den vergangenen Monaten hatte mein sexuelles Selbstbewusstsein Moos angesetzt. Um es ein wenig aufzupolieren, wollte ich Karsten wenigstens ein klitzekleines bisschen zappeln lassen.

«Diese Woche weiß ich noch nicht so wirklich», sagte ich. «Morgen fahre ich meine Mutter besuchen, und am ...»

«Wie sieht's denn heute aus?»

Schlagartig ärgerte ich mich über vier Dinge gleichzeitig. Erstens, dass Karsten nicht einmal so tat, als wäre das Date auch für ihn keine dringende Angelegenheit. Zweitens, dass die Sache mit dem Zappelnlassen schon nach wenigen Sekunden nicht mehr funktionierte. Drittens, dass ich nicht einfach zusagte, sondern dieses Spielchen überhaupt spielte. Viertens, dass ich jedes gottverdammte Mal, wenn ich mir Titanic anschaute, früher oder später heulte wie ein Schlosshund.

«Ina?», fragte Karsten. «Bist du noch da?»

Near. Far. Wherever you are!

«Ja, ja. Bin hier», nuschelte ich. «Heute?»

«Passt dir nicht?»

«Na ja, ich muss halt bis achtzehn Uhr arbeiten und ...»

«Hast du Überstunden, die du abbummeln kannst?»

«Ein paar.»

«Gut», sagte Karsten, «dann nimmst du heute welche, arbeitest nur bis fünfzehn Uhr, und dann gehen wir irgendwo Kaffee trinken.»

«Ich glaube nicht, dass die mich heute früher gehen lassen», sagte ich mit Blick auf einen der Flachbildschirme.

«Das entscheide ja immer noch ich.»

Oh, nee!, durchzuckte es mich. Jetzt sei bloß nicht davon beeindruckt, dass er als Teamleiter so was machen kann.

«Also», hakte Karsten nach, «soll ich dir Überstunden eintragen, und wir treffen uns um drei unten auf dem Parkplatz?»

Reflexartig sagte ich: «Auf dem Parkplatz sehen uns doch alle.»

Wieder Stille.

«Gut, dann treffen wir uns gegen halb vier im Pier 51», schlug Karsten vor. «Kennst du das?»

Das Pier 51 war der Stammladen der Proseccoclique. Ein Schickimickicafé, in dem die selbsternannte High Society nachmittags Latte Macchiato schlürfte und abends zu Housemusik abhottete. Stichwort: Arschbasar. Es befand sich auf einer künstlich angelegten Insel in einem künstlich angelegten See, der an keiner Stelle tiefer als zwei Meter war. (Die Titanic wäre also noch bequem per Leiterwagen zu verlassen gewesen.) Ich kannte das Pier 51 nur von Partyfotos aus Stadtmagazinen, auf denen die immer gleichen Puderluder ihre solariumverstrahlten Visagen an nicht minder austauschbaren Milchbubis rieben.

«War ich noch nie», sagte ich.

«Echt nicht? Das ist toll, lass da mal hingehen.»

«Okay», hörte ich mich sagen.

«Dann bis nachher!»

Ein debiles Lächeln zog sich über meine Lippen. Innerlich stand ich mit ausgebreiteten Armen am Bug der Titanic, spürte den Wellengang in meinem Unterleib und hoffte, dass es tatsächlich der bekloppte Eisberg war, der schmolz, und nicht doch nur meine Zurechnungsfähigkeit.

In meiner ersten kurzen Pause begegnete ich im Pausenraum Jeannette, die ausgerechnet mit Franziska Buttgereit an einem der Stehtische lehnte. Ich holte eine Tasse aus dem Schrank und schenkte mir Kaffee ein.

«Ich geh dann wohl mal besser», sagte Franziska und verschwand. Ihr Kinn war noch ebenso gereckt wie am Abend der Feier, sodass ich ernsthaft überlegte, ob es sich vielleicht um einen steifen Nacken handelte.

«Na?», sagte ich und gesellte mich zu Jeannette. «Warst du noch länger auf der Party?»

«Wieso?»

«Nur so, weil ich dich dann nicht mehr gesehen habe.»

«Ich bin gegangen, kurz nachdem wir uns getroffen haben.»

«Ich auch», sagte ich. «Wollte irgendwie nicht auf einer Firmenfeier versacken, wer weiß, was da ...»

«Ina?», fiel mir Jeannette ins Wort. «Hast du dich wirklich noch mit Karsten Kronenbergh unterhalten?»

Es fühlte sich an, als wäre ich beim Spicken erwischt worden. Während ich nach Worten suchte, musste ich unweigerlich Jeannettes Lippen anstarren. Rissig und fahl zogen sie sich zusammen, bis es wirkte, als hätte sie eine Poperze im Gesicht. Um nicht loszulachen, konzentrierte ich mich auf die unlustigste Sache, die mir spontan in den Sinn kam.

Nachdem ich kurz an Oliver Pocher gedacht hatte, sagte ich: «Ja, so ein bisschen haben wir uns unterhalten.»

«Und hat er dich angesprochen oder du ihn?»

«Er mich!», antwortete ich wahrheitsgemäß, wenn auch ein wenig überbetont.

«Und worüber habt ihr so geredet?»

«Och», machte ich, «sind Sie nicht von der und der Etage? In welchem Team sind Sie denn? Aha! Ach so! Das typische Arbeitsgelaber halt.»

Knirschend drehte Jeannette ihre Tasse auf dem Tisch. «Und wie lange habt ihr euch unterhalten?»

«Nur kurz.»

«Und war der so richtig nett zu dir oder war das eher oberflächlich?»

«Oberflächlich nett würde ich sagen.»

«Wie geht das denn?»

Mit einem Mal war es, als steckte ich in einem jener Verhöre, die meine Mutter regelmäßig mit mir führte. Auch jetzt hatte ich mit jeder Frage weniger Lust, überhaupt etwas zu sagen.

Noch immer mit Poperze unter der Nase wollte Jeannette wissen: «Habt ihr auch gelacht?»

Jetzt wurde mir das Ganze zu blöd.

«Jeannette, wir haben uns wirklich nicht lange unterhalten. Kann sein, dass wir auch gelacht haben. Hast du ihn denn nicht angesprochen? Wolltest du doch machen.»

Sehnsüchtig blinzelte sie in ihren Kaffee, wie es sonst nur verhätschelte Twentysomethings in Berlin-Mitte machten.

«Der ist irgendwie nach ein paar Sätzen gleich wieder gegangen.» Ihre perfekt geschminkten Augenlider klappten auf Halbmast. Anschließend stülpte sich die Poperze nach außen und verwandelte sich in einen Schmollmund. «Wie findest du den denn? Findest du den gut?»

Meine Stirn in Falten gelegt, nahm ich einen langsamen Schluck Kaffee.

«Nnnnjoah», machte ich dann. «Also der war schon ganz ...»

In dem Moment kam Gunnar in die Kaffeeküche gehetzt.

«Ina! Jeannette! Also Mensch, wirklich jetzt mal!», sagte er mit Blick auf die Uhr. «Das ist gerade nur eine kurze Bildschirmpause, und ihr macht die schon seit über sieben Minuten, während die Kreditline absäuft. Ihr müsst euch an solchen Tagen wirklich mehr committen!»

Committen, ging es mir durch den Kopf. Zumindest das Wording unserer Business-Philosophy konnte der Gunnar completely händeln.

«Sorry, Chef!», sagte ich. «Muss das Roll-out vom letzten Quarter noch mal Step für Step checken.»

Dirty Dancing

Im Pier 51 düdelte Lounge-Musik. Milch wurde aufgeschäumt, Geschirr klapperte, und die Tische waren gefüllt mit dem erwarteten Volk. Es sah aus wie in der Cafeteria einer Gehirnentfernungsklinik. Mantraartig wiederholte ich einen Satz, den ich nach dem Gespräch mit Johnny an meinen Badezimmerspiegel geklebt hatte: *Ein bisschen mehr Mädchensein bringt dich nicht um!* Mein Vorsatz für das Date lautete, mich zurückzuhalten, ohne mich zu verstellen, keinesfalls aber wie üblich jeden Gedankenfurz unüberlegt herauszuplappern.

Vom Eingangsbereich aus schaute ich mich um. Karsten winkte mir von einem Fensterplatz mit Blick auf den See zu. Ich bekam Herzklopfen. Dreckskacke!, durchzuckte es mich. Was soll das denn jetzt bitte?! Ganz so viel Mädchen muss aber auch nicht sein! Ich konnte mich nicht erinnern, jemals wegen eines Kerls Herzklopfen bekommen zu haben. Für gewöhnlich ritt ich mit wehenden Fahnen in die Schlacht, aber nun fühlte es sich an, als wartete ich darauf, dass mir in den Sattel geholfen wurde. Ich steckte in einem Mantel-und-Degen-Film der Sechzigerjahre fest und war das holde Burgfräulein, das außer Um-Hilfe-Rufen nichts auf der Pfanne hatte. Am Tisch angekommen, atmete ich tief durch. Inzwischen hatte Karsten sich erhoben und überreichte mir eine Rose.

«'ne Rose», sagte ich, als wollte ich mein botanisches Fachwissen unter Beweis stellen. Im Blumen-geschenkt-Bekommen war ich schon immer grottenschlecht gewesen, sodass ich keinen Schimmer hatte, was ich mit dem Teil anfangen sollte. Die Blüten abzupfen, aus meinem Turmverlies werfen und *Er liebt mich, er liebt mich nicht* spielen? (Das Prinzip der Schnittblume an sich war mir ein Rätsel. «Hallo, Schatz, hier ist etwas, dem du beim Sterben zugucken kannst.» – «Oh, wie praktisch, Liebster! Bring auch gerne mal einen platten Igel von der Straße mit, falls er noch zuckt.») Anstatt mich zu bedanken, starrte ich auf Karstens Brustmuskeln, die sich deutlich unter seinem Hemd abzeichneten. Gott sei Dank, endlich mal nicht so ein Verspackelter! Hinter meinen Augen spürte ich ein sonderbares Flirren, und das Herzklopfen legte noch einen Tacken zu. Kurz grübelte ich, ob man einen Kerl hübsch finden durfte oder ob der Begriff nicht Mädchen und Frauen vorbehalten war. Hübsche Kerle waren für gewöhnlich diejenigen Mitglieder von Boybands, bei denen früher oder später ans Tageslicht kam, dass sie schwul waren. Karsten trug ein rosa Oberhemd. Außerdem wirkte sein Dreitagebart ein wenig zu akkurat gestutzt.

Bevor sich meine Gedanken weiter verselbständigen konnten, sagte Karsten: «Schicke Schuhe.»

«Findeste?», fragte ich und schaute an mir herunter.

Erst jetzt schien Karsten wirklich einen Blick auf meine Schuhe zu werfen und verzog kaum merklich das Gesicht. Seit Jahren verdrängte ich den Umstand, dass Winter war, indem ich mich weigerte, die entsprechende Kleidung anzuziehen. Von daher trug ich auch heute anstelle eines Mantels und gefütterter Stiefel nur meine Jeansjacke und ausgelatschte Stoffturnschuhe. Einziges Zugeständnis an die Temperaturen war ein dicker, schwarzer Schal, den mir meine Oma geschenkt hatte. Ohne weiter darauf einzugehen, griff Karsten meine Schultern und drückte mir Küsschen auf die Wangen. Seine Bartstoppeln kitzelten an meiner Haut.

Weil ich Küsschenverteilen nur aus französischen Filmen kannte, sagte ich: «Uhh, merci! Gehen wir gleich noch auf einen Pernod zu Pierre und dann auf den Eiffelturm oder was?» Ratlos knabberte Karsten an seiner Unterlippe. Gedankenfürze!, ermahnte ich mich und ergänzte: «Solange ich keine Frösche essen muss oder Schnecken, passt das schon.»

«Frösche?»

«War nur ein Beispiel.»

«Aber ... aber du isst doch Fleisch, oder nicht? Die Mettklöße?»

«Auf jeden!», sagte ich. «Ich liebe Fleisch. Aber halt nur Fleisch, das irgendwann mal Beine und ein Gesicht hatte. Und das sich nicht nur von Insekten ernährt hat.»

«Hmhm.»

«Als es noch geatmet hat.»

«Als es geatmet hat?»

«Fleisch, das Beine hatte, als es noch geatmet hat», setzte ich an, «also die Tiere halt, die meinte ich, dass ich die esse, im Gegensatz zu Schnecken zum Beispiel, die haben ja keine Beine und kein richtiges Gesicht, und weil Frösche aber doch Beine haben und ansatzweise auch ein Gesicht, also nur ohne Ohren, und mir das dann aufgefallen ist, habe ich noch die Sache mit den Insekten dazu gesagt. Weil Frösche halt Insekten essen. Oder fressen. Eins von beidem. Damit das deutlicher wird. Irgendwie.» Ausdruckslos nickte Karsten vor sich hin. «Wegen den Küsschen?», versuchte ich zu erklären. «Wie in Frankreich. Frösche? Frankreich? Ekliges Essen und so? Kam nur ein bisschen verquer raus. Aus mir. Der Satz. Eben gerade.»

«Verstehe.»

«Fleisch.»

«Hmmm.»

Was bist du für eine Katastrophe, Ina!

Ich glaubte schon, das Schlimmste sei überstanden, als Karsten fragte: «Kann ich dir aus der Jacke helfen?»

«Nee, lass mal», hörte ich mich antworten. «Jacke ausziehen und Hintern abwischen will ich so lange wie möglich alleine hinkriegen.»

An einem Nachbartisch, seinen Schlapphut tief ins Gesicht gezogen, hockte Johnny. Fassungslos schüttelte er den Kopf. Schlagartig wurde mir bewusst, dass ich Karstens sauber choreographierten Einstieg komplett versaute. Herzklopfen. Wir waren Baby und Johnny bei ihrer ersten Tanzstunde (G'gung! G'gung!).

Um die Hebefigur nicht schon im Ansatz zu verbocken, wandte ich Karsten meinen Rücken zu. «War nur Spaß, Keule. Mach mal.»

Nachdem er meine Jacke über eine Stuhllehne gehängt hatte, bestellte er, ohne mit der Wimper zu zucken, zwei Cappuccini.

Den restlichen Nachmittag verbrachte ich damit, ihm den Stock aus dem Arsch zu ziehen. Es war ein Drama. Karsten war für Spaß, was Gandhi für Gewalt war. Schon nach wenigen Minuten war mein Herzklopfen ebenso spurlos verschwunden wie der entspannte Kerl vom Buffet. Anstatt über belanglose Anekdoten erste Gesprächsthemen zu finden und gemeinsam zu lachen, vertraute er mir erstaunlich persönliche Dinge an. Nach nicht mal einer Stunde wusste ich, dass er seit drei Jahren kein Wort mehr mit seiner Schwester gewechselt hatte, dass er Panik vor Menschenmassen hatte, dass der Job ihm sein komplettes Privatleben raubte und dass er kaum einen seiner Jugendträume verwirklicht hatte. Sämtliche Versuche meinerseits, die Unterhaltung aufzulockern, verpufften erfolglos. Beispielsweise erzählte ich, wie ich als Achtzehnjährige den Pastor unseres Dorfes um eine Audienz gebeten hatte, um ihm in einem oscarverdächtigen Monolog zu erläutern, weshalb ich aus der Kirche austreten wollte.

«Und der Pfaffe hockt da», sagte ich, «hört sich mein Geschwafel seelenruhig an, lehnt sich dann vor, so mit gefalteten Händen und einem Gesichtsausdruck, als hätte ich Jesus noch einen zusätzlichen Nagel in die Füße gekloppt, und erklärt mir erst, als ich fertig bin, dass ich so was übers Amt regeln muss. Ich latsche also nach Hause, komme mir total bescheuert vor, und keine Stunde später steht der Penner bei uns vor der Tür, um ein ernstes Gespräch mit mir und meinen Eltern zu führen. Hast du mal ‹Der Exorzist› gesehen? Na, egal. Irgendwann haut er wieder ab, meine Mutter fummelt besorgt an ihren Haaren rum, aber mein Papa meint nur», ich verstellte meine Stimme, um seinen sonoren Ton zu imitieren: «Bleib mal ruhig drinne, Ina. Kannste mal mit dem ganzen Klimbim heiraten, und wennse dich irgendwann verbuddeln, ist das auch alles netter. Und die paar Mark Kirchensteuer klauste Weihnachten aus 'm Klingelbeutel.»

Anschließend grinste ich Karsten an. Statt es zu erwidern, erzählte er mir von der Beerdigung seiner Mutter, die einige Jahre zuvor an Krebs gestorben war. (Tote Krebs-Mütter sind übrigens ein echtes No-Go bei ersten Dates!) Obwohl ich in dem Moment auch vom Tod meines Papas hätte erzählen können, brachte ich es nicht heraus. Irgendwas fühlte sich falsch an. Auf sonderbare Weise wirkte Karstens Offenheit eher wie ein Schutzschild, um von etwas anderem abzulenken.

Nach drei Stunden hatte mich das Gespräch mürbe gemacht. The Time of my Life war es sicherlich nicht gewesen. Eher fühlte es sich an, als hätte ich den ganzen Nachmittag hindurch Wassermelonen geschleppt. Dennoch war in mir der Ehrgeiz geweckt, den Kerl vom Buffet wiederzubeleben. Daher griff ich zum Defibrillator jedes ersten Dates und nötigte Karsten dazu, dass wir einander unsere Führerscheinfotos zeigten.

«Du hast dich ja kaum verändert», sagte er.

«Zum Glück machen die da keine Bilder von der Leber rein, was?»

Karsten verzog keine Miene. Innerlich machte ich dicke Backen und warf einen Blick in seinen Führerschein. Meine Augen zuckten zwischen ihm und dem Foto hin und her, als vergliche ich ein Such-den-Fehler-Bildchen in einem Rätselheft. Ich fand auf Anhieb mehrere grundlegende Unterschiede. Unter anderem hatte Teenager-Karsten pechschwarz gefärbte und in alle Richtungen toupierte Haare; die Seiten waren kahlrasiert. Dafür flaumte über seiner Oberlippe eines dieser Fusselbärtchen, die beim Mofa-Fahren so schön im Wind wehen. Seine Wangen waren zwei große Akneherde. Im rechten Ohr steckten fünf Ringe, und um den Hals trug er ein Pentagramm. Ich war mächtig beeindruckt.

«Können wir ja demnächst mal zusammen Friedhöfe schänden gehen», sagte ich. «Besorgst du die Sprühfarbe?» Als Karsten schmunzelte, witterte ich Morgenluft. «Kennst du den perfekten Anmachspruch für Gruftis?», legte ich nach. «Du musst denen blutleer in die Augen gucken, und dann sagst du mit so einem transsylvanischen Akzent», ich verstellte meine Stimme, *«Ich spüre deinen Schmerz.»*

Ein Grinsen zog sich über Karstens Gesicht. Auf der Stelle wollte ich herausfinden, ob er früher im üblichen Zwei-vor-einen-zurück-Ausfallschritt zu The Cure getanzt hatte.

Bevor ich aber nachhaken konnte, sagte er: «Schade, dass es schon dunkel draußen ist, sonst hätten wir noch einen Spaziergang machen können.»

Genauso gut hätte er mir einen nassen Fisch ins Gesicht klatschen können. Spazierengehen kam auf meiner stetig wachsenden Liste sinnloser Freizeitbeschäftigungen direkt nach KoffeinfreienKaffeetrinken und AbzwölfJahrefreigegebeneHorrorfilmegucken. Welchen Grund gab es für jemanden mit gesundem Menschenverstand, durch die Gegend zu latschen, nur um am Ende wieder dort anzukommen, wo er losgegangen war? (Erzählen Sie mir jetzt bloß nichts von wegen Natur und so. Wenn ich Natur sehen will, gucke ich mir Dokumentationen an. Da bekomme ich wenigstens Schnappschildkröten zu sehen!)

Schweigend leerte ich meinen Cappuccino.

«Willst du los?», fragte Karsten. «Ist schon halb sieben.»

«Hmm», machte ich.

«Wollen wir uns denn noch mal treffen?»

Hier drei Stichworte, weshalb ich ihn nicht direkt abserviert habe: Ehrgeiz, Brustmuskeln, Sahelzone.

«Und was machen wir dann?», fragte ich.

«Schlag was vor.»

Ich ließ meinen Blick durch den Raum wandern, bis er an einem Plakat im Eingangsbereich hängen blieb.

In einem letzten verzweifelten Versuch, Karsten aus der Reserve zu locken, fragte ich: «Warst du schon mal auf dieser Paintball-Ranch? So ein bisschen rumballern?»

Erst nach einem Moment des Zögerns kratzte Karsten sich kichernd am Nacken.

«Du meinst das ernst, ne?», fragte er.

Ich nickte.

«Du bist nicht so ... so eine Tussi, oder?»

Ich schüttelte den Kopf.

«Ist dir das hier zu schickimicki?»

Ich fummelte an meiner Trainingsjacke herum.

«Und findest du die Rose doof?»

Ich zuckte mit den Schultern.

«Du testest mich auch immer noch, oder?»

Ich summte zustimmend.

«Okay, dann gib mir mal einen knallharten Zwischenstand», sagte Karsten und rieb sich durchs Gesicht. «Versaue ich es gerade?»

Ich räusperte mich.

«Ihre Stärke, Herr Kronenbergh, ist natürlich Ihre Offenheit», sagte ich, als befänden wir uns in einem Feedbackgespräch auf der Arbeit. «Sie könnten nur vielleicht ein wenig lockerer sein. Lachen ist manchmal richtig gut.» Obwohl Johnny mit aufgerissenen Augen signalisierte, nicht in die Vollen zu gehen, ergänzte ich: «Eine weitere Stärke sind natürlich Ihre Brustmuskeln und Ihr Knackarsch. Letzteren muss ich allerdings noch mal genauer unter die Lupe nehmen, da spekuliere ich gerade eher, aber ich würde Ihnen auf jeden Fall empfehlen, zu unserem nächsten Date körperbetontere Kleidung zu tragen.» Leiser fügte ich noch hinzu: «Ich bin übrigens manchmal ein bisschen oberflächlich.»

Einen Augenblick hockten wir uns stumm gegenüber. Schließlich prustete Karsten los, wobei ein völlig anderer Mensch in ihm aufblitzte. Fast glaubte ich, das Flutschen des Stocks zu hören.

«Du irritierst mich total», sagte er. «Aber fühlt sich gut an. Fühlt sich ... fühlt sich wirklich gut an.»

Fühle! Fühle! Fühle!, durchzuckte es mich. Um ihn davon abzuhalten, noch mehr Emoscheiße rauszuhauen, formte ich mit den Fingern eine Pistole.

«Übermorgen Paintball-Ranch?»

«Gerne. Dann haben wir einen Termin am Mittwoch.»

«Attenzione, Signore!», sagte ich wie der Don in einem Mafiafilm. «Mit mir hast du keine Termine, mit mir hast du Dates.»

«Dates», wiederholte Karsten. «Da passt das s am Ende natürlich wieder.» Anschließend murmelte er schmunzelnd: «Klang aber trotzdem affektiert, Keule.»

Hangover

Soeben hatte ich mich mit Fernbedienung im Anschlag auf mein Sofa geflegelt, als Henning anrief.

«Na?», meldete ich mich.

«Alles im Lack?», fragte er. Im Hintergrund wummerte Musik.

«Was'n los?»

«Hm.»

«Stress mit Annika?»

«Ach.»

«Proseccocliquen-Alarm?»

«Näh.»

«Was denn?», wollte ich wissen.

«Kannst du morgen ausschlafen?»

«So schlimm?»

«Nee. Ja. Geht schon», sagte Henning. «Kommst du noch ins Lochfraß?»

«Muss ich dann etwa trinken?»

«Ein bisschen vielleicht?»

«Waren wir nicht nächste Woche Dienstag verabredet?»

«Ja, aber da gehen wir ja ins Izarro.»

Stöhnend knetete ich den Gürtel des Bademantels.

«Musst du denn morgen arbeiten, Ina?»

«Nee, nur zu meiner Mutter.»

«Schaffst du.»

«Muss ja.»
«Bis gleich!»

Henning und ich waren Kindergartenfreunde. Wir wirkten so vertraut, dass wir von Fremden mit schöner Regelmäßigkeit für ein Paar gehalten wurden. Uns beiden war allerdings seit der siebten Klasse klar, dass eine Beziehung nicht zur Debatte stand. Eines Nachmittags waren wir damals verabredet gewesen, um für eine anstehende Mathearbeit zu büffeln. Mit einer halben Stunde Verspätung betrat der ansonsten überpünktliche Henning mein Zimmer. Wortlos schloss er die Tür hinter sich. Ein Schulheft auf den Knien, hockte ich auf meinem Sofa, und als er nur wie angewurzelt dastand, fragte ich: «Alles tutti in Salzsäulenhausen?»

Eine dünne Schweißschicht zog sich über Hennings Stirn, und seine Eiterpickel pulsierten vor Aufregung.

«Ehhm, ... ja, ja, logisch.» Angestrengt schluckend zauberte er einen Ring mit grünem Plastiksteinchen aus seiner Hosentasche hervor. «Ina, willst du mit mir ...»

Weiter kam er nicht. Mit einem Entsetzensschrei krümmte ich mich zusammen und riss das Johnny-Depp-Kissen vor mein Gesicht. Genauso gut hätte mir einer meiner Brüder einen Heiratsantrag machen können. Außerdem fand ich Hennings karottenfarbene Pumuckl-Locken schon damals dermaßen unerotisch, dass ich bei unserem ersten Petting wahrscheinlich ununterbrochen ein schrill herausgeplärrtes «Hurra! Hurra!» im Kopf gehabt hätte.

«Scheiße, ey, ich dachte, du wolltest das!», sagte er und pfefferte den Ring beiseite.

Ich lugte über das Kissen. «Wieso das denn, bitte?»

«Was weiß ich, ey?! Wir hängen so gut wie jeden Tag zusammen rum, gucken Filme und reden auch über ... na ja, über so Sachen halt. Außerdem glauben sowieso alle, dass wir zusammen sind, da dachte ich, ich muss das mal machen, jetzt, wo Robert weg ist.»

Meine Finger in Johnnys Haare gekrallt, fragte ich: «Willst du denn mit mir ... mit mir gehen?»

Grunzend ließ Henning sich neben mich fallen.

«Spinnst du?!», sagte er, als wäre es die unsinnigste Frage, die ich stellen konnte.

«Keule, du bist so dermaßen behämmert», sagte ich, und boxte liebevoll gegen seine Schulter. Henning boxte zurück. Damit war die Sache erledigt.

Ein Lied der Kings of Leon drang aus den Boxen. Henning hing mit glasigen Augen an der Theke, als wäre er einer Bukowski-Verfilmung entstiegen.

«Na, Hank?», sagte ich. «Mal wieder die nächste Miete bei Pferdewetten verzockt?»

Nach einer wortlosen Umarmung bestellte er Bier und Wodka. Ich nahm auf einem Hocker neben ihm Platz und wickelte den Schal von meinem Hals. Für einen Montagabend war der Kneipenbereich erstaunlich gut gefüllt; nur auf der Tanzfläche herrschte gähnende Leere. Am Billardtisch diskutierten einige Kerle miteinander, und in einer anderen Ecke klapperte der Kickertisch.

In den frühen Achtzigern war das Lochfraß ein reiner Punkschuppen gewesen, aber im Laufe der Zeit war das Publikum studentischer geworden. Nichtsdestotrotz hatte der Laden nichts an liebenswerter Schebbichkeit verloren. Die roh verputzten Wände waren schwarz überschmiert, hier und da hingen Konzertplakate, und die Kanten der Theke waren von unzähligen Ellenbogen rund geschliffen. An manchen Abenden war Indie-Disco, an anderen lief elektronische Musik, und gelegentlich gab es Konzerte. Vor einigen Jahren war ich durch meine damalige Kollegin Carlotta auf das Lochfraß aufmerksam geworden. Neben ihrem Studentenjob im Callcenter kellnerte sie und war äußerst großzügig, was Freibiere betraf. Zuletzt hatte es Henning und mich nur selten ins Lochfraß verschlagen. Wenn wir dort waren, lief es aber für gewöhnlich auf einen amtlichen Kater hinaus, was Henning «zielorientiertes Saufen» nannte.

«Jetzt erzähl», forderte ich ihn schließlich auf.

Grummelnd schüttelte er den Kopf. «Und bei dir?»

«Habe mich vorhin mit so einem Kerl getroffen.»

«Wie?», fragte Henning und richtete sich auf. «Nachmittags? Bist du jetzt etwa tatsächlich so richtig auf der Suche? Woher kommt der denn auf einmal?»

«Vorgestern war doch Weihnachtsfeier. Das ist so ein Teamleiter, auf den Jeannette eigentlich scharf ist, aber irgendwie hat der mich angequatscht, und ...»

«Jeannette?», fiel mir Henning überrascht ins Wort.

«Ja?», fragte ich zurück.

«Nee, wundert mich halt nur, dass ich davon nichts weiß, von diesem Teamleiter, weil Jeannette ja sonst immer alles

Annika erzählt und ich mir dann das ganze Zeug anhören muss.»

«Du darfst auf keinen Fall Annika sagen, dass ich mich mit dem getroffen habe, sonst weiß Jeannette das auch sofort.»

Eine weibliche Bedienung mit roten Dreadlocks und Kippe im Mundwinkel stellte unsere Getränke auf den Tresen.

«Darf man hier rauchen?», fragte ich.

«Montag. Wen interessiert's?», antwortete sie und wandte sich ab.

Bräsig glotzte Henning ihr auf die Arschbacken.

«Soll ich erzählen, willst du erzählen oder wollen wir Hintern analysieren?», fragte ich.

«Hintern *anal*ysieren», kicherte er. Ungläubig schloss ich die Augen. «Sorry. Ja. Teamleiter?»

«Genau. Aber das ist nur das erste Problem.»

Ich kramte einen Tabakbeutel aus meiner Jackentasche.

«Ich dachte, du wolltest mal wieder aufhören.»

«Das ist meine erste seit fünf Tagen», sagte ich. «Die habe ich mir verdient. Ich habe extra keine Schachtel gekauft, damit ich mich zurückhalte.»

«Und Alkohol?»

«Habe neulich wieder die Nicht-vor-sechs-Uhr-Regel eingeführt.»

«Sehr löblich», sagte Henning und erhob seinen Wodka. «Auf gute Vorsätze! Auf dass sie uns begleiten mögen, in guten wie ...»

«Sabbel halten.»

Nachdem wir getrunken hatten, berichtete ich von Karsten. Das zweite Bier war bestellt und die dritte Zigarette soeben angesteckt, als ich die Geschichte mit dem Satz beendete: «Aber voll die Brustmuskeln, sag ich dir. Der hat echt mehr Titten als ich.»

Henning grunzte nur. «Und ist an dem sonst noch was toll?» Anstatt zu antworten, nahm ich einen tiefen Zug. «Ina, du hast gerade irgendwie nur gelästert.»

Mit einem entnervten Seufzer strich ich mir die Haare aus dem Gesicht.

«Ey, der wollte spazieren gehen! Ich weiß gar nicht, wie man das macht. Am besten noch eingehakt dahinschlendern. Oder flanieren. Lustwandeln!»

«Bist du denn verknallt? So mit G'gung mal wieder?»

«Von Samstagnacht bis vorhin war ich voll verknallt.»

«Anderthalb Tage. Respekt!» Ich rammte Henning einen Ellenbogen in die Rippen. «Mal ehrlich, Ina, willst du wirklich was von dem oder redest du dir das nur schön, weil du dir vorgenommen hast, einen Typen zu finden? Bisher klingt das alles so, als wäre das wieder ein klassischer Fall für deinen Schuhkarton. Und wenn du dich dazu zwingst, bringt das doch eh nichts. Pass auf, dann biste in zwei Jahren auch so eine, die sich aus Angst vorm Einsamsein einen Braten in die Röhre schieben lässt.»

«Kinderkriegen ist eklig», nuschelte ich und nahm einen Schluck Bier drauf.

«Davon mal ganz abgesehen.»

«Weißte, neulich gab es so eine Dokumentation über Höhlenforscher im Fernsehen, und so hat sich der Nachmittag heute angefühlt: als würde ich durch die Dunkelheit kraxeln, dabei die ganze Zeit versuchen, nicht auszurutschen, in der Hoffnung, was Tolles zu finden. Irgendwie habe ich das Gefühl, dass da bei Karsten mehr zu holen ist als das, was ich bislang zu sehen bekommen habe.»

«Hm», machte Henning nur.

Wenn es um Beziehungsgeschichten ging, war er noch nie eine sonderlich große Hilfe gewesen. Als ich ihn vor Jahren einmal gefragt habe, ob er nicht wolle, dass Frauen ihn wirklich kennenlernen, antwortete er allen Ernstes: «Schon, aber nicht gleich am Anfang.»

Die Bedienung servierte eine weitere Runde Getränke, und wir stürzten die Wodkas herunter. Noch bevor Henning sein Glas abgestellt hatte, orderte er neue.

«Lass mal bitte nicht übertreiben», sagte ich. «Ich muss morgen bei meiner Mutter fit sein, sonst nervt das noch mehr als sonst.»

«Ich weiß gar nicht, was du immer hast. Ich finde deine Mutter toll.»

«Ich habe jetzt schon wieder so einen Hals, wenn ich daran denke. Jedes Mal dasselbe! Früher oder später sagt sie», ich verstellte meine Stimme, «*Ach, erzähl doch mal, Ina. Was hast du denn so gemacht?*, und wenn ich dann nicht haarklein von jedem Mist erzähle, geht sie den immer gleichen Fragenkatalog durch. Und sie kennt jede verschissene Antwort. Jede! Du willst echt nicht wissen, wie oft die mich schon gefragt hat, wie deine Freundin heißt. Und allein ihre Begrüßung ist wie so eine geheime Losung, die wir hinter uns bringen müssen. Wenn ich die Haustür aufschließe, fragt sie, weshalb ich nicht geklingelt habe, und wenn ich klingele, fragt sie, ob ich meinen Schlüssel nicht dabeihabe. Und ich habe den immer dabei. Immer! Und sie weiß das auch, und ...»

«Was genau ist daran so schlimm?»

«Weil ... na ja», ich zupfte mir Tabakbrösel von der Zungenspitze, «weil es jedes Mal dasselbe ist. Stichwort: Und täglich grüßt das Murmeltier.»

«Ich dachte, das ist einer deiner Lieblingsfilme.»

Mit offenstehendem Mund gaffte ich Henning an. Immer wieder gelang es ihm, Diskussionen nicht mit Totschlagargumenten, sondern Totschlagassoziationen zum Stillstand zu bringen; einer kruden Querschlägerlogik aus hanebüchenen Zusammenhängen, die nicht für fünf Pfennig Sinn ergaben.

«Scarface ist auch einer meiner Lieblingsfilme», sagte ich schließlich, «trotzdem habe ich keinen Bock, zersägt zu werden.»

«Was?»

«Ernsthaft mal, du musst jetzt ganz dringend was Schlaues von dir geben oder mich weitermotzen lassen.» Ohne mich anzusehen, klapperte Henning mit einem Bierdeckel auf der Theke herum. «Na?», hakte ich nach.

«Ich glaube, deine Mutter fühlt sich einfach wohl in solchen Gesprächen», sagte er schulterzuckend. «Gibt ihr wahrscheinlich ein Gefühl von Sicherheit oder Vertrautheit, weil sie sonst nicht weiß, worüber sie sich mit dir unterhalten soll. Freiwillig rückst du ja bestimmt nicht so viel raus. Erzähl ihr doch einfach mal von diesem Teamleiter. Wenn du was von ihr zurückhaben willst, musst du ihr auch erst ein bisschen was von dir geben. Musst du halt mal ein bisschen die Hosen runterlassen.»

In der verspiegelten Wand hinter dem Schnapsregal bemerkte ich die dumme Fresse, die ich zog. Stumm ließ ich den Kippenstummel in meine leere Bierflasche gleiten.

«Schlau genug für den Anfang?», fragte Henning.

«Bist du jetzt Yoda mit korrekter Grammatik oder was?», brummte ich.

Die Bedienung stellte eine Runde neuer Getränke vor uns ab.

«Nicht übertreiben!», sagte ich.

«Logisch.»

In meinen Schläfen steckten daumendicke Stahlschrauben. Ich war Frankensteins Monster. Meine Lunge brannte. Eine Weile lag ich regungslos im Bett und hörte dem gleichmäßigen Pfeifen meines Atems zu. Als ich hustete, glaubte ich für eine Schrecksekunde, den Körper über Nacht mit einem Kohlekumpel im Vorruhestand getauscht zu haben. Erst als mir auffiel, dass ich mit der Hand zwischen den Beinen eingeschlafen war, schwanden meine Befürchtungen. Gott sei Dank, kein Penis! Anschließend bemerkte ich, dass ich noch immer meine Jeans trug. Ich hatte nicht den blassesten Schimmer, wie ich nach Hause gekommen war. Meine Augen nur halb geöffnet, tastete ich nach meinem Handy auf dem Nachttisch, und die Beleuchtung des Displays blendete mich wie gleißendes Sonnenlicht. Der

Schmerz zuckte in ungeahnte Tiefen meines Schädels. Eine Weile dauerte es, bis sich meine Augen auf die Lichtverhältnisse eingestellt hatten, aber schließlich bemerkte ich eine neue SMS: *Vergiss deinen Emo-Spießer und meld dich! Der Knutscher war toll! Gruß, Matten!*

Ruckartig setzte ich mich auf. Mit einigen Millisekunden Verzögerung schwappte die breiige Masse zwischen meinen Ohren hinterher. Nachdem sich der Wellengang gelegt hatte, rief ich Henning an.

«Hier ist Annika.»

«Annika, hi!» Der Klang meiner Stimme ließ mich meine Kohlekumpel-Theorie mit einem raschen Griff zwischen die Beine erneut überprüfen. Ich räusperte mich. «Ist Henning schon wach oder liegt der auch noch in Sauer?»

«Wieso auch?»

«Na, ich bin halt ganz schön fertig.»

«Warst du gestern mit ihm und den Jungs Fußball gucken?» Ich schluckte. «Ina? Warst du da auch?»

«Ja. Doch. Bin so spontan dazugestoßen.»

«Interessant», sagte Annika. «Ist ja aber in letzter Zeit nichts Neues, hm?»

«Was?»

Ohne weiter darauf einzugehen, fragte sie: «Du hast noch meine Perücke und das andere Zeug von der Halloween-Party, oder?»

«Stimmt, das liegt bei mir im Auto.»

Bevor sie Henning das Handy reichte, sagte sie an ihn gerichtet: «Deine Ina.» Anschließend glaubte ich, das Knallen einer Tür zu hören.

«Hm?», brummte Henning.

«Wieso denn Fußball gucken?», fragte ich.

«Egal. Was is' los?»

«Henning, ich habe einen Schädel wie 'n Rathaus. Und ich weiß nichts mehr. Trinken, schön und gut, aber ich hatte noch nie einen Filmriss. Nie!»

«Kommt bestimmt vom Kiffen.»

«Kiffen?! Ich habe das erste und letzte Mal mit siebzehn gekifft. Als ich hinter dein Bett gekotzt habe.»

«Bis gestern», kicherte er. «Mit diesem einen Typen.»

«War der hässlich?»

«Nö. Bis auf den Buckel ging's eigentlich.»

«Henning!»

«Den hast du sogar angeschnurrt.»

«Das habe ich nicht gemacht!» Henning lachte nur. «Oh, ernsthaft?», fragte ich.

«Der fand dich ziemlich geil.»

«Wie sah der aus?»

«So, hmm ... ich weiß nicht. Normal. Mittelgroß, irgendwie, helldunkle Haare, mit ...»

«Mit Augen und 'ner Nase, ne?» Kraftlos ließ ich meinen Oberkörper zurück in die Kissen klappen und legte eine Hand über meine Stirn. «Hast du mich knutschen sehen?»

«Nee, ich bin dann ja abgehauen.»

«Ohne mich?»

«Drei Tritte gegen's Schienbein haben mir halt gereicht. Habt ihr noch geknutscht?»

«Schreibt er jedenfalls.»

«Ha!», machte Henning. «Mit Handynummern austauschen?

Dann scheint der ja mächtig Eindruck gemacht zu haben. Hast du ihm noch deinen richtigen Namen gesagt?»

«Wieso?»

«Hast mal wieder behauptet, du würdest Angelina heißen, und so hat er dich dann auch die ganze Zeit genannt.»

Ich rollte mich zusammen. «Oh Mann, ist das peinlich.»

«Ruf ihn doch an. Hast doch seine Nummer, wenn er dir eine SMS geschickt hat.»

«Ich kann doch nicht sagen: Hallo, wir haben zwar geknutscht, aber ich habe keine Ahnung, wie du aussiehst.»

«Wärst du Robocop, könntest du dir jetzt einfach deinen eingebauten Erinnerungs-Chip angucken, und ...»

«Laber doch nicht immer.»

Einen Moment schwiegen wir, bevor Henning fragte: «Erinnerst du dich sonst noch an irgendwas? Was ich dir so erzählt habe.»

«Nee, was denn?»

«Egal. Erzähle ich dir nächsten Dienstag im Izarro noch mal.»

Mein Blick blieb am Radiowecker kleben.

«Ist das echt schon kurz vor elf? Henning, ich muss zu meiner Mutter. Das halte ich nie im Leben durch.»

«Rollmöpse zum Frühstück, dann läuft das wie geschmiert.»

«Als ob ich irgendwas im Kühlschrank hätte. Und wenn ich mal wieder frühstücke, dann garantiert keine Rollmöpse.»

«Grüß deine Brüder von mir», sagte Henning. «Wollen wir Weihnachten mal wieder mit Nils und Jan ins Piano? Da war ich seit Jahren nicht mehr.»

Beim Gedanken an die Kneipe unserer Jugend knarrten die Schrauben in meinem Schädel. «So was kann ich jetzt nicht planen, Henning. Ich bin voll das Wrack.»

Der Weiße Hai III

Trotz zwei Kopfschmerztabletten fühlte es sich an, als kratzte ich das Eis von meiner Hirnrinde statt von den Scheiben meines Autos. Im Wageninneren schien es noch kälter als draußen zu sein, und mein Atem gefror in der Luft. Da Alkohol nicht gefriert, konnte es mit dem Saufen also doch nicht so schlimm gewesen sein. (Meine Vieren in Chemie und Physik habe ich ja bis heute nicht verstanden.) Ich drehte die Heizung auf volle Pulle und schob eines meiner ausgenudelten Mixtapes in den Kassettenrekorder. Ein CD-Player im Auto kam für mich schon aus rein nostalgischen Gründen nicht infrage. Mein roter VW Polo Fox Coupé, Baujahr 1989, war mein erstes und bislang einziges Auto. Trotz bescheidener 55 PS und 1300 ccm Hubraum bekam ich die Karre bis auf 156 Stundenkilometer, wenn ich richtig Späne gab. (Sollten Sie mir nicht glauben, kann ich Beweisfotos mit exakten Geschwindigkeitsangaben vorlegen!) Seit Jahren wollten meine Brüder mir ein neues Auto aufschwatzen, aber ich liebte die Schrottkiste zu sehr. Wenn etwas nicht funktionierte, musste man einfach nur draufschlagen, und schon lief es wieder. So gesehen war mein Fox wie der Millennium-Falke, Han Solos Raumschiff aus Krieg der Sterne. Vielleicht redete ich mir das auch nur ein, weil sich die läppischen dreißig Kilometer zu meiner Mutter jedes Mal wie Lichtjahre anfühlten.

Ich bog in die Einfahrt zum Betrieb und stellte den Fox auf einem der Kundenparkplätze ab. Nachdem ich mir vorsichtshalber zwei Hustenbonbons in den Mund geschoben hatte, warf ich einen Blick in die Werkstatt und schnupperte. Die Mischung aus Öl- und Gummigeruch zauberte mir jedes Mal ein Lächeln ins Gesicht. Kopfüber hing Nils im ausgeschlachteten Motorraum eines Autos und streckte mir seinen Hintern entgegen. Ansonsten war niemand in Sichtweite. Auf Zehenspitzen schlich ich mich an ihn heran und verpasste ihm einen saftigen Klaps.

«Oheyspinnstduey!?»

Keuchend richtete er sich auf, als sei er soeben dem Sensenmann von der Klinge gesprungen.

«Knackig!», sagte ich.

«Liegt in der Familie», antwortete er, nachdem er sich gefangen hatte, und schob einen Schraubenschlüssel in eine seiner Hosentaschen. Wir umarmten uns. «Alles gut bei dir, Große?»

Brummend rieb ich meine Wange am groben Stoff seines Blaumanns. Unsere Umarmungen waren jedes Mal das eigentliche Nachhausekommen. Ohne ein Wort miteinander zu wechseln, sagten wir dabei mehr als in jedem unserer Gespräche. Anschließend drückte Nils mir auch dieses Mal ein Küsschen auf die Schläfe und strich beim Loslassen über meinen Rücken, wie mein Papa es gemacht hatte.

«Hast du gestern gesoffen?»

«Riecht man das etwa doch noch?», fragte ich und hauchte in meine Hand.

«Nur wenn du atmest.»

In Zeitlupentempo holte ich aus und verpasste ihm einen Kinnhaken. «*Disch!*», machte ich.

«*Brooch!*», konterte Nils, womit er mir seinerseits eine Hammerfaust auf die Rübe zimmerte.

Wir grinsten. Und nachher dann zusammen Straßenlaternen austreten!, dachte ich.

«Was gibt es denn zum Mittag?», wollte ich wissen.

«Ich glaube, Mama kocht heute nichts. Wollte mir gerade im Büro was in die Mikrowelle schieben.»

«Ich dachte, ich sollte zum Essen kommen.»

«Jan meinte, du kommst wegen den Tupperschalen.»

Stöhnend sank ich in mich ein. «Scheiße, die habe ich vergessen.»

In dem Moment kam Jan aus dem Büro, hielt aber inne, als er mich bemerkte. «Nils, ich mache Schicht für heute», sagte er in den Türrahmen gelehnt. «Ich muss den Kleinen nehmen, damit Nicola Koffer packen kann.»

«Kein Ding. Wann soll ich euch denn jetzt morgen früh abholen?»

«Flug geht um halb acht. Komm mal gegen kurz nach fünf rum.»

«Wird gemacht.» Jan wollte sich schon abwenden, da rief Nils: «Ey, du Zecke! Deine Schwester ist hier!»

Jan musterte mich. Ich glaubte, seine Gedanken lesen zu können. *Mama ist so traurig, dass du dich so selten meldest!* Anders als Nils, der ganz nach meinem Papa kam, war Jan das Abziehbild meiner Mutter; besorgt an den Haaren herumfummeln inklusive. Seit einer Weile fühlten sich meine Gespräche mit ihm ähnlich hohl an wie die mit meiner Mutter.

«Hallo, Ina», sagte er schließlich.

«Fliegst du in Urlaub? Wusste ich ja gar nicht.»

«Woher auch?»

Seinem Blick ausweichend, stierte ich die Regale voller Ersatzteile an. Bevor er verschwand, klopfte Jan gegen das Fenster zum Büro. «Ich muss los!»

An einen Kotflügel gelehnt, fummelte Nils am Schraubenschlüssel herum. «Ansonsten alles in Ordnung bei dir, Große?»

«Das meiste.»

Abwartend schaute ich ihn an, und wie erhofft brachte er unser Begrüßungsritual mit dem obligatorischen «Wie immer, hm?» zu Ende.

Damit war ich für heute zu Hause angekommen.

«Ich gehe mal rüber», sagte ich und setzte mich in Bewegung.

«Soll ich dir Winterreifen draufziehen?», rief Nils mir hinterher. «Soll die nächsten Tage schneien.»

«Habe Allwetterreifen», rief ich zurück. «Die sind noch in Ordnung.»

Ich schlüpfte in meine Pantoffeln, die noch wie früher neben denen meiner Brüder standen. Unser Haus war wie üblich komplett überheizt, und in der trockenen Luft machte sich mein Kater prompt wieder bemerkbar. Während andere Leute oft erzählten, dass ihnen die Häuser ihrer Kindheit von Jahr zu Jahr kleiner erschienen, wuchs unseres unaufhörlich. Wahrscheinlich lag es daran, dass es so verlassen wirkte, wenn ich meine Mutter darin sah. Manchmal hatte ich das Gefühl, den Wind durch die Flure pfeifen zu hören, und jede Sekunde konnte, wie in einem Western, eines dieser vertrockneten Gestrüppe durch das Wohnzimmer trudeln.

«Hallo, Mama.»

«Ach, Ina!», antwortete sie, die Spüle wienernd. «Habe dich gar nicht reinkommen hören. Hast du gar nicht geklingelt?» Mechanisch schüttelte ich den Kopf und hängte meine Jacke über einen Stuhl. «Hast du etwa nur die dünne Jeansjacke an? Da fängst du dir doch sonst was ein. Brauchst du mal eine richtige Winterjacke zu Weihnachten?»

Flüchtig und mit angehaltenem Atem nahm ich sie in den Arm.

«Alles tutti», sagte ich und setzte mich.

«Sicher? Sonst wirst du noch krank. Soll richtig eisig werden. Ich kaufe dir mal vorsichtshalber eine.» Tranig beobachtete ich, wie sie den Wasserhahn abrubbelte, als würde sie der Spüle einen runterholen. Stichwort: Kitchen Porn. «So eine Jacke kostet doch nichts.» Noch immer mit einer Hand den Hahn umfassend, riss sie mit der anderen das Wasser auf, das als monströser Cumshot in die Spüle spritzte. Ich schloss die Augen. «Hast du denn was gefrühstückt?»

«Nee, ich frühstücke doch nicht.»

«Kind.»

«Mama!»

«Ein bisschen was muss man doch im Magen haben. Soll ich dir schnell eine Käsestulle schmieren?»

Erst jetzt wurde mir bewusst, dass ich seit gestern Mittag außer drei Amarettokeksen nur Bier und Wodka zu mir genommen hatte. Bevor ich aber antworten konnte, erwachte die Vierjährige in mir zum Leben. «Keinen Hunger», sagte ich. Ebenso gut hätte ich trotz laufender Nase *Nein!* brüllen können, wenn mir ein Taschentuch angeboten wurde. Die blöden Erwachsenen sollten einfach nicht recht haben!

Sorgsam gefaltet legte meine Mutter den Lappen in die Spüle und sagte beiläufig: «Essen wir halt was, wenn wir da sind.»

«Wenn wir wo sind?»

«Haben dir die Kinder gar nicht Bescheid gesagt? Die wollten dich gestern eigentlich noch anrufen. Wir fahren doch gleich schwimmen, und die beiden freuen sich so, wenn du mitkommst.»

«Schwimmen?!»

«Die haben doch das Spaßbad drüben neu gemacht, mit Rutschen und Sauna und so. Das ist jetzt richtig toll.»

Einen Nachmittag in einem *Schpassbatt* zu verbringen war für mich gleichbedeutend mit Fußnägel einzeln ausreißen lassen. Wollte ich mich in den Körperflüssigkeiten fremder Menschen suhlen, würde ich ... lassen wir das.

«Ich habe doch gar keine Badesachen dabei», wand ich mich heraus.

«Dann nimmst du einen von meinen alten Badeanzügen.»

«Oh, Mama, nee!»

«Ach, klar! Habe dir schon einen rausgelegt. Der passt bestimmt.»

Sofort reckte meine innere Miss Marple ihre Spürnase. Meine Mutter wusste haargenau, dass ich mir eine Ausrede überlegt hätte, sofern ich vom Spaßbad gewusst hätte. Folglich hatten die Kinder auch nicht versucht, mich anzurufen. Wäre meine Mutter tatsächlich in dem Glauben, hätte sie keinen Grund gehabt, einen Badeanzug herauszulegen. («Mr. Stringer! Was jetzt?!») Ich suchte noch nach Ausflüchten, als die Haustür aufgeschlossen wurde. Kurz darauf stürmten Nils' Töchter in die Küche und fielen lachend über mich her. Becki (neun Jahre) und Tatjana (fünf Jahre) waren Rotznasen, wie man sie sich bildhübscher nicht vorstellen konnte. Bis vor einer Weile hatten wir noch gemeinsam Filmchen mit ihren Stofftieren inszeniert, aber neuerdings wollten sie lieber Superstars spielen. Also filmte ich, wie sie durch ihre Zimmer turnten, Playback sangen und anschließend Interviews gaben. Einmal saß Becki mit toupierten Haaren und übler geschminkt als eine russische Vorstadtnutte auf ihrem Bett, griff sich an die nicht vorhandenen Brüste und sagte: «Nein, ich bin ganz zufrieden mit meinem Körper. Implantate kommen für mich nicht in Frage.» Dann schmunzelte sie scheel in die Kamera. «Oder finden Sie, dass ich welche bräuchte, Herr Beckmann?» Inzwischen hatten wir über zwanzig Videos gedreht, aber mein Favorit war nach wie vor «Brummi, der Bär, hat Durchfall, und Hundi Hund sucht die Wärmflasche». Das Ding ging sage und schreibe elf Minuten, hatte fünf Schnitte und eine Titelmelodie, die Becki auf ihrer Blockflöte getrötet hatte.

«Kommst du mit schwimmen?», quengelte Tatjana, und Becki setzte nach: «Die haben voll die coolen Wasserrutschen!»

Es dauerte keine halbe Minute, bis sie mich weichgekocht hatten.

«Okay, okay, okay!», sagte ich.

«Omma?», wandte sich Becki an meine Mutter. «Kommt Uromma auch mit?»

«Sag nicht immer Omma!», wurde sie von Tatjana verbessert. «Oh-mah heißt das.»

«Oma kommt mit?», fragte ich.

Tatjana zog ihre Augenbrauen zusammen. «Klar kommt Oma mit.»

«Ina meint Uromma.»

«Ur! Oh! Mah!»

«Mama?», hakte ich nach.

«Omma, sach doch mal.»

«Ja», murmelte meine Mutter. «Die hat sich mal wieder selbst eingeladen.»

Sichtlich verwirrt fragte Tatjana: «Wie viele Leute kommen jetzt mit?»

«Drölfundachtzig, du Doof», sagte Becki.

«Becki!», sagte meine Mutter.

«Wie geht's Oma denn?», wollte ich wissen.

«Ach, die hat doch immer irgendwas, und wenn nicht, denkt sie sich was aus.» Meine Mutter lehnte sich mit verschränkten Armen an die Spüle. Ohne mich anzuschauen, fuhr sie fort: «Ihre ganzen Freundinnen lassen sich jetzt alle wegen grauem Star so eine Linse ins Auge machen, als wäre es eine Schönheitsoperation. Braucht sie jetzt natürlich auch. Machen wir im neuen Jahr. Und seit einer Weile fahre ich sie alle paar Tage ins Solarium, weil ihr irgendjemand eingeredet hat, dass das gut für die Haut ist. Die ist knallbraun.»

«Papa meinte, sie sieht aus wie Whitney Houston», sagte Becki. «Nur nicht ganz so verbuddelt.»

«Uroma hat jetzt einen Rollator», sagte Tatjana. «In Pink.»

«In Pink?», fragte ich.

Kopfschüttelnd seufzte meine Mutter: «Haben ihr die Kinder ausgesucht.»

«Pink heißt Rosa», erklärte Tatjana in oberlehrerhaftem Ton, «aber Rosa-Färben heißt nicht Pinkeln.»

«Was euer Vater euch immer für einen Stuss beibringt», sagte meine Mutter.

«Kann Oma denn nicht mehr richtig laufen?», wollte ich wissen, aber meine Mutter fummelte nur an ihren Haaren herum. «Bist du oft bei ihr?»

Tonlos antwortete sie: «So gut wie jeden Tag.» In der nächsten Sekunde setzte sie ihr breitestes Lächeln auf, klatschte in die Hände und wandte sich an die Kinder: «Auf geht's!»

Schon auf dem Parkplatz drang das Gekreische vom Pool an meine Ohren, wie eine Szene aus «Der Weiße Hai III». Dummerweise hatte ich keine Harpune eingepackt. Umständlich kroch meine Oma aus dem Auto und stützte sich auf ihren Rollator.

«Ina!», sagte sie, während wir uns im Schneckentempo auf den Eingang zubewegten. «Warum hast du denn bei dem Schietwetter nicht mal Handschuhe an? Brauchst du welche? Ich habe bestimmt noch ein Paar rumliegen.»

«Habe ich im Fox vergessen.»

«Und dann in der dünnen Jacke. Warme Nieren!»

«Nun nerv Ina doch nicht», sagte meine Mutter.

«Ja, nu', die fängt sich doch sonst was ein.»

«So kalt ist es doch noch gar nicht», sagte meine Mutter

und warf mir einen kumpelhaften Blick zu. Ich schaute beiseite.

«Ich war neulich voll verrotzt», sagte Tatjana.

«Papa hat sie die ganze Zeit Slimer genannt», kicherte Becki und imitierte Nils: «Sie schleimte mich voll!»

Im Gehen rempelte Tatjana Becki an, worauf die ihr einen angelutschten Finger ins Ohr steckte.

«Kinder!», sagte meine Mutter.

Auch ich wischte mir das Grinsen aus dem Gesicht.

Wir standen noch an der Kasse, als mein Handy fiepte. *Als ich mich vorhin aus dem Bett gequält habe, hatte ich dazu die Titelmelodie von Indiana Jones im Kopf,* schrieb Matten. *Voll der Held!* Anscheinend hatte ich ihn mit Filmen zugetextet. Dann bemerkte ich eine SMS von Karsten. *Freue mich auf morgen! Suche später noch ein enges Hemd raus.*

Ungläubig betrachtete ich mich im Spiegel meiner Umkleidekabine. Der Badeanzug meiner Mutter bestach durch ausgefuchstes Siebzigerjahre-Design. Er war orange-braun gestreift, schlabberte an den Hüften, und durch den ausgedünnten Stoff schimmerten meine Brustwarzen. Es fehlte nur die mit Gummiröschen verzierte Badekappe, und ich hätte beim Seniorensport postwendend eine Schwimmnudel in die Hand gedrückt bekommen.

«Na, der passt doch super», sagte meine Mutter, als ich schließlich die Dusche betrat.

Ich erstarrte. Meine Mutter war ebenso splitterfasernackt

wie meine Oma und die Kinder. Mir ihre Rücken zuwendend, standen sie da, aufgereiht wie Matrioschkas. Beim Anblick des ebenso braungebrannten wie zerknitterten Hinterns meiner Oma musste ich unweigerlich an Dieter Bohlens Reinschlagvisage denken. Darf man sich eigentlich vor seiner eigenen Familie ekeln?, überlegte ich, bevor mir eine erschütternde Erkenntnis kam. Ich hatte den Verfall meines eigenen Körpers vor mir. Mit Grausen wanderte mein Blick von Backe zu Backe, und wie im Zeitraffer welkte vor meinem inneren Auge auch mein Arsch dahin. Ich wandte mich ab.

«Ina?», hörte ich Tatjanas Stimme durch das Plätschern des Wassers. «Du musst den Badeanzug ausziehen, damit du dich auch richtig zwischen den Beinen waschen kannst.»

«Ehhmmm ... komme ich auch so ran.»

«Oma, warum muss Ina sich nicht ausziehen?»

«Ina hat einen Spezial-Badeanzug», erklärte meine Mutter. «Der ist so geschnitten, dass man mit dem duschen kann und trotzdem zwischen die Beine kommt.»

«So einen will ich auch zu Weihnachten!», protestierte Becki.

«Ich glaube, die gibt es noch nicht in deiner Größe.»

«Habe ich auch gelesen», bestätigte ich meine Mutter. Wir lächelten uns an. Für einen Sekundenbruchteil spürte ich eine ungewohnte Nähe.

Eine Weile verbrachte ich mit den Kindern auf den Wasserrutschen, bevor wir schließlich Mittag aßen. Das Restaurant war nur durch eine Glastür vom Poolbereich getrennt, und das Interieur war höchstwahrscheinlich von einem lokalen Gas-Wasser-Scheiße-Betrieb designt worden. Wir saßen auf wackeligen Plastikstühlen in einem weiß gefliesten und ansonsten kahlen Raum, in dem das Gekreische von draußen als endloses Echo widerhallte. (Bei Dantes Inferno ist das übrigens das verschollene Kapitel des sechseinhalbten Höllenkreises.) Obwohl ich, bevor wir losgefahren waren, eine weitere Kopfschmerztablette eingeschmissen hatte, ließ mein Kater nicht locker. Im klammen Badeanzug futterte ich Currywurst-Pommes-Schranke und sinnierte, weshalb die blöden Chippendales eigentlich nie ins Spaßbad gingen, wenn ich gerade mal da war. Stattdessen guckte ich Rentnern auf ihre bleichen Bäuche, während sie ihrerseits mir auf die Titten glotzten. Es war definitiv kein fairer Tausch. Die Beleuchtung tat ihr Übriges, um auch aus der kleinsten Pore einen Schatten zu kitzeln. Immer wieder musste ich mich ermahnen, meine Oma nicht allzu eindringlich anzustarren. Jahrelang war sie in meiner Wahrnehmung kaum gealtert, aber nun schien sie über Nacht vergreist zu sein. Wahrscheinlich liefen ihr die Totengräber schon mit Schaufeln hinterher, sobald sie in die Nähe eines Friedhofs kam. Ihre Haare waren dünn geworden und die Augen seltsam milchig. Durch die Solariumsbräune waren viele der Altersflecken, die ihren Körper übersäten, heller als der Rest ihrer Haut, sodass sie aussah wie ihr eigenes Negativ.

Gerade als ich melancholisch wurde, sagte sie: «Ich hab's ja mit den Augen, Ina, aber so ein bisschen Cellulite kriegst du auch schon, was?»

«Mutti!», sagte meine Mutter.

«Ja, nu', was denn? Bei mir ging das los, gleich nachdem ich dich hatte.»

«Was ist Cellurite?», fragte Becki.

«*Lli*te!», korrigierte meine Oma. «Das ist, wenn ...»

«Wenn man einen total knackigen Po hat», unterbrach ich sie, «Haut wie Samt und Beine wie eine Gazelle.»

Juchzend umfasste meine Oma mein Handgelenk. Für einen Moment verschwand die alte Frau aus ihrem Gesicht, und sie wirkte wie ein Schulmädchen. «Du bist genau so ein Quatschkopf wie dein Vater.»

Eine wohlige Wärme kräuselte sich um mein Brustbein. Es gab kein größeres Kompliment, als mit meinem Papa verglichen zu werden.

«Erzählt Ina doch mal, was ihr morgen macht», wandte sich meine Mutter an die Kinder.

Kauend sagte Becki: «Nicht zum Scheiß-Jazzdance gehen.»

«Becki!»

«Da ist Kotze-Mareike!»

«Kotze-Mareike», kicherte Tatjana.

«Das war doch nur, weil die nicht im Bus vorne sitzen durfte», sagte meine Mutter. «Die ist doch nett.»

«Papa meinte mal», fing Becki an, «*nett* ist die kleine Schwester von ...»

«Das interessiert jetzt mal nicht, was dein Vater immer redet.»

Unverändert gnickernd, beugte sich Tatjana zu mir herüber und flüsterte: «Scheiße.»

«Nu' quäl die Kinder doch nicht immer mit so was», sagte meine Oma.

«Ach, die wissen doch gar nicht, was gut für sie ist», antwortete meine Mutter. «Die muss man doch immer zu ihrem Glück zwingen.»

«Und, Ina?», fragte meine Mutter. «Dann erzähl doch mal, was hast du denn die letzte Zeit so gemacht?»

«Nichts Besonderes.»

Inzwischen plantschten die Mädchen im flachen Becken, während ich mit meiner Mutter und meiner Oma im Whirlpool saß.

«Wieder viel gearbeitet, was?»

«Auch», sagte ich. Bislang hatte ich es versäumt, meiner Mutter zu erzählen, dass ich seit drei Jahren Teilzeit arbeitete.

«Gibt es denn gute neue Filme?», fragte sie. «Du guckst doch immer noch viele Filme, oder?»

«Joah.»

«Ich wüsste gar nicht, was ich mir angucken sollte. Das letzte Mal war ich im Kino, als du damals ...» unbedingt «Kevin allein zu Haus», Teil zwei, sehen wolltest, beendete ich ihren Satz in Gedanken. «Weißt du das noch? Da hast du so gequengelt, weil du den gucken wolltest, und fandest den dann ganz blöd wegen irgendwas.»

Was macht der Junge aus dem Film jetzt noch mal?, dachte ich.

«Was macht der Junge aus dem Film jetzt noch mal?», fragte meine Mutter.

«Der ist alle zwei, drei Jahre in einem Film, den kein Mensch sehen will.»

Dabei war der so gut.

«Dabei war der so gut», sagte meine Mutter.

Und niedlich.

«Und so richtig niedlich!»

«Der sieht jetzt aus wie irgendein Stricher vom Bahnhofsklo», sagte ich.

Anstatt darauf einzugehen, fragte meine Mutter: «Und triffst du Henning denn noch öfter?»

«Ja. Gerade gestern.»

«Schön. Und wo seid ihr gewesen? Wie hieß das, wo ihr früher so oft gewesen seid? Pizzicato? Ich kann mir das ja nie merken.»

«Izarro.»

«Genau! So war das.»

Um nicht den Eindruck zu erwecken, wir hätten uns an einem Montagabend in einer Kneipe getroffen, ergänzte ich: «Gestern waren wir aber im Kino.»

«Ach, und was habt ihr geguckt?»

«So eine Dokumentation über Eunuchen im heutigen Indien.»

«Hmhm», machte meine Mutter. «Und ist Henning denn immer noch mit seiner Freundin zusammen, mit der Anita?»

«Annika.»

«Ja, so hieß die, stimmt, und sind die noch zusammen?»

«Ja.»

«Ja, das hat seine Mutter auch neulich erzählt, als ich sie beim Einkaufen getroffen habe. Und ihr seid dann immer so zusammen im Pizzicato, auch mit deiner Freundin von der Arbeit, der Janine, oder triffst du dich nicht mehr mit der?»

«Jeannette.»

«Genau.»

«Mit der habe ich schon länger nichts mehr zu tun, Mama, hatte ich doch erzählt.»

«Wann bringst du denn endlich mal wieder einen Mann mit?», schaltete sich meine Oma ein. «Hast du gerade einen?»

Obwohl sie nur angesprochen hatte, was meine Mutter sicherlich ebenso brennend interessierte, sagte die: «Jetzt sei doch nicht immer so neugierig.»

«Na, man wird sich ja wohl noch mal erkundigen dürfen.»

«Das erzählt Ina schon, wenn da mal wieder einer ist. Und sie sucht ja auch.»

Fragend schaute meine Mutter mich an, aber ich reagierte nicht.

«Hast du denn wenigstens ab und zu mal einen Mann?», blieb meine Oma am Ball.

«Oh, Mensch, Mutti!»

«Ja, nu', was denn? So sind die jungen Leute doch. Muss man halt nur Kondome nehmen, wegen dem Ehhds und Kindern und so.»

«Jetzt ist aber auch mal gut.»

«Bei uns war das ja alles noch ganz anders, Ina. Keine Pille, keine Kondome ...»

Platschend schlug meine Mutter mit der Handfläche ins Wasser. «Jetzt reicht es aber wirklich!»

«Och, aber wir hatten auch unseren Spaß.»

«Was die immer redet», zischte meine Mutter.

Weil mir unangenehm war, wie schroff sie meine Oma abfertigte, sagte ich: «Die Kerle haben doch alle eine Macke.» Erwartungsvoll schauten beide mich an. Mein Blick klebte an den Brüsten meiner Oma, die im blubbernden Wasser vibrierten. Ich wollte mich schon durch das jahrelang erprobte «Ja, ach, ich weiß doch auch nicht!» stammeln, als ich einen Geistesblitz hatte. «Diese Jeannette hat jetzt zum Beispiel was mit einem angefangen, den sie auf unserer Weihnachtsfeier kennengelernt hat», fuhr ich fort. «Der ist Teamleiter. Und der war erst total entspannt und witzig, und sie war voll verknallt, aber als sie sich das erste Mal getroffen haben, war der wie ausgewechselt, hat so gut wie gar nicht gelacht, war total bemüht, und sie weiß überhaupt nicht, was sie mit dem anfangen soll und wie das weitergeht.»

«Wie lange kennt sie den denn schon?», wollte meine Mutter wissen.

«Seit Samstag.»

«Seit Samstag erst? Und dann will sie den nicht erst mal richtig kennenlernen? Vielleicht hatte der einfach nur einen schlechten Tag oder war aufgeregt, weil er so verliebt ist.»

«Männer sind ja heutzutage oft aufgeregt bei so was», murmelte meine Oma.

«Das braucht halt alles seine Zeit», sagte meine Mutter. «Ist sie denn verliebt?»

«Ich weiß nicht. Irgendwie wohl schon. Ein bisschen zumindest. Also ... sie ist wohl eher neugierig, weil sie glaubt, sie könnte sich noch in ihn verlieben.»

«Dein Opa, Ina, der war alles andere als aufgeregt. Ohoho!» Entrückt schaute meine Oma aufs Wasser, als würde mein Opa jede Sekunde aus dem Geblubber zwischen ihren Beinen auftauchen. «Der kam damals beim Dorfvergnügen einfach an meinen Tisch, setzte sich hin, und keine zwei Stunden später ...»

«Mensch, Mutti, das will doch keiner hören.»

«Kennst du noch die Scheune von Bauer Potz im alten Dorf, Ina?»

«Jetzt lass doch mal gut sein!», sagte meine Mutter und wandte sich an mich. «Wegen der Janine noch mal ...»

«Jeannette.»

«Ja, genau, meinte ich ja, ist dieser Teamleiter denn hübsch?»

«Der ist ziemlich hübsch.»

«Hübsche Männer sind ja aber auch ganz oft schwul», gab meine Oma zu bedenken.

«Mu! Tieh!»

In meinem Hals steckte ein Lacher, der sich in stiller Stoßatmung entlud. Ich hatte den Begriff *schwul* nicht im aktiven Wortschatz meiner Oma vermutet, aber anscheinend hatte jahrelanges Nachmittagstalkshows-Gucken seine Spuren hinterlassen.

«Schwul ist doch nicht mehr schlimm!», erklärte meine Oma. «Ist halt blöd, wenn man eine Frau ist und so einen gut findet, aber die meisten Schwulen sind ja auch mal richtig nett.»

«Oh, bitte.»

«Richtig nett sind die nämlich!», legte meine Oma nach. «Und die mögen alle ihre Mütter richtig gerne und gehen mit denen immer Kaffee trinken und so.»

«Jetzt sei doch mal ruhig!»

«Oder Eierlikör.»

Angestrengt verzog meine Mutter das Gesicht. «Und diese Jeannette will jetzt nichts mehr von dem?»

«Weiß sie halt nicht», sagte ich. «Es gibt da wohl auch noch so einen anderen Kerl, den kennt sie eigentlich gar nicht so richtig, aber irgendwie findet sie das mit dem auch ganz spannend.»

«Wie geht das denn?», fragte meine Mutter. «Die kennt den nicht und findet ihn spannend?»

«Sie ... sie war da wohl», stammelte ich, «wohl ein bisschen betrunken, als sie sich mit dem unterhalten hat.»

«So eine ist das?» Grüblerisch wickelte meine Mutter eine feuchte Haarsträhne um ihren Zeigefinger. «Und trifft sie sich noch mal mit diesem Teamleiter?»

«Die gehen morgen zum Paintball-Spielen. Wo man sich mit Spielzeugpistolen und Farbkügelchen abschießt.»

«Was ist das denn für ein Spinner?», kicherte meine Mutter.

«Nee, nee! Das war ihre Idee.»

«Also dann verstehe ich auch, weshalb du dich mit der nicht mehr triffst. Die kann ja nicht ganz richtig sein. Zu so was mit einem Mann zu gehen, um ihn kennenzulernen, ist ja mal wirklich dumm. Richtig dumm. So wird das nie was bei der.»

«Abendessen», sagte meine Oma fachmännisch und zog sich den Badeanzug zurecht. «Haben'se neulich in so einer Sendung erzählt, dass man das so macht. Erst einen Kaffee trinken gehen, nachmittags, und beim zweiten Mal zum Abendessen, wo es dann auch mal ein Wein sein darf. Und als Frau auch mal Initiative zeigen.» Nach einer kurzen Pause ergänzte sie: «Dann geht ihr nach dem Abschießen-Spielen halt noch zum Essen.»

«Hör doch wenigstens mal zu», sagte meine Mutter. «Wir reden gerade über eine Kollegin von Ina!»

Verschwörerisch schaute meine Oma mich an. Einen Moment schwiegen wir, bis sie schließlich fragte: «Kann mich mal einer zum Klo bringen? Das Geblubber am Pöter macht meinen Magen ganz wuschig. War wohl doch zu viel Wurst.»

«Oh, Mutti, du musst auch nicht immer alles sagen, wie es ist.»

«Doch!», protestierte die und richtete sich auf. «Ich bin achtundachtzig Jahre, Kind, und wenn ich eins gelernt habe, ist es, dass man alles so sagen muss, wie es eben ist.»

«Na, dann geh mal schön kacken, Oma», sagte ich.

Lachend spritzte sie mir eine Handvoll Wasser ins Gesicht.

Zwei Stunden später bemerkte ich in der Umkleide, dass Matten mir erneut geschrieben hatte. *Ich glaube, ich stecke in einer romantischen Komödie fest. Titel: Keine SMS für dich.* Bei drei Nachrichten innerhalb weniger Stunden standen die Chancen gut, dass ich mir einen waschechten Stalker an Land gezogen hatte, aber ich schmunzelte trotzdem.

Bube, Dame, König, Gras

Das Gebläse der Heizung pustete mir trockene Luft ins Gesicht, bis sich meine Haut wie Butterbrotpapier anfühlte. Es dämmerte. Nebelschwaden hingen in der Luft, und die Felder zu beiden Seiten der schnurgeraden Landstraße waren mit einer Frostschicht überzogen. Obwohl auf diesem Teil der Strecke nur siebzig Stundenkilometer erlaubt waren, trat ich meinen Fox üblicherweise bis zum Rande seiner Möglichkeiten. Aufgrund des Wetters kroch ich jetzt allerdings mit hundertzehn dahin. «Glorious Euphoria is my Must! Erotic Shock is a Function of Lust!», sang ich ein Lied der Red Hot Chili Peppers mit. Gerade wollte ich mich in den Refrain hineinsteigern, als ich aus dem Augenwinkel ein Polizeiauto hinter den Büschen eines Feldweges bemerkte. Vierzig Stundenkilometer drüber!, durchzuckte es mich, und ich nahm den Fuß vom Gas. Einen halben Kilometer später kam die nächste Abfahrt. Schon von weitem sah ich Blaulicht durch den Nebel wabern und das Rot einer Polizeikelle. Während ich auf die Polizei zurollte, zog ich die Trainingsjacke aus und zerrte am Kragen meines T-Shirts herum, um es ein wenig auszuleiern. (Stichwort: Titten raus!) Anschließend setzte ich einen bedröppelten Gesichtsausdruck auf, als würde mir Heidi Klum gleich verkünden, dass sie diese Woche kein Foto für mich hatte. Ich kurbelte das Fenster herunter.

«Da waren wir aber ganz schön eilig unterwegs, was, junge Frau?», hörte ich eine weibliche Stimme.

Obwohl die Polizistin höchstens Anfang zwanzig war, klang sie wie ein Dienstveteran mit Schnurrbart und Plauze. Ihr Kollege, auf den diese Beschreibung schon eher zutraf, stand einige Schritte entfernt und nickte ihr aufmunternd zu.

«Tut mir leid», sagte ich, «aber ich habe so Unterleibsschmerzen. Ich wollte einfach nur schnell nach Hause.»

«Das ist ja aber kein Grund, alle anderen Verkehrsteilnehmer zu gefährden.»

«Ja, na ja, aber Sie wissen ja, wie das ist bei Unterleibsschmerzen.»

«Nee, weiß ich nicht», sagte sie und klang derartig überzeugend, dass ich nur bedeppert dasaß. «Ihre Papiere, bitte.»

«Moment. Hier ist erst mal der Fahrzeugschein.» Ich kramte in meinem Portemonnaie. Um Zeit zu überbrücken, fragte ich: «Wie viel zu schnell war ich denn diesmal?»

«Diesmal?»

«Ja, nee, also ...»

«Sechsundvierzig km/h», sagte die Polizistin, und als wollte sie ihrem Vorgesetzten beweisen, wie eifrig sie gelernt hatte, fügte sie hinzu: «Kostet Sie um die hundertsechzig Euro, gibt drei Punkte und einen Monat Fahrverbot.»

«Fahrverbot?!»

«Und dreiundzwanzig Euro fünfzig Bearbeitungsgebühr», ergänzte sie, worauf ihr Kollege zufrieden lächelte. «Haben Sie den Führerschein?»

«Keine Ahnung, wo der ist», sagte ich mehr zu mir selbst.

«Ich war gestern in so einem Café, wo ich den jemandem gezeigt habe. Wahrscheinlich habe ich den da liegen lassen.»

«Haben Sie Alkohol konsumiert?»

«Auf keinen Fall! Ist doch noch vor sechs.»

«Steigen Sie mal bitte aus, junge Frau.»

Beim anschließenden Pusten wurden noch beachtliche null Komma drei Promille festgestellt. Auf die Frage, ob ich Drogen konsumierte, reagierte ich wohl mit einem zu vehementen «Ich doch nicht!», sodass als Nächstes der Fox durchsucht wurde. Im Fußraum des Beifahrersitzes lag die Tüte mit Annikas Halloween-Sachen. Darin fanden die Polizisten eine pechschwarze Pagenschnittperücke und ein weißes Hemd, eine Puck-die-Stubenfliege-Sonnenbrille und ein glitzerndes Damenhandtäschchen, in dem sich ein vermeintliches Heroinbriefchen voller Mehl befand. Ich war als Mia Wallace gegangen, Uma Thurmans Figur aus «Pulp Fiction». Nachdem die Polizistin sich Plastikhandschuhe übergezogen hatte, entfaltete sie das Briefchen, als befände sich radioaktives Material darin. Meinen Erklärungsversuchen zum Trotz diskutierte sie erst eine Weile mit ihrem Kollegen, bis der todesmutig seinen kleinen Finger anleckte und es probierte.

«Tatsache!», sagte er. «Mehl.»

«Vom REWE», hörte ich mich sagen.

Nichtsdestotrotz misstrauisch geworden, chauffierten mich die Polizisten aufs Revier, wo sie mich nach Strich und Faden filzten. Gelangweilt schaute ich der Polizistin zu, wie sie meine Jeansjacke in den Händen hielt und eines der Brusttäschchen aufknöpfte. Im nächsten Moment fischte sie ein Papierkügelchen heraus. Ihre Zungenspitze zwischen die Lippen geklemmt, friemelte sie es auseinander, wobei ein winziges Knäuel Gras in ihre Handfläche kullerte. Ich spürte meine Kinnlade herunterklappen.

«Guten Flug, Matten!», las die Polizistin vor, was offenbar auf das Blättchen gekritzelt stand. «Wollen Sie dazu eine Aussage machen, junge Frau?» Apathisch schüttelte ich den Kopf. «Kommen Sie mal bitte mit zum Klo.»

Zu allem Überfluss konnte beim Pinkeltest natürlich THC vom gestrigen Kiffen nachgewiesen werden. Anschließend fotografierte mich die Polizistin, bevor sie mit Zweifingersuchsystem meine Personalien in den Computer hackte und zum Abschluss meine Fingerabdrücke nahm. Im Laufe der Prozedur glaubte ich, dass ihr nach und nach tatsächlich Barthärchen sprossen. Erfahrene Beamte hätten das Ganze sicherlich in wenigen Minuten erledigt, sie aber brauchte für jeden Bearbeitungsschritt eine halbe Ewigkeit. Offenbar war ich ihr Versuchskaninchen. Um mich abzulenken, spielte ich vorsorglich durch, wie ich mich im Knast hocharbeiten würde, bis ich etliche eingetretene Schädel später die Big Bad Mama wäre und einen florierenden Drogenring am Laufen hätte.

Kraftlos hockte ich der Polizistin gegenüber. Zwar hatte sich der Kater verzogen, dafür war ich hundemüde vom Tag im Spaßbad. In meiner Nase brannte Chlor, und der Geschmack der Currywurst lag mir schal auf der Zunge.

«So, Frau Maibach», sagte die Polizistin. «Das wird natürlich Konsequenzen haben. Wir geben den Fall an die Staatsanwaltschaft weiter, die sich bei Ihnen melden wird. Weil Sie jetzt fahrtüchtig sind, können Sie den Führerschein erst mal behalten. Noch Fragen?»

«Wie komme ich denn zurück zu meinem Auto?»

«Ach, da fahren wir Sie natürlich gerne hin. Und vielen Dank für Ihre Kooperation.»

Lächelnd streckte sie mir ihre Hand entgegen, als müsste ich mich für ihre professionelle Arbeit bedanken. Einen übertrieben selbstbewussteren Handschlag als den ihren hatte ich noch nicht zu spüren bekommen. Der lange Arm des Gesetzes!, ging es mir durch den Kopf.

«Knorke», hörte ich mich sagen.

Gerade hatte ich meinen Wohnungsschlüssel ins Schloss geschoben, als sich die Tür zur Nachbarwohnung öffnete. Frau Stubenrauch war eine Mischung aus Else Kling auf Crack und der Stasi. Ihrer zunehmenden Schwerhörigkeit zum Trotz saß sie mir regelmäßig wegen irgendwelchem Quatsch im Nacken.

«Frollein Maibach?»

«'n Abend, Frau Stubenrauch.»

«Jetzt will ich Ihnen nämlich mal was sagen», krächzte sie mit Betonung auf dem *was*. «Das geht so nicht mit Ihrem Duschen immer.»

«Was meinen Sie?»

Obwohl uns keine zwei Meter trennten, machte sie: «Hä?!»

«Was meinen Sie?», rief ich.

«Immer so spät noch duschen. Oder so früh manchmal!»

Kurz stockte ich, setzte dann aber einen treudoofen Gesichtsausdruck auf und antwortete: «Sauberkeit und Pünktlichkeit sind doch aber ganz, ganz wichtige Werte in meinem Leben.»

Irritiert schmatzte Frau Stubenrauch mit den Lippen. «Aha. Ja. Ach so. Na, denn.»

Widerwillig vor sich hin nickend, schloss sie die Tür.

Ich hatte die Schuhe noch nicht ausgezogen, als mein Handy klingelte. In den Türrahmen zum unbeleuchteten Wohnzimmer gelehnt, schaute ich auf das Display: Rufnummer unbekannt. Weil der Tag nicht übler werden konnte, ging ich ran.

«Na?»

«Angelina!»

Ich machte dicke Backen. «Matten?»

«Ja. Rufe über Festnetz an. Kann sein, dass es ein bisschen rauschig ist, muss mir demnächst mal einen neuen Apparat besorgen. Verstehst du mich?»

«Ich, ja, alles tutti ... also ... was denn?»

«Du klingst total kaputt», lachte er. «Bist du gestern noch gut nach Hause gekommen?»

«Joah.»

«Siehste, war doch eine gute Idee, dass ich dir ein Taxi gerufen habe. Kriege ich die zehn Euro demnächst beim Kaffeetrinken zurück wie abgemacht?»

Obwohl er mir sonst was hätte erzählen können, sagte ich: «Klar. Wie abgemacht.»

Ohne das Licht einzuschalten, schlurfte ich ins Wohnzimmer und wickelte mir den Schal vom Hals.

«Bist gerade nicht so gesprächig, was?», fragte Matten.

«Geht so.»

«Ich will gar nicht rumnerven. Normalerweise hätte ich dir auch keine drei SMS an einem Tag geschickt, aber du meintest halt, dass ich wegen diesem anderen Typen penetrant sein muss.»

«Hmhm», machte ich nur. Anscheinend hatte die Polizei meine Souveränität bei sich in Gewahrsam behalten.

«Pass auf, ich bin keiner, der Frauen hinterherläuft. Wenn du es dir anders überlegt hast, ist das auch in Ordnung, musste halt nur sagen, dann behältst du die zehn Euro einfach, und ich schicke ...»

«Nee, nee!», unterbrach ich ihn. Seine Reaktion war genau die richtige, um mein Interesse zu wecken. «Können uns ruhig treffen.»

«Können wir ruhig mal machen, ne?», fragte Matten schnippisch. «Was ist denn los? Schlechten Tag gehabt?»

Erstaunlicherweise klang die Frage ehrlich, als wäre dies mehr als ein Versuch, mich nach einem misslungenen ersten Anlauf doch noch flachzulegen.

«Ich glaube, ich bin seit heute vorbestraft», sagte ich schließlich.

«Sind wir das nicht alle irgendwann?»

Leise lachend knöpfte ich meine Jacke auf. «Was hast du so auf dem Kerbholz?»

«Habe zu meiner Zivizeit mal Gras verkauft und mich erwischen lassen. Und du?»

«Erzähle ich dir beim Kaffeetrinken.»

«Wann denn?»

Zwischen Arbeit und Paintball-Ranch am folgenden Tag hatte ich knapp zwei Stunden Zeit. «Kurzes Date morgen?», fragte ich und ließ mich ins Sofa fallen. «Zum ersten Beschnuppern?»

«Zum ersten Beschnuppern?», wiederholte Matten. «Und morgen schon? Ich dachte, du würdest mich erst mal zappeln lassen.»

«Quatsch!», sagte ich mit Callcenterlächeln in der Stimme. «So eine bin ich nicht.»

«Nicht? Hast du gestern aber noch angekündigt.»

Mit verkniffenen Augen klappte ich auf die Seite und drückte mein Gesicht an Johnnys Wange.

«Wo treffen wir uns denn?», wollte Matten wissen.

Weil ich wegen meines Führerscheins sowieso dorthin musste, fragte ich: «Kennst du das Pier 51?»

«Voll der Spießerladen, aber für einen Kaffee halte ich das aus.»

Unter keinen Umständen wollte ich mich dadurch zum Affen machen, dass ich Matten nicht erkannte, daher ergänzte ich: «Und du musst eine weiße Rose für mich mitbringen.»

«Echt jetzt? Stehst du auf so was?»

Tiefer und tiefer sank ich in mein Sofa. «Manchmal», nuschelte ich.

«Na gut. Wann?»

«Halb drei?»

«Dann bis morgen, schöne Frau», verabschiedete er sich. «Und kiff nicht mehr so viel!»

Eine Weile lag ich still auf meinem Sofa. Nachdem sich die Gedanken an Karsten und Matten, Jeannette und meinen Führerschein zu einem einzigen Stressknäuel verschwurbelt hatten, musste ich mich abreagieren. Auf meiner Lieblingspornoseite gab ich als Suchbegriff *Rough Police Officer* ein und konnte mich dann nicht entscheiden, ob ich die Ergebnisse nach Uploaddatum oder Relevanz sortiert haben wollte. Wohlstandsgesellschaftsprobleme!, ging es mir durch den Kopf. Schlussendlich klickte ich *Your clothes are illegal, Babe, so take them off!* an. (Ich schick Ihnen mal 'nen Link!)

ZWEITER AKT

Der Spion, der aus der Kälte kam

«Eine Sache noch», sagte der Kunde, «wie hoch ist mein Freistellungsauftrag eigentlich bei Ihnen eingerichtet?»

«Einen Augenblick, bitte», sagte ich und öffnete das entsprechende Programm.

In dem Moment betrat Karsten meine Etage. Suchend schaute er sich um. Nur wenige Schritte von mir entfernt, in ihrer Ecke, telefonierte Jeannette. Panisch rollerte ich mit dem Stuhl zurück und duckte mich. (Soundeffekt: «Sie haben noch dreißig Sekunden, bis der Selbstzerstörungsmechanismus nicht mehr gestoppt werden kann. Fünfundzwanzig.») Zu Gichtkrallen mutiert, zitterten meine Hände über der Tastatur. Ganz wie es sich für eine Frau deines Kalibers gehört!, ging es mir durch den Kopf. Ich linste über die Trennwand meiner Insel. Karsten kam schnurstracks auf mich zumarschiert. Ohne groß nachzudenken, erhob ich mich.

«Kann ich den Freistellungsauftrag auch gleich bei Ihnen ändern?», wollte der Kunde wissen.

«Tut mir leid», sagte ich und schaute Karsten dabei unmissverständlich an, «das geht auf diesem Weg leider nicht.» Auf Höhe von Gunnars Platz hielt er inne. «Freistellungsaufträge können Sie nur schriftlich oder online ändern», fuhr ich an den Kunden gerichtet fort, «weil wir Ihre Unterschrift brauchen oder Sie das mit einer TAN bestätigen müssen.»

«Dann mache ich das einfach im Internet.»

«Mit dreihundertfünfzig Euro haben Sie den Freistellungsauftrag eingerichtet. Sollten Sie noch mal ein bisschen nach oben korrigieren, bei dem ganzen Geld, das Sie bei uns angelegt haben.»

«Ich weiß», kicherte der Kunde, «war ein gutes Jahr für Kompressionsstrümpfe und Seniorenwindeln.»

Anhand seiner E-Mail-Adresse erkannte ich, dass er einen Online-Handel für Pflege- und Gesundheitsartikel betrieb.

«Na, dann wünsche ich ein ebenso inkontinentes nächstes Jahr, falls wir uns vorher nicht mehr sprechen.»

In Vogel-Strauß-Manier zuckte Gunnars Kopf erst in die Höhe und dann in meine Richtung. Ähnlich clever wie jenes Federvieh gaffte er mich an. Wo habe ich das Ei noch mal verbuddelt?, schien er zu denken. Karsten versteckte sein Grinsen hinter vorgehaltener Hand. Nachdem der Kunde sich lachend bedankt hatte, verabschiedeten wir uns.

«Was war das denn, Inchen?», fragte Gunnar dann.

Im Laufe der Zeit hatte ich gelernt, dass man ihn am einfachsten mundtot bekam, indem man ihm Dienstanweisungen wortwörtlich um die Ohren schlug. «Gefühlte Nähe», zitierte ich daher einen aktuellen Slogan der Firmenleitung.

Zufrieden nickend sagte er: «Gut, gut.»

Ich nahm mein Headset ab.

«Gunnar, ich mache Mittag, ja?»

«Null Problemo!», antwortete er und wandte sich an Karsten. «Kennst du noch Alf? Null Problemo und so? Garfield war damals auch witzig, da hatte ich so Tassen von und den ganzen Kühlschrank voll mit diesen Aufklebern: Montag nervt! und so was. Hö, hö, hö!»

Mit einigen Metern Sicherheitsabstand folgte Karsten mir in den Flur zu den Fahrstühlen. Außer uns war niemand anwesend.

«Hallo, Ina», sagte er. «Was sollte das denn gerade?»

«Das war ein ganz entspannter Kunde, der fand das lustig.»

«Das meine ich nicht. Reden wir auf der Arbeit nicht miteinander?»

Seinem Blick ausweichend, schaute ich auf das LED-Display des Fahrstuhls, der soeben im Erdgeschoss gehalten hatte. Schließlich sagte ich: «Wollen wir das Getratsche hier nicht erst mal vermeiden?»

«Eigentlich wollte ich dich gerade zum Mittagessen abholen.» Von einem Fuß auf den anderen trippelnd, bohrte Karsten die Hände in seine Hosentaschen. «Aber hast wahrscheinlich recht», fuhr er schmunzelnd fort. «Reicht ja, wenn mein Ruf ruiniert ist.»

Ich war erleichtert. Kurz entschlossen befolgte ich den Rat meiner Oma und zeigte Initiative. «Was hältst du denn davon, wenn wir nach der Ranch noch zu meinem Lieblingsspanier gehen?»

«Hm», machte Karsten. «Wollen wir denn wirklich zum Paintballspielen?»

«Soll das ein Scherz sein? Das Ding ist reserviert, und ich male mir schon seit Montag aus, wie ich dich am besten abknalle.»

«Kannste knicken», sagte Karsten und nahm eine imaginäre Schrotflinte in den Anschlag. In der nächsten Sekunde lud er durch und verpasste mir, begleitet vom entsprechenden Geräusch, einen Kopfschuss. Hossa!, dachte ich. Der Kerl vom Buffet ist zurück! Abwartend schaute Karsten mich an, aber erst als ich lächelte, entspannte sich sein Ausdruck. «Und hier», er deutete mit den Daumen auf sein Hemd und streckte die Brust raus, «ein engeres hatte ich nicht.»

Leckerschmecker! Ausgerechnet in dem Moment kam Johnny die Treppe hochgeschlurft und spazierte mit wippender Pfauenfeder am Hut an uns vorbei. Nachdem er mir einen mahnenden Blick zugeworfen hatte, verschwand er durch die Glastür ins Großraumbüro.

«Das ist gerade sexuelle Belästigung am Arbeitsplatz», hörte ich Karsten sagen.

«Was?», fragte ich und rüttelte mich wach. Zu meinem Schrecken bemerkte ich dann, dass eine meiner Hände bereits seine Brustmuskeln betatschte. Dumpf schlug Johnny die Stirn gegen das Glas.

«Ich gehe jetzt gleich zum Betriebsrat», fuhr Karsten fort, «und dann gibt es ...»

Bevor er den Satz beenden konnte, öffnete sich die Fahrstuhltür, und Claudia Sengbusch stand vor uns. Auf der Stelle löste ich meine Hand von Karstens Körper.

«So, jetzt ist's weg», sagte ich und strich über sein Hemd, als hätte ich einen Fussel fortgewischt.

«Danke Ihnen!», sagte Karsten. «Flusen auf dem Hemd sind in der Chefetage ja nie gerne gesehen, da sind Leute schon für weniger schwerwiegende Fauxpas gefeuert worden.» Begleitet von einem adelig versnobten Räuspern, zog er sich den Krawattenknoten bis zum Kehlkopf. «Sie waren mir eine enorme Hilfe, Frau ... wie heißen Sie noch gleich?»

«Maibach.»

«*Die* Maibach? Das ist ja toll, Sie mal persönlich kennenzulernen.» Ich hatte keine Ahnung, worauf er hinauswollte. Wir stiegen in den Fahrstuhl. «Ihre Verbesserungsvorschläge für einige interne Prozesse habe ich gelesen, Frau Maibach», ergänzte Karsten. «Die machen ja gerade die Runde. Sehr beeindruckend. Wirklich sehr, sehr beeindruckend. Und Ihre Ausführungen zur Zinspolitik der Europäischen Zentralbank in Relation zur Zinsentwicklung bei uns im Hause, also, ich muss schon sagen, das hat einige Leute im Vorstand ganz schön ins Grübeln gebracht.»

An einem Schokoriegel knabbernd, warf Claudia uns einen Blick über die Schulter zu. Dabei wirkte sie nur unwesentlich intelligenter als ein Korken.

Nachdem sich die Fahrstuhltür geschlossen hatte, boxte ich Karsten gegen die Schulter.

«Du hast ja 'ne Vollmacke!»

«Vollmacke kann ich auch», sagte er und wirkte schlagartig wieder deutlich sexier.

«Wollen wir denn nachher zum Spanier?», hakte ich nach.

«Gerne.»

«Der ist gleich bei mir um die Ecke. Da bin ich ständig. Bei dem bekommen wir auch kurzfristig noch einen Tisch. Sind keine fünf Minuten Fußweg von mir. Dann kann ich mein Auto da einfach stehen lassen. Also erst Paintball-Ranch um kurz nach fünf, dann bleiben wir da anderthalb Stunden, und wir können ja vielleicht ...»

«Pschht!» Karsten legte einen Finger über seine Lippen. Der Fahrstuhl hatte im Erdgeschoss gestoppt. «Wenn die Sache auffliegt, Agentin Maibach, kenne ich Sie nicht», raunte er. «Sie sind jetzt auf sich alleine gestellt.» Bevor sich die Tür öffnete, flüsterte er noch: «Und jetzt bitte einen genauen Blick auf meinen Hintern werfen, damit Sie nicht länger spekulieren müssen.»

Arschwackelnd verschwand er und klopfte sich mit beiden Händen auf die Backen. Umgehend kehrte das Knistern zurück. Offenbar reichten eine Handvoll blöde Sprüche und ein knackiger Hintern plus Brustmuskeln aus, um mich für einen Kerl zu begeistern. In der Kantine warteten wir nebeneinander in der Schlange und saßen anschließend nur wenige Schritte voneinander entfernt an separaten Tischen. Durch unser Schweigen enstand eine Art Magnetfeld zwischen uns. Die Situation war gleichermaßen albern wie aufregend.

Ich hatte die Hälfte meines Schollenfilets verspeist, als sich Herr Wilander, ein Teamleiter in unserem Alter, zu Karsten setzte.

«Ischgl nächste Woche wird der Hammer!», sagte er. «Axel ist so dermaßen genervt, dass die ihm den Urlaub storniert haben, der dreht gerade durch. Zu dritt ist aber sowieso entspannter, muss man weniger diskutieren und so. Habe uns schon ein paar Kneipen und Diskos gegoogelt. Was wir uns einen wegfeiern werden! Das kann ich echt gut gebrauchen gerade.»

«Ein bisschen Snowboarden wollte ich eigentlich auch mal wieder», sagte Karsten.

«Scheiß aufs Snowboarden! Ich werde mich da jeden Abend gründlich wegmachen, und wenn ich am nächsten Morgen aus dem Bett komme, können wir von mir aus auch mal auf die Piste.»

Still in mich hineinseufzend, modellierte ich das Matterhorn aus meinem Kartoffelbrei. Weil Karsten auf der Weihnachtsfeier seinen Urlaub erwähnt hatte, hatte ich meine verbliebenen Tage ebenfalls auf die kommende Woche gelegt. Keine zehn Minuten zuvor war ich noch unsicher gewesen, ob ich sie tatsächlich mit ihm verbringen wollte, aber aufgrund der aktuellen Magnetfeldsituation war ich nun doch enttäuscht, dass er nicht im Lande sein würde.

«Ganz ehrlich», sagte Karsten, «in erster Linie wollte ich entspannen und ein bisschen Ruhe haben, bevor ich danach die ganzen Zeitarbeitsleute ins Team kriege.»

Herr Wilander lehnte sich über den Tisch. «Ich kann ja am besten mit meinem Schwanz im Mund von ’ner Braut entspannen.»

Anschließend ließ er sich im Stuhl zurückfallen und klatschte lachend in die Hände wie ein Seehund. Am liebsten hätte ich ihm zur Belohnung den Rest meiner Scholle zugeworfen.

«Bei mir gibt es gerade jemanden», sagte Karsten.

Uninteressiert stocherte Herr Wilander in seinem Essen herum. «Wieder so ’ne Callcenter-Pussy?»

«Das ... das ist diesmal was anderes. Hoffe ich. Das ist eine unglaubliche Frau. Attraktiv, witzig und außerdem ...»

«Titten?»

«Wie? Titten?»

«Na, Titten halt», wiederholte Herr Wilander. «Die Fenster zur Seele! Hat se welche?»

Nachdem er einen Schluck Wasser getrunken hatte, sagte Karsten zu mir herüberschielend: «Hat se. Die muss ich allerdings noch mal genauer unter die Lupe nehmen. Da spekuliere ich gerade eher.»

Ein kühler Windzug strich als Vorbote der bevorstehenden Regenzeit über die Sahelzone. Blöderweise kam ich nicht dazu, es zu genießen, sondern wurde durch eine SMS von Matten zurück in die Realität geholt. *War die Sache mit der Rose ernst gemeint?* Auf der Stelle meldete sich mein Gewissen. Bei all der Ehrlichkeit, die ich verlangte, wäre es Karsten gegenüber nicht fair gewesen, mich mit Matten zu treffen, ohne ihm davon zu erzählen. Erzählte ich aber von Matten, müsste ich der Vollständigkeit halber auch das besoffene Rumgeflirte erwähnen. Gleichzeitig wäre es falsch, Hoffnungen bei Matten zu wecken, obwohl ich mit einem anderen Kerl zugange war. Darüber hinaus ersparte ich mir selbst Scherereien, sollte ich beide scharf finden. Mit einigem Gemurkse schraubte ich mir die Schlussfolgerung zurecht, dass es am ehrlichsten war, Karsten gegenüber die Klappe zu halten und mich nicht mit Matten zu treffen. (Ich finde es übrigens zum Brüllen komisch, dass es eine Steigerungsform von *ehrlich* gibt.) Ich ließ die SMS unbeantwortet.

Pulp Fiction

Nach Feierabend fuhr ich nichtsdestotrotz ins Pier 51. Erstens wollte ich meinen Führerschein abholen, zweitens zumindest einen verstohlenen Blick auf Matten werfen. In der festen Überzeugung, ihn zu erkennen, sobald ich ihn sah, schlich ich um das Café. Meinen Schal bis unter die Augen geschlungen, linste ich durch die Glasfassade hinein, musste mir aber schließlich eingestehen, dass ich nicht den Hauch einer Erinnerung hatte. Es war erbärmlich. Eine Viertelstunde lang beschattete ich daraufhin vom Fox aus den Eingang. Bei keinem der Hipster, die den Laden verließen, wollte ich mir vorstellen, dass ich mit ihm geknutscht hatte.

Seine Cowboystiefel auf dem Amaturenbrett abgelegt, sagte Johnny: «Schick ihm doch wenigstens eine SMS, Ina. Or call him. Das ist doch stupid, wenn du nicht Bescheid sagst.»

«Ich habe da drinnen niemanden wiedererkannt», brummte ich. «Und wenn Matten sich bis jetzt noch nicht gemeldet hat, ist der wahrscheinlich gar nicht hier. Weil ich nicht auf seine SMS reagiert habe, weißt du?»

«Ina.»

«Johnny!»

«Don't be a bitch. Erzähl ihm einfach, dass du dich wegen Karsten nicht mit ihm treffen willst. He'll understand that.»

«Das ist doch auch peinlich, nachdem ich ihn hierher

bestellt habe. Ich glaube wirklich, dass der gar nicht erst gekommen ist.»

«Bullshit.»

Grübelnd knetete ich das Lenkrad. Es musste eine Möglichkeit geben, an meinen Führerschein zu kommen, ohne Matten eventuell doch über den Weg zu laufen. Verhängnisvollerweise blieb mein Blick dann an Annikas Halloweensachen hängen.

«Oh, no», raunte Johnny. «Ina, please!»

Kostümiert als Mia Wallace betrat ich das Pier 51. Zu Perücke und Sonnenbrille trug ich keine Jacke, sondern nur das knallenge Hemd mit Siebzigerjahre-Kragen. In meiner Armbeuge schaukelte das Täschchen. Um die Verkleidung perfekt zu machen, hatte ich noch Annikas Lippenstift aufgetragen. Grob geschätzt benutzte ich einmal alle hundert Jahre Lippenstift, weswegen ich nicht sonderlich versiert im Umgang damit war. Im Grunde genommen hätte ich mir das Zeug auch von einem Parkinson-Patienten im Endstadium draufschmieren lassen können. Hinter einem Kleiderständer versteckt, spähte ich ins rappelvolle Café. Eine Rose konnte ich nirgends entdecken. An den Tresen gelehnt, winkte ich schließlich eine Bedienung heran.

Skeptisch beäugte sie mich und spielte an einem Glitzersteinchen in ihrem Nasenflügel herum. «Ja?»

«Kann es sein, dass hier vorgestern ein Führerschein gefunden wurde?»

«Nicht, dass ich wüsste. Auf welchen Namen denn?»

«Maibach», sagte ich. «Ina Maibach.»

«Melli?!», krakeelte die Bedienung in die offene Küche. «Haben wir einen Führerschein von einer Ina Maibach?»

Erschrocken zog ich die Schultern hoch.

«Alles in Ordnung bei Ihnen?», fragte die Bedienung.

Ich rieb mir den Nacken. «Das juckt so.»

«Ina Maibach?», wurde zurückgebrüllt. «Näh!»

Erst jetzt erinnerte ich mich, dass Matten mich ohnehin nur als Angelina kannte, und entspannte mich. «Was anderes noch. Haben Sie hier im Laufe der letzten Stunde einen Mann mit einer weißen Rose gesehen?»

«Warum flüstern Sie eigentlich?»

Ich schob die Sonnenbrille auf meine Nasenspitze und lugte über den Rand. «Hören Sie, junge Frau», sagte ich todernst, «ich kann nicht riskieren, dass Sie unsere Ermittlungen sabotieren, von daher ist es wichtig, dass Sie mir wahrheitsgemäß antworten. Also noch mal: Befindet sich ein Mann mit einer weißen Rose im Café?»

Zögerlich schüttelte die Bedienung den Kopf. Ob sie mir den Quatsch wirklich abkaufte, wusste ich nicht, aber ein Rest Unsicherheit ließ sie offenbar nicht aufmucken. Ich schnappte mir Stift und Zettel vom Tresen und notierte meine Handynummer.

«Falls der Führerschein noch auftauchen sollte, melden Sie sich bitte unverzüglich bei mir.» Einen Deut leiser fuhr ich fort: «Sollten Sie den Mann mit der Rose bemerken, erwähnen Sie unter keinen Umständen, dass nach ihm gefragt wurde.» Nachdem ich mir die Brille zurechtgerückt hatte, wollte ich mich schon abwenden, als ich es mir nicht verkneifen konnte, noch einen draufzusetzen. «Es geht hier auch um Ihre persönliche Sicherheit.» Die Bedienung glotzte mich an, als hätte ich sie vor einem drohenden Terroranschlag gewarnt. «Vielen Dank für Ihre Kooperation», sagte ich und huschte davon.

Gegen zwanzig nach vier kam ich bei der Ranch an. Frühestens in einer halben Stunde würde Karsten auftauchen. Um vor dem drohenden Fahrverbot ein wenig Zeit mit meinem Fox zu verbringen, blieb ich sitzen und massierte den Schaltknüppel. Gerade hatte ich mich in eine unserer schönsten Fahrten zurückgeträumt, als mein Handy piepte.

Hey, Mia!, schrieb Matten. *Dachte, du magst Kriegsfilme. So schlecht getarnt hätten dich die Guerillas in Vietnam sofort abgeknallt.*

Ächzend sank ich in mich zusammen.

Musste erst mal checken, wo man das Napalm am besten abwirft, textete ich zurück.

Bloß gut, dass ich jetzt zu Hause bin, antwortete Matten. *Hätte doch die Rose kaufen sollen. Weißt du etwa nicht mehr, wie ich aussehe?*

Ich lehnte meine Schläfe gegen die kühle Scheibe der Fahrertür.

Mittelgroß, helldunkle Haare, mit Augen und 'ner Nase, schrieb ich.

Warst du echt so besoffen? Ich fühle mich benutzt!

Emanzipation sucks, ich weiß. Keine Zeit mehr. Muss noch DVDs zurückspulen und in die Videothek bringen.

Einige Minuten lang kam keine Rückmeldung von ihm,

aber schließlich klingelte mein Handy. Rufnummer unbekannt. Um es hinter mich zu bringen, ging ich ran.

«Tut mir leid, Matten, das war echt blöd», sagte ich. «Hätte wenigstens absagen können. Ich weiß. Bei mir ist nur gerade alles ein bisschen ... ein bisschen merkwürdig. Normalerweise knutsche ich auch nicht sofort mit wildfremden Kerlen rum, also, na ja, jedenfalls in letzter Zeit nicht mehr, aber irgendwie wäre es diesem anderen Kerl, diesem Emo-Spießer, gegenüber nicht fair gewesen, mich mit dir zu treffen, weißt du? Den will ich halt doch erst mal kennenlernen. Und ich will aber auch nicht, dass du mich jetzt für die totale Schlampe hältst, weil ich ...»

«Ihr Führerschein ist gerade abgegeben worden.»

(Soundeffekt: Backpfeife.)

Schweigend rieb ich meine Wange.

«Hallo?», fragte die Bedienung.

«Hole ich demnächst ab.»

«Um meine Sicherheit muss ich mir wohl keine Gedanken mehr machen, was?»

«Das ... das war ein Irrtum.»

«Wunderbar», säuselte sie überfreundlich. «Dann wünsche ich viel Glück mit dem Emo-Spießer!»

Es wurde aufgelegt. Während des Telefonats hatte ich eine weitere SMS von Matten erhalten. *Dein Führerschein ist im Pier 51. Hast du im Lochfraß vergessen, nachdem wir uns die Fotos gezeigt haben. Würde mich immer noch freuen, wenn du dich meldest, Angel ... Ina :-)*

«Szoooo, Gambas für Señora Ina, wie imma, nä?», sagte Miguel und servierte die Vorspeisen. «Un' Champignons in Sherry für el Matador!» Er legte eine Hand auf meine Schulter und deutete auf den Verband an Karstens Hals. «War 'ne ganz grosse Stier, odda?»

«'ne ganze Herde», sagte der verschmitzt.

«Ohhh! Mussu nach Pamplona kommen in Somma», lachte Miguel. «Rennen die Stiere vor dir nämlich weck. Hähä! Guten Appetit dann, nä?»

Im Rhythmus des Flamencogeplärres tänzelte er zurück zum Tresen.

Karsten betatschte seine Verletzung.

Einer Garnele die Füßchen abzupfend, sagte ich: «Ich bin sonst echt nicht so aggro.»

Auf der Paintball-Ranch waren wir nach einer knappen Einweisung in Combat-Gear eingekleidet worden und hatten Druckluftpistolen samt Farbpatronen und Schutzmasken erhalten. Bei der Ranch handelte es sich um eine ehemalige Reithalle, in der Hindernisse wie Autoreifen, Sandsäcke oder Holzwände aufgebaut worden waren. Anstatt uns zu zweit herumballern zu lassen, wurden wir einer Gruppe Sozialpädagogen zugewiesen und dann in zwei Teams eingeteilt. Meinen Vorschlag, uns Team Blutrache zu nennen, überhörten die Sozpäds. Erwartungsgemäß waren sie leichte Beute und wurden auch im Laufe mehrerer Runden nicht besser. Selbst mit Kommentaren wie «Ihr seid eher so die Typen für die Kletterwand, was?» konnte ich sie nicht aus der Reserve locken. Der letzte Durchgang endete wie die vorherigen damit, dass nur Karsten und ich übrig blieben. Hinter eine Plastikhecke gehockt hielt ich Ausschau nach ihm.

«Zeit zu sterben, Puppe!»

Wie aus dem Nichts war er neben mir aufgetaucht. Seine Waffe auf mich gerichtet, näherte er sich. Ich blickte zu ihm auf. Anstatt zu schießen, nahm er mit der freien Hand seine Maske ab.

«So aus nächster Nähe tut das bestimmt voll weh.»

«Jetzt mach schon!», blaffte ich ihn an.

«Wirklich?»

In Clint-Eastwood-Manier kniff ich meine Augen zu Schlitzen zusammen und nahm meine Wumme in den Anschlag.

«Das ist eine 44er Magnum», zitierte ich Dirty Harry. «Der Ballermann ist außerordentlich gefährlich. Nun frag dich doch mal, ob du ein Glückskind bist.»

«Na gut», sagte Karsten und feuerte auf meinen Oberschenkel.

Vorherige Treffer hatten zwar gezwiebelt, aber derartig gebrannt wie dieser hatten sie nicht. Jaulend klappte ich auf meinen Rücken und verkrampfte, wobei ich Karsten einen Streifschuss am Hals verpasste. Er sackte in die Knie. Tief vorgebeugt umklammerte er seine Kehle. Unsere Gesichter waren nur wenige Zentimeter voneinander entfernt. Scheiße, wie romantisch! Ich riss meine Maske herunter und drückte ihm einen Knutscher auf die Lippen, bevor ich in meinen Tod sank. Alle viere von mir gestreckt, lag ich im Sand. Als Karsten nur vor sich hin röchelte, öffnete ich meine Augen. Mit schmerzverzerrtem Gesicht kauerte er neben mir. Ich setzte mich auf und legte ihm eine Hand auf den Rücken. «Oh, nein! Zeig mal, bitte.» Über seiner Wunde klebte die Farbe der Patrone wie ein monströser Vogelschiss, und darunter sah es aus, als hätte ihm ein Pitbull einen Knutschfleck verpasst. «Das wollte ich nicht!»

«Das wäre ja auch noch schöner», lachte er gequält.

Von einem Angestellten der Ranch bekam Karsten Salbe und Pflaster in die Hand gedrückt, um die Wunde zu verarzten. Dazu hielt er uns eine Standpauke, wie ich sie seit der Grundschule nicht mehr zu hören bekommen hatte. Mittlerweile hatte ich mein Handy herausgekramt.

«Warum filmst das denn?», fragte Karsten.

«Ich filme manchmal so Sachen. Habe auch ein Blog, wo ich das hochlade. Schicke ich dir morgen mal einen Link.»

«Wenn du das ins Internet stellst, gehe ich wirklich zum Betriebsrat!»

Schmunzelnd schob Karsten sich einen Champignon in den Mund. «Wenn wir das noch mal machen, bist du so dermaßen fällig.»

Kannst mich ja im Gegenzug ein bisschen spanken!, dachte ich.

Im Laufe des Abends pegelten wir uns aufeinander ein. Karsten behielt seine intimen Geschichten für sich, während ich meine kognitiven Blähungen zu kontrollieren wusste. Unser Gespräch plätscherte entspannt dahin. Es stellte sich heraus, dass Karsten nicht nur Italien-Fachmann und Bud-Spencer-Fan war, sondern dass er in seinem Freundeskreis als der Gebrauchtwagenexperte galt. Nicht schlecht, Herr

Specht! Außerdem erfuhr ich einige haarsträubende Details über Gunnars bisherigen Karriereweg. Ich gelobte Stillschweigen. Gelegentlich brachte Karsten mich sogar zum Lachen. Manchmal beabsichtigt, manchmal auch eher unbeabsichtigt. Auf meinen Vorschlag, Spanischen Karpfen zu bestellen, antwortete er abwesend in der Karte blätternd: «Ich esse keine Fische, die gründeln», und als ich nur kicherte, warf er mir einen verdutzten Blick zu, bevor er raunte: «Gott, bin ich ein Snob.»

Anfangs hockte Johnny noch einige Tische entfernt, aber irgendwann schlüpfte er in seinen Pelzmantel und ging. Inzwischen war ich komplett riemig. Vor einer Weile noch hätte ich versucht, Karsten schnellstmöglich ins nächstgelegene Bett zu zerren. Weil eine handfeste Beziehung mit einem Mal aber durchaus im Bereich des Möglichen lag, riss ich mich zusammen.

Gegen kurz nach zehn schaute Karsten auf die Uhr. «Wollen wir los? Ich habe morgen den ganzen Tag durch Besprechungen, und Freitag bin ich auf Dienstreise.»

«Joah», machte ich, «lass mal los.»

Um an meinem Mädchensein zu arbeiten, ließ ich mich widerspruchslos von ihm einladen. Obwohl ich nur wenige Straßen entfernt wohnte, bestand Karsten außerdem darauf, mich nach Hause zu fahren. Weil es eine hervorragende Gelegenheit für den Fahrstil-Check war, stimmte ich zu. Bei jenem Test lauteten die grundsätzlichen Fragestellungen: War er ein Raser, also ungeduldig, gehetzt und aggressiv? Oder war er ein Schleicher, also gehemmt, trantütig und langweilig? Ließ er andere Verkehrsteilnehmer vor, war also rücksichtsvoll, aufmerksam und zuvorkommend? Wenn ja, wie häufig machte er es? Ständig? War er eventuell ein Duckmäuser? Bremste er zu hart und war vielleicht Choleriker? Fuhr er zu dicht auf, war daher distanzlos und kannte keine Grenzen, oder hielt er viel zu großen Abstand und war einer dieser übervorsichtigen Bürokratentypen? Natürlich machte ich mir das Leben mit derartigen Tests nicht leichter, aber bei einem meiner Exfreunde hatte ich darauf verzichtet und hatte prompt die Rechnung dafür bezahlt. Als er das erste Mal in mein Auto stieg, durchwühlte er die Ablage, noch bevor er sich angeschnallt hatte, und einige Monate später kontrollierte er meine SMS und E-Mails. Danach waren wieder intensive Testphasen angesagt.

Zu meiner Erleichterung war Karsten ein hervorragender Autofahrer. Seinen Ellenbogen auf der Fahrertür abgelegt, lenkte er mit nur einer Hand, während die andere auf dem lederüberzogenen Schaltknüppel ruhte. Wir schwebten mehr, als wir fuhren. Besonders sympatisch war mir, dass er vor einer gelben Ampel nicht in die Eisen ging, sondern Gas gab. Vor meinem Haus angekommen, schaltete Karsten die Warnblinkanlage an. Anstatt mich lediglich bei laufendem Motor abzusetzen, stieg er aus und umrundete den Wagen. Tür öffnen lassen geht jetzt aber doch zu weit!, dachte ich und stieg meinerseits aus. Dicht vor mir blieb Karsten stehen. Schneeflöckchen trieben durch die Dunkelheit. Unser Atem gefror in der Luft, und die Wölkchen kräuselten sich ineinander und nieselten auf unsere Jacken. Im Schein einer Straßenlaterne verwandelte Karsten sich in Humphrey Bogart. Die Illusion wäre perfekt gewesen, hätte er nicht diesen schwuppigen Angoramantel getragen. Nichtsdestotrotz erklangen Streicher in meinen Ohren. Den Kopf in den Nacken gelegt und mit leicht geöffnetem Mund kitzelte ich die innere Ingrid Bergman aus mir heraus. Das Crescendo der Streicher schwoll an. Fuck, yeah!, dachte ich. Jetzt wird nämlich mal geknutscht! Ich blinzelte langsamer, als ich jemals zuvor geblinzelt hatte. Karsten schaute mir in die Augen. Mit zitternden, ja, geradezu bebenden Lippen blickte ich zu ihm auf. Mehr Mädchen konnte ich beim besten Willen nicht. Inzwischen war die Lautstärke der Streicher ohrenbetäubend.

Gerade wollte ich mich in wallender Erregung in seine Arme schmeißen, als er sagte: «Du hast mich vorhin geküsst.»

(Soundeffekt: Nadel kratzt über Schallplatte; dann Stille.)

Genervt verschränkte Ingrid ihre Arme und trippelte mit der Fußspitze auf den Asphalt. Ich gebot ihr, Ruhe zu bewahren.

«Der Kuss war aber nicht schlimmer als das Angeschossenwerden, oder?», fragte ich, worauf Karsten allen Ernstes antwortete: «Ich weiß nicht.»

Ich runzelte die Stirn. «Du weißt nicht?»

«Wollen wir das nicht alles erst mal langsam angehen lassen?»

Kreischend vor Verzweiflung prügelte Ingrid mit ihrer Handtasche auf eine Mülltonne ein. Aus ihrem Mundwinkel siffte ein Sabberfaden.

«Okay, Keule», hörte ich mich sagen. «Du bist aber nicht so einer, der jungfräulich in die Ehe gehen will, oder?»

Karsten kicherte. «So jemanden wie dich habe ich noch nie kennengelernt.»

«Ist das gut oder schlecht?»

«Ungewohnt», sagte er und nahm meine Hand. «Kann ich dich am Samstag zu mir nach Hause einladen? Zum Essen?»

Ingrid horchte auf.

«Auf jeden», sagte ich.

«Drei Tage», nuschelte Karsten. «Noch voll lange hin.»

«Du schaffst das», sagte ich, drückte seine Hand und ergänzte: «Ihr schafft das!»

Verlegen sah Karsten beiseite. Bevor er fuhr, gab er mir ein Küsschen auf die Wange.

Zu Hause setzte ich mich mit Ingrid vor meinen Laptop. Wir einigten uns auf die Suchbegriffe *German*, *Snow*, *Outdoor*, waren uns aber schnell einig, das Wort *German* zukünftig zu vermeiden. Jegliche Erotik wird im Keim erstickt, wenn Pornos mit dem Satz beginnen: «Du, hallo, ich bin der Bernd.»

Rendezvous mit Joe Black

«Muss ich die Schuhe ausziehen?»

Karsten lachte nur. Ich blickte einen wenigstens fünf Meter langen Altbauflur mit Stuckverzierungen an der Decke entlang. Die Regale an den Wänden waren staubfrei, und auf dem Parkettboden waren keine Flusen zu entdecken. Außerdem roch es, als hätte Meister Proper höchstpersönlich einen fahren lassen. Am Ende des Flures stand Karsten in der Küche, eine Schürze mit zwei grinsenden Gurken darauf umgehängt und ein unterarmlanges Messer in der Hand. Erst jetzt begriff ich, dass er mich zum Kochen eingeladen hatte. Kochen gehörte nicht unbedingt zu meinen Steckenpferden. Mein Talent lag eher darin, Fertiggerichte zu verfeinern. (Tiefkühlpizzen abkratzen und mit eigenen Zutaten neu belegen, Sie wissen schon.) Alle paar Monate setzte ich außerdem eine Flasche Lakritzwodka an. Es waren jene Momente, wenn die Salmiakbonbons in die Flasche plumpsten, in denen ich mich zumindest ansatzweise wie eine gewiefte Hausfrau fühlte.

«Schicke Trainingsjacke», sagte Karsten.

Das mit den Komplimenten musst du echt noch mal üben, dachte ich, sagte aber: «Hundert Prozent Baumwolle.»

Die Küche wirkte wie das Set einer Fernseh-Kochshow. In der Mitte des Raumes befand sich ein Arbeitstisch samt Herd, um den herum Hocker standen. Darüber baumelten Kochgerätschaften von einer Dunstabzugshaube aus Edelstahl. Unentschlossen näherte ich mich Karsten. In den vorangegangenen Tagen hatten wir uns nur knappe SMS geschickt, weshalb ich nicht sicher war, ob wir uns zur Begrüßung umarmen würden. Bei einer Einladung zu ihm nach Hause konnte es sich nur um Stunden handeln, bis gevögelt wurde. Nichtsdestotrotz fühlte es sich an, als müssten wir die Schritte, mit denen wir uns einander angenähert hatten, nun im Schnelldurchlauf noch einmal durchgehen. Gedämpft wurde meine Stimmung durch ein Lied von Phil Collins, das aus der Anlage plärrte. Phil Collins war im Rahmen eines sinnlichen Vorspiels in etwa so hilfreich wie eine Genitalwarze. Seine kantenlose Gutmenschenfratze widerte mich ebenso an wie seine «Hey, guckt mal! Ich trage hässliche Wollpullis, damit ihr seht, dass ich einer von euch bin!»-Masche und seine verzweifelten Versuche, mit jämmerlichen Soul-Coverversionen unter Beweis zu stellen, dass er ein ganz passabler Sänger war. (An dieser Stelle ein sanft dahingehauchtes *Adieu!* an alle Phil-Collins-Fans.) Karsten schnippelte an einem Stück Fleisch herum. Uns trennte kein Meter mehr. Ich wurde langsamer. Ohne das Messer aus der Hand zu legen, lächelte er mich an. Kannst du Penner jetzt mal gefälligst die Arme ausbreiten?! Karsten kam in unmittelbare Grapschweite. Schon wähnte ich seine Brustmuskeln an meinem Körper, als er mir das Fleisch vor die Nase hielt.

«Hähnchen asiatisch», sagte er. «Ich dachte, ich mache das Fleisch fertig, und du erledigst das Gemüse.» Ich dachte, ich mache die Beine breit, und du erledigst den Rest!? «Möchtest du Wein?» Karsten nickte in Richtung einer geöffneten Flasche auf der Spüle. «Das ist ein trockener Riesling. Kommt aus dem Mosel-Saar-Ruwer-Gebiet. Mittelmosel.»

Höchstwahrscheinlich war aus mir keine Weintrinkerin geworden, weil ich mich dabei immer wie im Erdkundeunterricht fühlte.

«Ernst Clüsserath Trittenheimer Apotheke?», las ich das Etikett vor. «Ist das Gesundheitswein? Gegen Hautflechte oder so? Kann man sich damit auch einreiben?»

«Ehmm ... nee», sagte Karsten. «Der heißt halt so.»

«Hast du auch Bier?»

«Warte, ich hole dir eins. Ist kalt gestellt.»

Bevor er dazu kam, hatte ich den Kühlschrank geöffnet. «So eine Plörre trinkst du?» Perplex schaute Karsten mich an. Ich zwinkerte ihm zu und sagte: «War nur Spaß.»

Ich schnappte mir eine Flasche und öffnete sie mit einem Kochlöffel, warf den Kronkorken in die Spüle und nahm einen großen Schluck. Karstens Blick entspannte sich nur unwesentlich, weshalb ich mir das notwendige Bäuerchen verkniff.

«Was muss ich schneiden?», fragte ich.

Mit der Messerspitze deutete Karsten auf einen Haufen Pilze. Daneben lagen Paprikaschoten und Möhren. Noch immer *die* Botanikerin schlechthin, sagte ich: «Möhren.»

Schmunzelnd spannte Karsten seine Muskeln an. «Sind gut für den Körper.»

Kommt drauf an, wo man sie reinsteckt!, behielt ich für mich. Zwischen dem übrigen Gemüse entdeckte ich dann etwas, das aussah wie eine Mischung aus genetisch veränderter Erdnuss und getrockneter Bregenwurst.

«Was ist das denn?»

«Tamarinde», antwortete Karsten. «Musst mal die Schale knacken.»

Das Teil ließ sich öffnen wie ein Glückskeks, aber statt eines schlauen Spruchs sagte der Inhalt: *Wirf mich weg. Dringend!* Rotbraunes Fruchtfleisch von der Länge dreier aneinandergeknoteter Nacktschnecken umhüllte fünf haselnussgroße Kerne.

Zögerlich die zähe Masse betastend, fragte ich: «Hast du mal Dschungelcamp im Fernsehen gesehen?»

«Nee, so was gucke ich mir nicht an.»

Ich fuchtelte mit dem Inneren der Tamarinde herum. «Das sieht aus wie ein frittierter Kängurupimmel.»

Kurz gaffte Karsten mich an, bevor er sich wieder am Huhn zu schaffen machte.

Ey, du hast gerade Pimmel gesagt!, durchzuckte es mich. Man sagt nicht einem Kerl gegenüber Pimmel, bevor man seinen nicht wenigstens zu sehen bekommen hat! (Ich habe keinen Schimmer, ob es eine solche Regel tatsächlich gibt, aber in jenem Moment hatte ich keinen Zweifel, dass irgendwer, vielleicht sogar Alice Schwarzer, so was mal gesagt hatte.) Das unangenehme Schweigen wurde durch Phil Collins' Gejaule nicht besser. Ich setzte mich auf einen der Hocker und schnappte mir ein Messer.

«Cooles Lied», sagte ich.

«I can feel it coming in the air tonight», säuselte Karsten.

Sofort stellten sich mir die Nackenhaare auf. Ich hätte es als weniger taktlos empfunden, hätte er mich mit runtergelassenen Hosen empfangen. Zu Phil Collins mitzusingen und dann ausgerechnet diese Zeile, in diesem Moment, war aus so unglaublich vielen Gründen falsch, dass mein *Pimmel*, also die Tatsache, dass ich das Wort ausgesprochen hatte, wieder aufgewogen war. Ich rammte das Messer in eine Paprikaschote und hielt sie demonstrativ hoch.

«Karsten?»

«Ja?»

Ich deutete auf die Paprika. «Wenn du weiter in meiner Gegenwart zu Phil Collins mitsingst, ist das dein Kopf.»

Ein Grinsen zog sich über sein Gesicht. Rhythmisch mit dem Oberkörper wackelnd, trällerte er noch einen Deut lauter: «I've been waiting for this moment for all my life.»

«Pimmel», sagte ich tonlos.

«Oh, Lord!»

Mit einem Lächeln, das ich mir am liebsten aus der Visage geschnitten hätte, sangen wir das Lied gemeinsam zu Ende.

Wenig später brutzelte das Essen auf dem Herd, und ich bekam eine Führung. Karstens Wohnzimmer war größer als meine gesamte Wohnung. Fasziniert starrte ich einen überdimensionalen Flachbildfernseher an, bevor ich die Surround-Boxen in den Ecken des Raumes bemerkte. In einem der Schränke stapelten sich DVDs, und an den Wänden hingen vier gerahmte Filmplakate: «Vom Winde verweht», «Fight Club», «Zurück in die Zukunft» und «Citizen Kane» (sprich: «Sitisn Keyn»). Ich war beeindruckt. Auf den Bestenlisten von Filmkritikern stand «Citizen Kane» für gewöhnlich an oberster Stelle, aber es war einer jener Klassiker, um die ich mich seit Jahren herumdrückte. Auf der Stelle analysierte ich die übrigen Plakate. Mit «Vom Winde verweht» versuchte Karsten offenbar, den Romantiker heraushängen zu lassen. Gleichzeitig sagte er: «My Dear, ich bin Rhett Butler, und wenn du dich nicht rechtzeitig für mich entscheidest, mach ich mich vom Acker.» Bislang hatte ich bei Karsten von dieser Art Draufgängertum wenig mitbekommen, aber das Plakat weckte neue Hoffnung. «Zurück in die Zukunft» brachte mich ins Grübeln. Wollte er sagen: «Ich bin bereit, für meine Zukunft zu kämpfen, und ich werde keine Mühen scheuen, um meine Familie zu retten!» Welche Familie? Wollte er etwa Kinder? Oder brachte er zum Ausdruck, wie sehr er in der Vergangenheit lebte? «Fight Club» schließlich war einer meiner absoluten Lieblingsfilme, und zwar nicht nur wegen Brad Pitts Bauchmuskeln. Ein Haufen kaputter Kerle, die sich gegenseitig aufs Maul hauen und die Welt in Schutt und Asche legen, obwohl sie eigentlich nur mal in den Arm genommen werden müssten. Herzallerliebst. In Anbetracht der Plakate geriet ich unweigerlich ins Phantasieren. Eng aneinandergekuschelt sah ich uns den Rest des Winters hindurch endlose Filmabende miteinander verbringen. Ich überlegte, in welcher Reihenfolge ich ihm meine Favoriten präsentieren würde und mit welchen Kuriositäten ich ihn beeindrucken konnte.

Nach dem Arbeits- und dem Gästezimmer wollte Karsten die Tour schon beenden. Weil ich aber neugierig war, wie er reagierte, fragte ich: «Und das Schlafzimmer?»

Erst zögerte Karsten, öffnete dann aber die entsprechende Tür und schaltete das Licht an. «Das ist ein Wasserbett», sagte er.

Es war nicht mehr als eine Erklärung. Was er mir präsentierte, war nicht die Perspektive, dass ich mich in absehbarer

Zeit lustvoll stöhnend in den Laken winden würde, sondern lediglich ein Möbelstück. Gerade seine Beiläufigkeit ließ mich noch schärfer werden. Ein Unwetter brach über der Sahelzone aus. Schlussendlich war das lang ersehnte Frühlingserwachen zu erahnen, und der staubige Boden sog sich voll Feuchtigkeit.

«Ich muss mal umrühren», sagte Karsten.

Gedankenverloren schaute ich Karstens Lippen an und stellte mir vor, wie sie sich auf meinem Mund oder anderswo anfühlen würden.

«Schmeckt's denn?», fragte er.

«Auf jeden. Das ist richtig lecker.»

«Willst du den Wein nicht mal probieren?»

«Ich verstehe Wein irgendwie nicht.»

Grinsend schob sich Karsten einen weiteren Happen in den Mund.

«Was denn?», fragte ich.

«Für das Ding habe ich fünfzehn Euro geblecht», sagte er auf die Flasche deutend. «Habe ich drei Stück von gekauft.»

«Extra für heute Abend?»

«Wollte dich halt beeindrucken. Ist gar nicht nötig, oder?»

Ich zuckte mit den Schultern. «Was ist eigentlich dein schmutziges Geheimnis, außer dass du Phil Collins hörst?»

«Wieso?»

«Na ja, bei dir ist irgendwie alles» – ein bisschen zu bilderbuchmäßig, beendete ich den Satz in Gedanken. «Hast du irgendwo einen Keller, in dem du Prostituierte zerstückelst oder so was?»

Langsam kaute Karsten vor sich hin.

«Keller funktionieren nicht so gut, wie man denkt», sagte er schließlich. «Ich habe so ein Boot, da kann man die Leichenteile einfach über Bord schmeißen. Muss man nur Backsteine oder so was als Gewichte mit in die Tüten packen. Viel praktischer. Lass uns im Sommer mal eine Flussfahrt machen. Dann fahren wir die Strecke ab, bei der ich neulich so eine Rothaarige ...»

«Ich glaube, ich verknalle mich gerade in dich», hörte ich mich sagen. Seltsamerweise war ich nicht sicher, ob es ein Hilferuf aus den Tiefen der Sahelzone war oder ein Lebenszeichen meines frisch aufgetauten Herzens.

Klimpernd ließ Karsten den Löffel in sein Schälchen fallen und kam zu mir herüber.

«Ich drehe gleich durch, Ina», sagte er und streichelte mit den Fingerspitzen über meinen Rücken. «Ich muss dich ganz dringend küssen.»

Obwohl eine Gänsehaut von meinem Nacken bis zum Steißbein prickelte, fragte ich: «Das sagst du immer an dieser Stelle, oder?»

Karsten starrte zu Boden, bevor er tonlos antwortete: «Ja.»

Ausgerechnet in dem Moment kam mir Franziska Buttgereit in den Sinn. «Dreißig Grad. Wegen dem Wasserbett, oder?»

«Ist halt so. Dreißig Grad ist die perfekte Temperatur. Gerade im Winter.»

Ich küsste seine verschorfte Schusswunde. «Sag noch wenigstens einen originellen Satz.»

«Ich habe gestern im Laufe des Tages bestimmt zweihundertmal deinen Namen auf einen Notizblock geschrieben.» Ich spürte seinen Atem auf meiner Haut. «Und es hat von Mal zu Mal mehr hinter meinen Augen gebritzelt.» Sanft drückte er seinen Zeigefinger gegen meine Schläfe. «Irgendwo dahinter.»

«Ist's vorgeheizt?»

Karsten summte, worauf ich die Trainingsjacke von meinen Schultern gleiten ließ.

So. Kommen wir zur Sexszene. Es gibt diese Redewendung: «Über Musik zu schreiben ist, wie zu Architektur zu tanzen.» Ich würde ergänzen: «Über Sex zu schreiben ist, wie zu Dissertationen zu masturbieren.» Meiner Ansicht nach gibt es erotische Literatur ebenso wenig wie swingende Marschmusik. Ich kann mir die dreckigsten Clips im Internet anschauen, sobald ich das Ganze aber schwarz auf weiß vor mir habe, läuft ein glibberiger Ekel mein Rückgrat hinunter. Selbst Metaphern können die Sache nicht retten. *Sein Schwanz glitt in meinen Mund wie eine Schokobanane in den Rachen einer Schnappschildkröte*. Sehen Sie?

Lassen Sie uns die Nummer daher analysieren wie einen Handschlag: Es war solide. Zu keinem Zeitpunkt musste ich mich ans Stöhnen erinnern, um Karsten ein gutes Gefühl zu geben. Nie dachte ich Dinge wie: «Was ist noch mal die Quersumme aus 37?» Andererseits hatte ich aber auch zu keinem Zeitpunkt das Bedürfnis, etwas Schmutziges zu sagen. Gelegentlich glaubte ich zu spüren, dass Karsten sich bremste, als sei er nicht sicher, wie weit er gehen durfte. Spanking war jedenfalls nicht Teil des Programms. Einerseits gefiel mir das, weil es für kommende Male Raum nach oben ließ, andererseits hätte ich schon gerne das Gesamtpaket zu spüren bekommen. Ein klein wenig mehr hätte Karsten sich schon committen können, aber er war ein toller Küsser und wusste, was er mit seinen Händen anzufangen hatte. Er war keiner dieser Kerle, die an einem herumrubbelten, als hätte man eine Wunderlampe zwischen den Beinen. Außerdem schmeckte er gut. Überall. Mein Credo lautete seit Jahren: Es kommt nicht auf die Größe an, sondern auf den Geschmack. (Ja, ja! Natürlich will man auch nicht daliegen und sich fragen: «Scheiße, bin ich hier mit 'nem Hobbit abgestürzt oder was?!») In diesem Fall gab es glücklicherweise auch, was die Maße betraf, nichts zu mäkeln. Weder ging es zu schnell, noch dauerte es zu lange. Sie wissen schon: diese Momente, wenn die abwartende Haltung erst zu positiver Überraschung wird, dann zu Begeisterung, bis irgendwann der Punkt erreicht ist, an dem man denkt: «Okay, Schätzken! So langsam brennt's.» Gekommen bin ich nicht, aber dafür muss ich die Sache sowieso meistens selbst in die Hand nehmen. Wie sich Karstens Lippen *anderswo* anfühlten, habe ich leider auch nicht herausgefunden, was direkt zwei Punkte Abzug in der B-Note gab. Ein weiterer ging flöten, weil er das Kondom erst nach zweimaligem Nachfragen herauskramte. Fun Fact: Wasserbetten eignen sich nicht für alle Stellungen, aber dreißig Grad ist wahrscheinlich wirklich die perfekte Temperatur. Auf einer Skala von eins bis zehn vergab ich eine respektable Sechs bis Sieben.

Geschirr klapperte. Ich kroch aus dem Bett und zog mein T-Shirt über. Weil ich meinen Slip nicht fand, schlüpfte ich in Karstens Boxershorts. Verschlafen tapste ich in die blitzblank aufgeräumte Küche und hatte den Duft frisch aufgebrühten Kaffees in der Nase. Angezogen, geduscht und rasiert, stand Karsten an der Spüle.

«Schönen guten Morgen», sagte er, einen Topf scheuernd.

Es war gerade mal kurz vor neun. «Was veranstaltest du denn hier?»

«Dachte, ich räume schon mal auf, damit wir gleich frühstücken und dann vielleicht einen Spaziergang machen können. Wollen wir rüber zu dir, da ist doch gleich dieser Park um die Ecke, und am Fluss lang? Da ist bestimmt alles mit Raureif überzogen. Ist strahlend blauer Himmel draußen.»

«Der Himmel ist meistens draußen», nuschelte ich und stieg auf einen Hocker.

«Willst du Eier zum Frühstück?», fragte Karsten und hatte die Schachtel schon aus dem Kühlschrank geholt. «Ich habe auch unterschiedliche Käse- und Wurstsorten gekauft, wusste ja nicht, was du magst. Oder Marmelade? Honig?»

«Ich frühstücke nicht.»

Karsten runzelte die Stirn. «Ach, so ein bisschen was muss man doch im Magen haben.»

In gespielter Verzweiflung stützte ich meine Ellenbogen auf den Tisch, drückte die Handballen gegen meine Augen und nörgelte: «Versuch doch nicht immer, so dermaßen perfekt zu sein!»

Als die Sternchen vor meinen Augen wieder verschwunden waren, lehnte Karsten an der Spüle.

«Ina, also ... ich weiß manchmal nicht so genau.» Er zuckte mit den Schultern. «Ist das denn nicht alles in Ordnung so? Keine Lust auf Frühstück? Oder Spazierengehen?»

«Nnnnja», sagte ich, «aber doch nicht, wenn du eine Eins-a-Blondine in der Butze hast, die bereit und willig ist.»

Abwartend schauten wir uns an.

«Also kein Frühstück?», fragte Karsten.

«Lass uns doch einfach die Reste von gestern in die Mikrowelle schieben und einen Film gucken. Und zieh dir bitte mal einen Trainingsanzug oder ein versifftes Unterhemd oder so was an.»

Ich saß unter einer Wolldecke auf dem Sofa, während Karsten seine DVD-Sammlung durchging. Umgezogen hatte er sich nicht. In meinen Händen dampfte eine Schale aufgewärmten Essens.

«Hast du dir eigentlich mein Blog mit den Filmclips angeguckt?», fragte ich. «Hatte ich dir doch den Link geschickt.» Ohne sich zu mir umzudrehen, brummte Karsten nur. «Fandest du nicht gut?»

«Das ist schon ganz ... ganz nett. Aber ich verstehe das irgendwie nicht so richtig.»

«Wie? Was gibt's denn da zu verstehen?»

«Was das soll», sagte er. «Das sind alles so komische Sachen, die du filmst. Zum Beispiel dieses eine Ding. Drei Minuten flattert da ein Absperrband im Wind. Oder dieses andere, vier Minuten so ein qualmender Schornstein vor blauem Himmel, ohne dass sonst was passiert. Ich weiß nicht. Ist das wegen Umweltverschmutzung oder so?»

«Nee, Umweltverschmutzung ist schon okay», nuschelte ich. «Aber findest du die Sachen denn nicht irgendwie, ich weiß nicht, irgendwie schön? Weil es halt alles ganz alltägliche Sachen sind, die man normalerweise gar nicht beachten würde, aber dadurch, dass sie gefilmt sind, werden sie auf einmal so was wie ... wie wichtig? Vielleicht?»

«Aber hätten da nicht auch zwei Minuten gereicht?»

So fühlen sich also unverstandene Künstler!, ging es mir durch den Kopf.

«Was willst du denn jetzt gucken?», fragte Karsten.

«Ich nehme mir seit Ewigkeiten vor, ‹Citizen Kane› zu sehen. Irgendwie traue ich mich an den nie ran. Hast du Lust auf den?»

Durch die Filme blätternd, sagte er: «Den habe ich gar nicht.»

«Wie?»

«Ich stehe nicht so auf diese alten Sachen. Kennst du ‹E-Mail für dich›?»

«Aber wieso hängt denn dann das Plakat da?»

«Sieht cool aus.»

«Und ‹Vom Winde verweht›?»

«Habe ich auch nicht, aber den habe ich mal als Kind gesehen, irgendwann Weihnachten mit meinen Eltern. Voll lang ist der.» Damit zog er eine DVD aus dem Regal. «Rendezvous mit Joe Black?»

Schweigend stocherte ich im Essen herum. (Quizfrage: Wie heißt das Gegenteil von: Ich wollte mir eine rostige Gabel ins Auge rammen?) Mit der frischbewässerten Sahelzone war ich schlagartig nicht mehr sicher, ob Karsten mich auch nur ansatzweise begriffen hatte. Konnte es möglich sein, dass die Geilheit meinen klaren Blick gestört hatte? Hatten all die entspannten Momente tatsächlich stattgefunden? Oder war ich eine Art Experiment für ihn? Die schräge Blondine mit der großen Klappe, die interessant war, weil sie eine gelungene Abwechslung zu all den Mädchen darstellte, die er für gewöhnlich flachlegte?

«Rendezvous mit Joe Black?», wiederholte er.

«Ja, mach den mal an.» Karsten war gerade zu mir unter die Decke gekrochen, als ich fragte: «Aber ‹Fight Club› magst du, oder?»

«Ganz schön brutal, ne?»

Mit den Knöcheln gegen seine Stirn klopfend zitierte ich «Zurück in die Zukunft»: «Hey, McFly! Jemand zu Hause?»

«Hä?»

Brad Pitt hin oder her: «Rendezvous mit Joe Black» überstand ich nur, indem ich mir einredete, dass es sich um einen als Schnulze verkauften Horrorfilm handelte. Immerhin poppte die Protagonistin mit dem fleischgewordenen Tod, der im Kadaver ihres frisch verstorbenen Kerls auf Erden wandelte. (Nekrophilie war noch nie derartig romantisch!) Im Anschluss an den Film vögelten wir noch mal. Eher eine Fünf. Kann aber auch an mir gelegen haben.

Geld oder Leber!

«Lass mich das mal zusammenfassen», sagte Henning. «Du findest den eigentlich ganz geil, bist dir aber nicht sicher, ob du eine Beziehung willst, weil er Teamleiter ist, weil du bei ihm kochen musst, weil er Plakate von Filmen an den Wänden hat, die er nicht kennt, weil er Phil Collins hört, weil er nicht über jeden deiner blöden Sprüche lacht und, ehhhm ... warte.» Henning fummelte an seinem kleinen Finger herum. «Ah!», machte der dann. «Natürlich auch, weil er frühstückt, wie konnte ich das bloß vergessen, und weil er dich nicht gleich beim ersten Mal nach Strich und Faden durchgevögelt hat und weil er Spaziergänge machen will. Bin ich so weit mitgekommen?» Im Bierglas unter meiner Nase platzten Schaumbläschen. «Verständlich», grunzte Henning. «Ein widerlicher Zeitgenosse ist das aber auch.»

Geistesabwesend knibbelte ich an der Getränkekarte herum. Vor zehn Jahren war das Izarro noch eine reine Studentenkneipe gewesen, aber seitdem war das Stammpublikum gealtert, ohne dass jüngeres Volk hinzugekommen war. Zum einen war es angenehm, nicht ausschließlich von Twentysomethings umgeben zu sein, zum anderen wurde man durch die immergleichen Kapalken stets daran erinnert, dass man selbst auch nicht jünger wurde. Neben uns hockte Stefan auf seinem Stammplatz vor den Zapfhähnen. Er hatte schon zum Inventar gehört, als Henning und ich das Izarro für uns entdeckt hatten. Im Laufe der Zeit war sein Gesicht rötlich verschrumpelt, sodass eine gewisse Ähnlichkeit mit Freddy Krueger aus den «Nightmare»-Filmen nicht mehr zu leugnen war. Ansonsten schwang er noch dieselben Reden wie früher, nur dass einige Verschwörungstheorien hinzugekommen waren.

«Karsten hat schon was», sagte ich schließlich, «aber irgendwie ist der so gutbürgerlich. Hausmannskost halt. Der ist irgendwie wie ein Schnitzel, weißte? Ein leckeres Schnitzel, klar, aber halt trotzdem ein Schnitzel. Mit Ketchup.»

«Die besten Schnitzel gibt es ja tatsächlich in Wien», sagte Stefan, ohne uns anzuschauen. «Da war ich mal in so einem Lokal beim Zentralfriedhof.»

Wie üblich ignorierten wir ihn.

«Und wie sauber das bei Karsten ist», sagte ich. «Bevor der zu mir kommt, müsste ich echt dringend erst mal grundreinigen.»

«Der Zentralfriedhof ist ja der einzige Friedhof der Welt, der bejagt wird», erklärte Stefan. «Da gibt es Rehe und Füchse und so.»

«Ich habe halt keine Lust, so ein Puttchen zu werden, Henning.»

«Und das Grab von Falco, mit Glitzerstatue von ihm drauf, ist echt der Oberhammer!»

Mit den Fingern gegen mein Bier trommelnd, sagte ich: «Pass auf, dann stehen irgendwann die Hausschuhe immer an derselben Stelle ...»

«Dass Falco tot ist, glaube ich ja bis heute nicht. Der hatte einfach keinen Bock mehr und hat sich abgesetzt.»

«Und dann macht man Fahrradtouren ...»

«Scheißmedien!»

«Und irgendwie befürchte ich, dass Karsten auch einer von denen ist, die für jedes Wetter die richtige Kleidung haben und sie ...»

«Was soll das denn heißen?», übernahm Henning das Ins-Wort-Fallen.

«Und sie dann vor allem auch noch anziehen», beendete ich meinen Satz.

«Ina, echt mal, nur weil du bei Wind und Wetter die gleichen Klamotten trägst, musst du ...»

«Karsten hat garantiert auch einen Hip-Bag und so einen bekloppten Fahrradhelm.»

«*Ich* habe einen Hip-Bag und einen ...»

«Ich weiß», unterbrach ich Henning.

«Amadeus, Amadeus!»

«Wenn der jetzt erst mal Ski fahren ist und du Urlaub hast, kannst du dir das ja alles noch mal überlegen», sagte Henning. «Was ist denn mit diesem Typen aus dem Lochfraß?»

«Er war ein Mann der Frauen, und Frauen liebten seinen Punk!»

«Hör auf!»

Überrascht sah Stefan zu mir herüber und glaubte offenbar, ich hätte ihn damit angesprochen.

«'tschuldigung», sagte er kleinlaut. «Rede manchmal zu viel. Einfach Bescheid sagen, wenn ich die Klappe halten soll.»

«Halt die Klappe», antworteten Henning und ich im Chor.

Stefan wandte sich ab und knibbelte an einem Bierdeckel herum.

«Ganz peinliche Nummer mit dem Lochfraßkerl», fuhr ich einen Deut leiser fort. «Habe einmal kurz mit ihm telefoniert und mich dann total zum Affen gemacht, weil ...» Ich stockte. «Scheiße, ich habe Annikas Halloween-Sachen vergessen.»

«Egal.»

«Matten heißt der. Wirkt echt ganz witzig und entspannt. Der hat auch die ganzen letzten Tage immer mal wieder SMS geschickt, aber ich habe nicht darauf reagiert. War total bescheuert von mir, den abzuservieren. Und dann schulde ich ihm auch noch zehn Euro. Hatte ich voll vergessen. Ich hätte mir den echt warmhalten sollen, um zu sehen, was das mit Karsten wird. Und ...» In dem Moment rief Jeannette an. «Was will die denn?», murmelte ich und ging ran. «Na?»

«Ina, Ina, Ina!»

«Alles tutti?»

«Hast du ganz kurzfristig Zeit? Jetzt?»

Die Bedienung servierte eine zweite Runde Wodka.

«Ich bin mit Henning im Izarro, das ist heute nicht so gut, Jeannette.»

Alarmiert riss Henning die Augen auf.

«Mit Henning?», fragte Jeannette. «Annika hat mir eben erzählt, dass er mit seinen Freunden zum Bowlen ist.»

In abwehrender Haltung fuchtelte Henning mit den Händen herum.

«Ist ja gerade erst halb acht», sagte ich geistesgegenwärtig. «Wir trinken nur vorher ein Aufwärmbier, sozusagen, dann ... dann geht er dahin.»

«Hast du denn dann Zeit?»

«Warte mal kurz.» Damit drückte ich das Handy gegen meinen Oberschenkel und wandte mich an Henning: «Was ist hier gerade los?» Ohne mir zuzuprosten, kippte er seinen Wodka herunter. «Hast du Annika erzählt, dass du bowlen gehst?»

«Ja. Schon. Ich ... also Annika ... also, die», stotterte er. «Annika findet das irgendwie nicht so gut, wenn wir uns treffen. Die ist irgendwie ein bisschen eifersüchtig auf dich.»

«Bitte?!»

«Habe ich halt behauptet, dass ich bowlen gehe.»

«Und sind deine Kumpels wirklich bowlen?»

«Hmhm.»

«Super, dann kannste da auch gleich hin.» Ich nahm das Telefon wieder ans Ohr. «Entschuldige, worum geht's denn?»

«Ich habe so einen Typen kennengelernt, der spielt heute ein Klavierkonzert und hat mich eingeladen. Eigentlich wollte ich gar nicht hin, aber jetzt juckt es mich doch irgendwie.»

Ich schaltete sofort. Offenbar war ich Jeannetes Notbegleitung, weil die Proseccoclique mit Augenbrauenzupfen beschäftigt war und sie sich alleine nicht hinzugehen traute.

«Seit wann interessierst du dich denn für Klavierkonzerte?», fragte ich.

«Der ist sooo niedlich!»

Ich machte dicke Backen. «Wo soll das denn sein?»

«Im Lochfraß.»

Weil ich mir nicht sicher war, ob ich sie richtig verstanden hatte, drückte ich das Handy fester an mein Ohr. Jeannette im Lochfraß, das war wie Jeannette im Lochfraß. (Nach reiflicher Überlegung bin ich zu dem Schluss gekommen, dass es keinen treffenderen Vergleich gibt.)

«Im Lochfraß?», fragte ich.

«Ja, der Laden heißt wirklich so. In der Heesestraße, um die Ecke vom ...»

«Ich weiß, wo der ist, aber da soll ein Klavierkonzert sein?»

«Kommst du mit? Bittebittebitte!»

Fürs Weitertrinken mit Henning war mir die Stimmung soeben vergangen. Außerdem konnte es für mich nur von Vorteil sein, wenn ich Jeannette mit einem Kerl verkuppelte, bevor sie von der Sache mit Karsten Wind bekam. Bestenfalls würde ich sogar Matten über den Weg laufen und könnte ihm zumindest seine Kohle zurückgeben.

«Bin gleich da, Jeannette», sagte ich.

«Fahr schon mal vor, ja? Ich muss mich nur noch schnell fertig machen, aber ich beeile mich und ...»

«Komm einfach inne Pömps.» Nachdem wir uns verabschiedet hatten, zog ich den Reißverschluss meiner Trainingsjacke zu und warf Henning einen strafenden Blick zu. «Annika ist eifersüchtig auf mich? Und so was erzählst du mir nicht?»

«Ich habe ihr gesagt, dass sie sich keine Gedanken machen muss.»

«Denkt sie, dass wir was miteinander haben? So richtig? Mit richtig Anfassen und so?!» Henning zuckte mit den Schultern. «Ey, das geht gar nicht! Ich rufe sie morgen mal an, um ...»

«Nee, nee, nee, nee, nee! Ich rede noch mal mit ihr.»

«Mach das aber auch wirklich.» Ich stürzte meinen Wodka herunter. Im Gehen klopfte ich Stefan auf die Schulter. «Erzähl Henning doch noch mal, wie die NASA die Mondlandung gefakt hat.»

«Unglaubliche Geschichte!», sagte der mit aufgerissenen Augen. «Kennst du Stanley Kubrick? Den Regisseur? Der hat das nämlich alles inszeniert, weil er ...»

Ächzend ließ Henning seine Stirn auf die Theke klappen.

Um nichts dem Zufall zu überlassen, schickte ich Matten noch eine SMS: *Wenn dir das mit mir bislang nicht zu blöd war, findest du mich gleich im Lochfraß. Stichwort: 10 €. Musst mich aber ansprechen :-) Grüße, Ina!*

Der unsichtbare Dritte

Keine zwanzig Leute hockten auf den schäbigen Sofas und Klappstühlen, die auf der Tanzfläche aufgebaut worden waren. Neben einer Akustikgitarre standen ein Hocker und ein E-Piano auf der Bühne. Anstelle anständiger Beleuchtung baumelte eine Kette Weihnachtslichter von der Decke, und in den Ecken blubberten Lavalampen. Ich rieb meine Finger. Anscheinend hatte sich niemand die Mühe gemacht, für die Veranstaltung die Heizung aufzudrehen. Unverändert den Schal um meinen Hals geschlungen, hängte ich meine Jacke über einen Barhocker und setzte mich.

«Ein Bier?», sprach ich den Kerl hinter der Theke an.

Schelmisch grinsend wischte er seine Hände in einem Küchentuch ab. «Du bist doch die Asibraut von neulich.»

«Ey, pass bloß auf!», sagte ich, als wäre ich eines von Bushidos Ex-Groupies. «Isch bin null asi, Alta!»

Seine tätowierten Arme auf den Tresen gestützt, kicherte er: «Na, guck dich doch mal an.»

«Ja, guck disch ma' selber an!», parierte ich mit der Asi-Antwort Nummer eins.

«Du warst doch letzten Montag hier, oder? Mit diesem Rothaarigen? Da hast du dann noch diesen einen Typen angegraben.»

So uninteressiert wie möglich fragte ich: «Kennst du den?»

«Malte heißt der, glaube ich. Der ist öfter zum Kickern hier.

Fand er aber wahrscheinlich nicht so gut, dass du mir die ganze Zeit auf den Hintern geguckt hast, während du mit ihm am Flirten warst.»

«Das wüsste ich aber.»

«Nicht? Dann war das vielleicht andersrum. Dann habe ich dir auf den Hintern geguckt.»

Lächelnd wandte er sich ab, um mein Bier zu holen, und wie ferngesteuert gaffte ich nun tatsächlich auf seinen eingerissenen Hosenboden. Ohne sich zu mir umzuschauen, wedelte er mit dem Zeigefinger. «Nananana!»

«Ich hab gar nichts gemacht!», protestierte ich.

«So was spüre ich doch.»

«Ja, am Arsch.»

Eine Augenbraue gelupft, drehte er sich zu mir um. «Genau.»

Unsere Blicke verknoteten sich. Hugh Jackman in der abgerockten Variante. An den Mundwinkeln hatte er Grübchen, und bis zum Kieferknochen wucherten ihm Koteletten. Soeben hatte er das Bier vor mir abgestellt, als ein Schwung Leute den Laden betrat. Für den Fall, dass Matten unter ihnen war, warf ich mich in Bewerbungsfoto-Pose und setzte einen freundlich-aufgeschlossenen Gesichtsausdruck auf. Dabei geriet ich kurz ins Grübeln darüber, wie mürrisch ich ansonsten dreinschaute. Niemand beachtete mich. Nachdem Hugh den Leuten Getränke serviert hatte, hockte er sich mir gegenüber auf die Ablage des Tresens.

«Erzähl mal einen schmutzigen Witz», forderte er mich auf. «Hast du neulich auch die ganze Zeit gemacht.»

Ich hielt die Hand auf. «Fünf Euro.»

«Für fünf Euro kriege ich ein ganzes Buch mit schmutzigen Witzen.»

«Wenn du schlau wärst, würdest du einfach *schmutzige Witze* googeln und hättest den ganzen Tag was zu lachen.»

«Du guckst einfach in den Spiegel, um was zum Lachen zu haben, ne?»

Demonstrativ ließ ich meine Kinnlade herunterklappen. «Keule, du musst mir jetzt ganz dringend ein Kompliment machen, wenn du dich weiter mit mir unterhalten willst.»

«Mal sehen», sagte er und lehnte sich über die Theke. Anschließend begutachtete er mich wie einen Ackergaul. Angefangen bei den Hufen über Kruppe und Widerrist, bevor er mir nach einem Zwischenstopp an der Vorderbrust in die Augen schaute.

«Wenn du jetzt ein Kompliment für meine Augen raushaust, hast du es dir echt versaut», sagte ich. «Billiger geht's ja nun echt nicht. Außerdem ...»

«Ich würde gerne wissen, wie die Welt durch deine Augen aussieht.»

Biddewas?!, ging es mir durch den Kopf. Damit hatte er mir den Wind aus den Segeln genommen. Hinter Hughs Pupillen funkelten Diskokugeln.

«Ganz okay, ne? Und noch nie vorher benutzt, den Satz, sondern gerade improvisiert. Schwöre!» Um es zu unterstreichen, streckte er Zeige- und Mittelfinger heraus. «Wie heißt du denn?»

Aus der beliebten Reihe «Witzischkeit kennt keine Grenzen» zog ich eine Schnute wie vom Straßenstrich und fuhr mit den Fingerspitzen über meine Lippen. Mit polnischem Akzent hauchte ich: «Wie möchtest du, dass ich heiße?»

«Angelina?»

(Soundeffekt: elektrischer Stuhl.)

Eine ungrazile Ganzkörperverkrampfung, deren Ausläufer sich bis in meine Mimik bemerkbar machten, bemächtigte sich meiner. Jetzt bloß nicht verlegen kichern!

«Schön, dich noch mal kennenzulernen», sagte Matten.

Kopfschüttelnd streckte ich ihm meine Hand entgegen. «Ina», sagte ich sinnvollerweise. Weder schlug Matten zu fest ein noch zu schlaff, aber doch wie jemand, der es nicht gewohnt war, sich mit Handschlag zu begrüßen. «Die Sache mit dem Pier 51 tut mir wirklich leid», brachte ich dann heraus. «Total bescheuert.»

«War doch ganz lustig. Bist du heute wegen mir hierhergekommen?»

Seinem Blick ausweichend, kratzte ich an einem Wachsfleck herum. Nur um etwas Größe zurückzugewinnen, antwortete ich: «Meinetwegen.»

«Wie? Deinetwegen?»

«Nein, es heißt nicht *wegen mir*», erklärte ich, «sondern *meinetwegen*.»

«Du bist schon ein bisschen anstrengend, oder?»

Anstatt meine Eloquenz unter Beweis zu stellen, nickte ich dusselige Kuh auch noch. Um irgendetwas von mir zu geben, fragte ich schließlich: «Was war noch mal dein Lieblingsfilm?»

«Keine Ahnung. Ich mag Filme, in denen Spinnen die Weltherrschaft übernehmen, und so was.»

Gott, was für 'ne Hohlfrucht!, durchzuckte es mich. Es war wie einer dieser Momente, wenn man sich eine Handvoll Popcorn in den Mund stopfte und es nicht wie erwartet gezuckert, sondern gesalzen war. Mit nur einem Satz hatte Matten sich in brandgefährliche Nähe der sofortigen Disqualifikation manövriert.

Bevor mir eine clevere Antwort in den Sinn gekommen war, lachte er aber: «Nee, Quatsch! Du weißt ja echt gar nichts mehr.» Schweigend nuckelte ich an meinem Bier. Zum ersten Mal war ich es selbst, die an Testphase zwei scheiterte. «Du fandest das ganz interessant, dass ich Stummfilme mag», sagte Matten. Stummfilme waren der weiße Fleck auf meiner Filmlandkarte, weswegen er sofort meine volle Aufmerksamkeit hatte. «Ich musste irgendwann mal für einen Kumpel bei so einem Stummfilmabend in einem Kino einspringen», fuhr er fort. «Der sollte das auf dem Klavier begleiten, konnte dann aber nicht, und seitdem bin ich Fan. Chaplin ist natürlich toll, aber auch diese ganzen abgefahrenen deutschen Regisseure.»

«Du machst Musik?», fragte ich, worauf Matten in Richtung Bühne nickte. «*Du* spielst hier heute?!»

«Bin jetzt schon länger nicht mehr mit meinem Soloprogramm aufgetreten. In letzter Zeit habe ich immer nur in irgendwelchen Hotels und Restaurants die Hintergrundberieselung am Klavier gemacht. Gibt halt ganz gut Kohle, nervt aber auch total. Am zweiten Weihnachtsfeiertag moderiere ich hier seit Jahren immer *Die Offene Bühne der Einsamen Herzen*, und da wollte ich mich ein bisschen vorbereiten.»

«Was machst du denn dann an der Theke?»

«Ich jobbe hier auch immer mal wieder. Eigentlich wäre heute noch eine Kollegin da gewesen, aber die hat vorhin abgesagt. Muss mal gucken, wie ich das beim Auftritt mache.»

Ein kühler Windzug umwehte meine Beine. Ich wandte mich um. Damenhaft zupfte sich Jeannette ihre Handschuhe von den Fingern und trippelte auf mich zu. Mein Magen wurde steinhart.

«Schön, dass du da bist, Ina!», sagte sie und streichelte meinen Rücken.

«Auf jeden.»

«Hallöchen!», wandte sie sich mit flatternden Augenlidern an Matten.

Nach einem knappen Nicken fragte er: «Auch ein Bier?»

«Was habt ihr noch mal für Wein?»

«Weiß oder rot halt.»

«Welche Sorte», kicherte Jeannette.

«Muss ich mal gucken, was diese Woche eingekauft wurde.»

«Ach, dann nehme ich heute auch einfach mal ein Bier.» Anschließend schaute Jeannette mich an, als erwartete sie Standing Ovations und Konfettikanonen für ihre tollkühne Getränkewahl.

«Knorke», sagte ich anerkennend.

Matten machte sich auf zum Kühlschrank, und als er einige Schritte entfernt war, wisperte Jeannette: «Das ist der Typ!»

«Ich weiß», antwortete ich ebenfalls im Flüsterton.

«Das weißt du? Und dann unterhältst du dich mit dem?»

«War ja nur ganz kurz.»

«Ganz kurz mal wieder, hm?»

Mit zusammengekniffenen Lippen kramte Jeannette in

ihrer Handtasche. Die guckt *entrüstet*, dachte ich. In meinem ganzen Leben hatte ich niemanden kennengelernt, der jemals entrüstet geguckt hatte. Entrüstet guckte Erzgräfin Soundso, wenn der Stallbursche das Pferd nicht rechtzeitig gesattelt hatte oder das Tafelsilber nicht anständig poliert war. Jeannette angelte ein Spiegelchen aus der Tasche und inspizierte die Farbkleckse in ihrem Gesicht.

«Bin gleich wieder da», sagte sie und verschwand in Richtung Toilette.

Nachdem Matten ihr Bier abgestellt hatte, setzte er sich wieder mir gegenüber.

«Woher kennt ihr euch denn bitte?», wollte ich von ihm wissen.

«Ganz merkwürdig. Die war auch letzten Montag hier. Vor dir. Kommt irgendwann auf mich zu, als ich gerade mal nicht am Kickern war, und baggert mich total an, so richtig mit Körperkontakt und allem, labert nur dummes Zeug, und da habe ich sie dann mit einem Flyer fürs Konzert abgewimmelt. Hat sie wohl falsch verstanden.»

«Jeannette war hier?»

«Nicht lange, glaube ich. Das ging fünf Minuten, und dann war sie auch wieder weg. Die ist jetzt aber nicht deine beste Freundin oder so?»

Ich verzog mein Gesicht. «Soll das ein Scherz sein?»

Bevor ich Details in Erfahrung bringen konnte, kam Jeannette auch schon zurück.

Meine Lippen hinter Handrücken und Bierflasche verbergend, murmelte ich: «Sie darf nicht wissen, dass wir uns ... uns kennen.»

Matten legte seine Stirn in Falten. In der nächsten Sekunde bestieg Jeannette schwungvoll den Hocker neben meinem, legte ihre Oberweite auf dem Tresen ab und schob mich mit spitzem Ellenbogen beiseite.

«Und? Wie geht's dir?», wandte sie sich an Matten.

«Ganz gut», sagte er, seine Koteletten zwirbelnd, bevor er das Thema wechselte. «Kann eine von euch beiden gleich ein bisschen auf die Theke achten, wenn ich auf der Bühne bin? Sind ja nicht so viele Leute hier, da ist bestimmt nicht viel zu tun. Und die Preise stehen alle oben an der Wand.»

Anstatt ihm zu antworten, fingerte Jeannette an ihrem Täschchen herum, als hätte sie ihn nicht gehört.

«Willst du?», fragte ich sie.

Pikiert sagte Jeannette: «So was kann ich nicht.»

Einen Augenblick musste der Satz einsickern, bis mir das Ausmaß ihres Schwachmatentums bewusst wurde. Erzgräfin Jeannette behauptete allen Ernstes, keine Flaschen aus einem Kühlschrank holen und Kleingeld wechseln zu können. Einen Hund mit entsprechend begrenzten Fähigkeiten hätte man direkt eingeschläfert. Ohne Mitleid. Ohne ihm zum Abschied den Nacken zu kraulen. «Du bist zu bescheuert, dein Bein zum Pinkeln anzuheben? Interessant. Guck mal hier. Nein, nein, keine Angst, das ist nur eine Zeckenimpfung.» Piks! Und weg zum Abdecker mit dem stinkenden Kadaver. Was Jeannette ihrem Tonfall zufolge eigentlich meinte, war natürlich: So was *mache* ich nicht, im Sinne von: «Mon dieu, dabei könnte ich mir einen Nagel einreißen!», oder: «Meine Fürze riechen nach Erdbeeren! Wie komme ich denn dazu, die Arbeit des Fußvolks zu erledigen?»

Ich musste an Karsten denken. Zuletzt hatte mich mein Gewissen in eine der peinlichsten Situationen meines Lebens gebracht, weshalb ich es nun geflissentlich ignorierte. (Womit bewiesen wäre, dass man sein Gewissen *guten Gewissens* ignorieren kann.) Es war schon in Ordnung, Matten ein bisschen beeindrucken zu wollen. «Go for it, girl!», rief Johnny vom Billardtisch herüber, bevor er klappernd die Acht einlochte. Ich hüpfte mit dem Hintern auf den Tresen, rutschte auf der anderen Seite herunter und schnappte mir einen Flaschenöffner. «Habe zu meiner Studentenzeit mal gekellnert.»

Nach einer knappen Thekeneinweisung dimmte Matten das Licht, und zeitgleich verfinsterte sich auch Jeannettes Miene. Ohne das Publikum zu begrüßen, begann Matten, Klavier zu spielen.

«Herzlich willkommen», sagte er schließlich unverändert klimpernd. «Freue mich sehr, dass es nicht so voll geworden ist wie befürchtet. Ich mag ja so elitäre Haufen wie euch.» Vereinzelt wurde gekichert. «Schacke!», wandte er sich an einen Kerl in abgewetzter Lederjacke. «Lange nicht gesehen. Einen Applaus für Schacke, bitte!» Einige Leute klatschten, worauf Schacke in die Runde prostete. «Guck dich an! Plötzlich bist *du* der alte Sack an der Theke», fuhr Matten fort. «Schacke hat mal einen der schönsten Sätze zu mir gesagt, die ich jemals zu hören bekommen habe.» Damit ließ Matten den gespielten Akkord ausklingen und zitierte: «Alle Leute, die nicht ich sind, gehen mir auf den Sack, und mein eigenes Gefasel ertrag ich auch nur auf Drogen.»

Schacke fuhr sich schmunzelnd durch die Haare. «Wenn

das hier so weitergeht, gehe ich doch noch Fußball gucken.»

«Fußball», wiederholte Matten und spielte wieder Klavier. «Ich habe so wenig Ahnung von Fußball, ich könnte glatt Trainer von Arminia Bielefeld werden. Vertickst du denn eigentlich noch Drogen, Schacke?»

Für einen Sekundenbruchteil machte der große Augen. «Näh!», sagte er dann. «Drogen können dich töten, Alter.»

«Ja, klar», konterte Matten, «aber bevor sie das tun, kannste auch eine Menge Spaß mit dem Zeug haben.»

Fasziniert lehnte ich an einem der Kühlschränke und schielte zu Jeannette hinüber, die sich bärbeißig an ihre Bierflasche klammerte. Der Pöbel verlustierte sich, und niemand war bereit und willens, der gnädigen Frau den Hintern zu pudern!

«Ich spiele heute Coverversionen und ein paar eigene Sachen», sagte Matten. «Mal sehen, wie lange ihr Lust habt.» Das Geklimper wurde zu einer vertrauten Melodie, aber erst als der Gesang einsetzte, erkannte ich «True Colors» von Cindy Lauper. Mattens Stimme füllte den Raum, war sanft, aber kraftvoll und dabei eigenartig verletzlich. Es war eine jener Stimmen, bei denen die gesungenen Worte nur Mittel zum Zweck waren, um etwas ganz anderes zu transportieren. Eine dieser Stimmen, durch die man daran erinnert wurde, dass man an guten Tagen vielleicht so etwas wie eine Seele besaß. (Pathos-Modus: *Off.*) Ich rubbelte mir die Gänsehaut vom Arm. Im Anschluss spielte Matten ein Lied von David Bowie, gefolgt von «It's a Most Unusual Day», bevor er wieder vor sich hin düdelte.

«Alles gut so weit?», fragte er und erntete zustimmenden Applaus. «Das ist hier heute Abend der Startschuss für mein Comeback. Wenn es nicht funktioniert, mache ich mich mit einem Internetvertrieb selbständig. Habe da neulich eine Marktlücke entdeckt.» Abrupt hörte er zu spielen auf und schaute in die Runde. «Geruchsfreie Duftbäume.» Das Publikum gab einen Laut von sich, als hätte es einen Tiefschlag verpasst bekommen. «Blöd, ne?», fragte Matten feixend. «Habe schon beim Proben gedacht, dass der Gag nicht zündet. Versuchen wir mal ein Lied von mir. Normalerweise sind die englisch, aber das hier ist deutsch. Heißt: ‹Alle Fotos von dir, als du jung warst, wurden schon gemacht›.»

Ich hätte heulen können. (Stichwort: Rotzundwasser.) Es war eine Ballade, hart an der Grenze zum Schlager, die aber an den richtigen Stellen immer wieder die Kurve bekam. Inzwischen hing ich mit rausgestrecktem Hintern über der Spüle, die Ellenbogen auf den Tresen gestützt und das Kinn in meinen Handflächen abgelegt. Ebenso andächtig wie der Rest des Publikums lauschte ich dem Lied. Selbst in Schackes Augenwinkeln schimmerten Tränchen. Gerade klang der letzte Ton aus, und der Applaus hatte noch nicht eingesetzt, als mein Handy klingelte. Es steckte in meiner Jacke, die noch auf der anderen Seite der Theke hing. Sofort ging ein Raunen durch das Publikum, und ich zog reflexartig den Kopf ein.

«Ina!», sagte Matten und deutete auf mich. Sämtliche Gäste starrten mich an. «Normalerweise hole ich Leute immer auf die Bühne und lasse sie ‹Marmor, Stein und Eisen bricht› singen, wenn ihr Handy klingelt.» Es wurde gejohlt. Flehend schaute ich Matten an. Einen Moment ließ er mich leiden, bevor er fragte: «Mögt ihr die Doors?», und, ohne eine Reaktion abzuwarten, «Love Street» spielte. Erst kämpfte ich gegen das Lächeln an, das sich über mein Gesicht legen wollte, aber beim Refrain schaute Matten mich an, und ich spürte, dass lächeln schon in Ordnung war. Noch während des Liedes tippte Jeannette mir an die Schulter und streckte mir das Handy entgegen. Karsten hatte angerufen. An Jeannettes Blick war abzulesen, dass sie seinen Namen gesehen hatte. Kommentarlos schaltete ich das Handy offline und filmte die folgenden Songs.

Nach dem Konzert leerte sich der Laden zügig. Um Matten eine Verschnaufpause zu gönnen, schnappte ich mir Scheuerlappen und Wischeimer und brachte Tresenbereich und Tische auf Vordermann. Außerdem hatte ich somit einen Grund, Jeannette zu ignorieren, die mich argwöhnisch musterte.

«Ina?», winkte sie mich schließlich heran.

«Noch ein Bier?»

«Hör mal, Ina», sagte sie, «ich fand den Kronenbergh ja auch ganz schick, aber was die Buttgereit mir von dem erzählt hat, ich weiß ja nicht, der bescheißt die Frauen rechts und links. Der hat schon das halbe Callcenter gepoppt, und mit vier Frauen hatte er wohl auch so was wie eine Beziehung. Der tut immer auf nett, aber eigentlich ist das voll der Macho. Hast du etwa was mit dem? Kannst du mir ruhig sagen.»

«Auf keinen Fall!», sagte ich deutlich überbetont. «Der hat mich auf der Feier so lange vollgequatscht, bis ich meine Nummer rausgerückt habe, und seitdem nervt der rum. Ich fang doch nichts mit einem Teamleiter an.»

Es war eine Performance, für ich die Goldene Himbeere verdient hätte.

«Na, zum Glück», sagte Jeannette. «Weißt du, was die Buttgereit mir heute erzählt hat? Der Kronenbergh macht wohl gerade Männerurlaub, und er und seine Kumpels sind da nur am Rumpoppen.»

«Aha», machte ich. «Und woher will sie das wissen?»

«Na, die hat doch auf der Weihnachtsfeier noch diesen anderen Teamleiter abgeschleppt, Axel Gladbeck, und dem schickt der Kronenbergh jetzt wohl ständig SMS mit Zwischenständen, wie viele Frauen er schon hatte.»

(Fump! Chrrz! Knirsch! Brösel!)

Energisch rubbelte ich am Wasserhahn herum. «So, so», sagte ich.

«Hätte ich mir auch gleich denken können, dass das so einer ist», sagte Jeannette mehr zu sich selbst. «War ja klar, wenn ich mal einen gut finde, und ...»

Jeannette plapperte weiter vor sich hin, aber ich hörte nur mit halbem Ohr zu. Meine Backenzähne mahlten aufeinander. Grübelnd scheuerte ich einen der Zapfhähne. Einige Minuten rang ich mit mir, aber schließlich verschwand ich auf Toilette, um Karsten anzurufen. In einer der schmuddeligen Kabinen hockte ich mich auf einen Klodeckel und schaltete mein Handy an. Eine SMS von Karsten poppte auf. *Wollte nur kurz Hallogenstrahler sagen! Urlaub ist richtig. Liebe Grüße!* (sic) Ich machte dicke Backen und wählte seine Nummer.

«Hey ... du! Schönen guten Abend!», lallte Karsten. «Alles gut bei dir?»

Ohne Umschweife kam ich zur Sache. «Was hat das denn

mit diesen SMS auf sich, die du angeblich dem einen Teamleiter schickst?»

Das Gewummer eines Schlagers drang in den Vordergrund. «Woher ... woher weißt du das denn?»

«Stimmt das?»

«Nnnnnja ... schon, aber ich kann das erklären. Weißt du, Ina, wir beide ...» Eine Männerstimme grölte meinen Namen, bevor es für einen Augenblick still wurde. «Entschuldige, bin wieder dran», fuhr Karsten dann fort. «Weißt du, so lange geht das mit uns ja noch nicht, und wir kennen uns ja noch gar nicht so richtig, und, na ja, also ... das ist hier halt gerade Urlaub, und da drehen wir immer ein bisschen durch, weißt du? Diese SMS sind ...»

«Ey, ey, ey!», brabbelte die Männerstimme nun deutlich lauter. Anscheinend war Karsten das Handy entrissen worden. «Der Kronenbergh ist immer noch der Stecher vorm Herrn! Den Prengel sollte sich der Junge vergolden lassen!»

Die Verbindung brach ab. Beim erneuten Versuch, Karsten zu erreichen, war sein Handy ausgeschaltet. Unter mir tröpfelte die Toilette. *Wer wärst du lieber*, hatte jemand an die Klotür gekritzelt, *Gott oder Jean-Claude Van Damme?* Berechtigte Frage! Einen Moment überlegte ich ernsthaft, ob ich Karsten lieber zur Hölle schicken oder ihm die Kauleiste blutig treten wollte.

«Well, du warst dir doch sowieso nicht sicher, Sweetheart», sagte Johnny. Über die Trennwand der Kabine gelehnt, linste er zu mir hinunter.

«Aber das muss ja nun auch nicht sein.»

«Erst mal Ruhe bewahren. Let's see ...»

«Forget about it!», fiel ich ihm ins Wort.

Bevor ich meinerseits das Handy ausschaltete, schickte ich Karsten eine SMS mit den Worten: *Liegst beim Fremdvögeln vorne. Glückwunsch! Bringe uns besser mal auf Gleichstand.*

Routiniert rollte Schacke einen Joint.

«Bis' nicht so oft hier, hm?», wandte er sich an Jeannette. Obwohl sie nicht reagierte, fügte er lachend hinzu: «Näh, ich ja auch nich' mehr. Zu Hause saufen geht echt nich' so ins Geld, wa'?»

Kurz zuvor waren die letzten Gäste verschwunden, und wir hatten uns ins Büro hinter der Theke zurückgezogen. Der Raum maß keine sieben Quadratmeter. Auf dem Schreibtisch lag ein Wust aus Zetteln und Briefen. Daneben stapelten sich turmhoch CDs, und der Computer war dermaßen alt, dass er wahrscheinlich mehr mit einem Rechenschieber als einem Smartphone gemeinsam hatte. Quer durch den Raum war eine Wäscheleine gespannt, an der Fundstücke wie Mützen und Handschuhe, Sonnenbrillen und schrottige Handys hingen. Ähnlich sah bestimmt der Adventskalender von Familie Flodder aus.

Schacke hielt Jeannette den qualmenden Joint vor die Nase. Kopfschüttelnd rückte sie mit ihrem Klappstuhl von ihm ab, und allein ihrer Mimik wegen überlegte ich mitzurauchen. Um mir aber zu beweisen, dass ich lernfähig war, lehnte ich dankend ab. Neben mich auf das Ledersofa gefläzt nahm Matten einige Züge, bevor er Schacke den Joint zurückgab und eine Runde Wodka einschenkte. Ein unterdrückter Ekel war in Jeannettes Gesicht zu erahnen, als präparierte Matten einen Menschenblutcocktail für das Initiationsritual einer Endzeitsekte. Während wir unseren Wodka herunterstürzten, nippte Jeannette nur an ihrem und klammerte sich anschließend an das Gläschen. Es war mir ein Rätsel, weshalb sie sich noch auf einen Absacker dazugesellt hatte. Von Matten wurde sie konsequent ignoriert, und Schacke ging ihr offensichtlich gehörig auf den Zeiger. Komplett auf Alleinunterhalter-Modus geschaltet, gab der eine haarsträubende Suffgeschichte nach der anderen zum Besten. Dabei spielte er mit verstellter Stimme die Rollen aller betreffenden Personen. Einmal schlug er einen Purzelbaum vom Büro bis in den Thekenbereich, um zu demonstrieren, wie er im Sommer einer Frisbee ausgewichen war.

«Hier, ey!», sagte er noch immer kniend. Seinen Zeigefinger auf mich gerichtet, starrte er mir in die Augen. «Und dann habe ich Ende der Achtziger mal Heinz Rühmann an so 'ner Ampel in Bottrop gesehen und bin dem nachgelatscht.» Ich lachte Tränen. «Das war der!»

Immer wieder war Schacke bemüht, Jeannette einzubeziehen, aber die gab kaum einen Mucks von sich. Mittlerweile klebte ihr wieder die Poperze im Gesicht. Obwohl sie ihn keines Blickes würdigte, widmete Schacke ihr schließlich seine volle Aufmerksamkeit. (O-Ton: «Bin ja nich' so gut mit so Komplimenten und so, aber du hast schon 'n ziemlich amtliches Fahrgestell, weißte, ne?») Seine Hartnäckigkeit war ebenso beeindruckend wie Jeannettes Contenance.

Obwohl ich mir keiner Schuld bewusst war, rumorte ein seltsames Gefühl der Reue in meinen Eingeweiden. Ab und an warf ich Jeannette deswegen kollegiale bis freundschaftliche Blicke zu. Außerdem hielt ich mich damit zurück, Matten mit Komplimenten für seinen Auftritt zu überhäufen. Zum einen wollte ich vermeiden, dass Jeannette Zeugin des Ganzen wurde, zum anderen ihm gegenüber nicht als leichte Beute erscheinen. Stattdessen fachsimpelte ich mit Matten über Filme. Es war das erste Mal, dass mir jemand in Sachen unnützes Filmwissen Paroli bieten konnte, sodass unser Gespräch zu einem regelrechten Schlagabtausch ausartete.

«In ‹Goodfellas› von Martin Scorsese wird dreihundertmal das Wort *Fuck* gesagt», legte ich vor, worauf Matten konterte: «In ‹Casino› sogar dreihundertachtundneunzigmal.»

«Und Will Smith hat damals ja die Hauptrolle in ...»

«In den Matrix-Filmen abgelehnt?», beendete Matten meinen Satz. «Ja, aber weißt du, wer ursprünglich Dirty Harry spielen sollte?»

«Frank Sinatra.» Strike! Damit hatte ich aufgeholt. «Und wie hat die Filmcrew die Haiattrappe in ‹Der Weiße Hai› genannt?»

«Bruce», sagte Matten. «Nach Steven Spielbergs Rechtsanwalt.»

«Letzteres ist ...» – mir neu, dachte ich, sagte aber stattdessen: «Absolut korrekt. Deswegen haben sie einen der Haie in ‹Findet Nemo!› als Hommage übrigens Bruce genannt.»

Schmunzelnd stieß Matten sein Bier gegen meines. «Das ist mir neu.»

Ja, leck mich am Arsch!, dachte ich. Ich bin verzaubert! Zu allem Überfluss konnte Matten auch noch komplette Szenen mancher Filme zitieren.

«Was ist mit deinen Augen?», gab er König Haggart aus

«Das Letzte Einhorn» zum Besten. «Warum kann ich mich nicht sehen in deinen Augen?»

Nach einer Weile klatschte Matten in die Hände. «Geschafft!», lachte er. «Jetzt haben wir das Gespräch von neulich aufgearbeitet. Jetzt wird es auch für mich wieder interessant.»

Erst schmunzelte ich, bemerkte dann aber Jeannettes verdatterten Gesichtsausdruck. Just in dem Moment buffte Schacke sie mit der Schulter an.

«Hier, ey, und dann ich so zu ihm», sagte er und machte eine dramatische Pause vor der Pointe seiner Anekdote. «Nachdenken is' nicht schwierich. Kommt halt immer drauf an, worüber!»

Johlend klopfte sich Schacke auf den Schenkel. Anstatt auf ihn zu reagieren, musterte Jeannette mich nur.

Um die Sache zu überspielen, fragte ich: «Bekomme ich noch ein Bier, Matten?»

«Kriegen wir hin», sagte er. Bevor er das Büro verließ, fügte er blöderweise hinzu: «Aber nicht, dass du morgen früh wieder von nichts weißt.»

Auf der Stelle schoben sich eisige Linsen vor Jeannettes Pupillen. Innerhalb von Sekundenbruchteilen verwandelte sich ihr Gesicht von dem einer guten Bekannten zur Fratze einer Todfeindin. Kurz wartete sie, bis Matten wieder neben mir Platz genommen hatte, bevor sie in mitfühlendem Tonfall sagte: «Wegen der Sache mit dem Kronenbergh noch mal, Ina. Mir tut das wirklich leid, falls der dich verarscht. Ist das jetzt dein Freund? Ach, entschuldige! Vielleicht hätte ich das alles gar nicht erzählen sollen, aber ich möchte einfach nicht, dass du verletzt wirst, weißt du?»

Kann mal bitte jemand meine Kotze aufwischen?! Für eine derartig miserable schauspielerische Leistung hätte sich sogar David Hasselhoff geschämt. Stumm kratzte ich am Etikett meiner Bierflasche. Offenbar hatte mein Sprachzentrum alle Begriffe, die nicht «Dumme Schlampe» waren, auf Stand-by geschaltet.

«Kronenbergh?», fragte Matten und legte einen Arm hinter mich auf die Sofalehne. «Ist das der Emo-Spießer?»

Ich musste mir ein Grinsen verkneifen. Obwohl es burgfräuleinmäßiger kaum ging, rückte ich an Matten heran. Es fühlte sich überraschend sicher an.

Mit einem Zucken im Mundwinkel stand Jeannette auf. Keinesfalls wollte ich sie vom Haken lassen, ohne etwas von mir gegeben zu haben, weshalb ich in die Offensive ging.

«Warum warst du eigentlich neulich hier?»

«Annika hat im Februar Dreißigsten», antwortete Jeannette beiläufig und schlüpfte in ihren Mantel. «Henning und ich planen eine Überraschungsparty. Ich hätte dich ja auch gefragt, ob du mitorganisieren willst, aber ich bin mir nicht sicher, ob Annika das gerade so gut finden würde, wenn ausgerechnet du mitmachst. Ist Henning denn eben noch zum Bowlen gegangen, hm?»

Schlagartig wurde mir bewusst, dass Jeannette natürlich von Annikas Eifersucht wusste. Höchstwahrscheinlich hatte die Proseccoclique bei ihren letzten Treffen lang und schmutzig über mich vom Leder gezogen.

«Jeannette», setzte ich an, «Henning und ich sind einfach nur gute Freunde. Wir ...»

«Ja, nee, nee! Musst dich ja gar nicht rechtfertigen.» Bevor sie sich mit wehendem Mantel davonmachte, murmelte sie: «Manche Männer stehen halt auf billig.»

Als sie verschwunden war, ließ Schacke seinen Kopf in den Nacken klappen. «Ich glaub, mein Schwein pfeift, Alter. Was für 'ne Granate!»

«Geh ihr doch hinterher», sagte Matten.

«Quatsch! Die will doch nix von mir. Haste doch gesehen.»

Eine Augenbraue gelupft, wiederholte Matten: «Geh», er machte eine Pause, «ihr doch hinterher.»

Erst als ich meine Hand auf Mattens Oberschenkel legte, begriff Schacke.

Punkmusik dröhnte in Mattens Schlafzimmer. Ich schnupperte. Obwohl seine Laken sicherlich seit Wochen nicht mehr gewaschen worden waren, hatte ich den Geruch nach neuem Auto in der Nase. Verkatert zog ich meinen Slip über und humpelte mit freiem Oberkörper Richtung Lärm. Ich hatte Schmirgelpapier zwischen den Beinen. Die vergangene Nacht war hemmungslos gewesen. Gleich zum Einstieg hatte ich zu spüren bekommen, wie sich Mattens Lippen *anderswo* anfühlten. Eine geschlagene Viertelstunde kraulte ich seine Haare, bevor ich ihn zu mir hochzog. Anschließend war es, als spielten wir sämtliche meiner Lieblingspornos nach, sodass ich eine saubere Neun Komma zwei vergab. Eine glatte Zehn wäre es geworden, hätte Matten sich wenigstens ansatzweise zurückgehalten. Nichtsdestotrotz verteilte ich Extrasternchen, weil er Gummis griffbereit hatte, ohne dass ich nachfragen musste.

Nur in Boxershorts hing er nun in seinem Wohnzimmer auf dem Sofa. Eine Hand hatte er an seinem Hinterkopf, mit der anderen kratzte er sich am Sack. In den Türrahmen gelehnt, schaute ich mich um. Neben gerahmten Bildern mit Engelchen und schlafenden Schönheiten klebten Bandposter an den Wänden. Aus einer Ecke des Raumes glotzte mich ein ausgestopftes Eichhörnchen an, und von der Decke baumelte ein kitschiger Plastikkronleuchter. Gardinen gab es keine, stattdessen hing eine Bob-Marley-Flagge vor dem Fenster, an deren Seiten bleiches Licht ins Zimmer drang.

«Na, schöne Frau?»

Mit Blick auf das Eichhörnchen sagte ich: «Das ist bestimmt voll nicht d'accord mit Feng Shui.»

Anstatt zu antworten, betrachtete Matten meinen Körper. Nicht für eine Sekunde kam mir der Gedanke, die Arme zu verschränken. Ich wollte, dass er mich anschaute.

«Pizza bestellen und Filme gucken?», fragte er.

Gähnend sagte ich: «Super Idee.»

«Geht aber nur über Laptop. Mein DVD-Player ist kaputt, aber der Ton läuft über die Anlage, und das sind richtig gute Boxen. Hast du Lust auf einen Horrorfilm? Habe gerade so einen französischen runtergeladen. Soll ziemlich brutal sein.»

«Perfekt. Muss nur kurz aufs Klo.»

«Du hast den Arsch einer Göttin!», rief Matten mir hinterher.

Moin, debiles Grinsen!, dachte ich. Da bist du ja wieder!

Im Anschluss an den Horrorfilm schauten wir uns «Sonnenaufgang» an, einen Stummfilm von Murnau. Für gewöhnlich heulte ich nur bei Filmen, wenn ich mich unbeobachtet glaubte, aber Matten gegenüber hatte ich nicht das Gefühl, mich zurückhalten zu müssen.

«Schön, oder?», fragte er, als der Abspann lief.

«Hmhm», schniefte ich.

Matten nahm meine Hand und streichelte meine Finger. «Bleibst du noch über Nacht oder musst du morgen früh raus?»

«Habe diese Woche Urlaub.»

«Von mir aus können wir die nächsten Tage so weitermachen.»

«Bin ich dabei», sagte ich und legte meinen Kopf auf seine Schulter. Grinsend schob ich meine Hand in seine Boxershorts, stoppte aber, bevor ich etwas zu fassen bekam. «Urlaub war echt mal wieder dringend nötig», fuhr ich fort. «Ich arbeite in einem ...»

«Warte mal», fiel er mir ins Wort. «Wollen wir uns nicht erst mal kennenlernen, ohne dass diese ganze Alltagsscheiße eine Rolle spielt? Das wollte ich schon immer mal machen. Es geht nur um den Moment. Wenn man dann feststellt, dass man es miteinander aushält, kann man ja immer noch erzählen, was man so macht und wer man ist. Oder für wen man sich hält. Aber wenn man einander auf die Nerven geht, hat man nicht irgendwem Sachen anvertraut, die man im Nachhinein lieber für sich behalten hätte.»

Schnurrend kraulte ich Mattens Löckchen. «Der mysteriöse Fremde?»

«Und die schöne Unbekannte.»

Ich stockte.

«Sagst du das immer an dieser Stelle?»

«Nee, keine Sorge», kicherte Matten. «Bei mir verändern sich nur gerade ... gerade ganz viele Dinge, und ich ...» Ächzend verschränkte er die Arme hinter seinem Kopf. Über die Innenseite seines Oberarms schlängelte sich ein Schriftzug, dessen Farbe deutlich frischer wirkte als die seiner übrigen Tätowierungen: *Part of all the Fuck-Ups is the Will to make a Change.* «Das soll jetzt nicht nach Emoscheiße klingen», sagte er, «aber vielleicht muss man das Schicksal manchmal einfach machen lassen, weißt du? Und wenn man dann den Joker zieht, na ja, dann ... dann ist das halt so.»

Die restliche Woche war eine gottverdammte Orgie. Mein Handy schaltete ich erst am dritten Tag wieder ein, und das auch nur offline, um ein wenig zu filmen. Wir lebten von Bringdienstessen und Kaffee, Bier und Zigaretten. Unsere Gespräche drehten sich fast ausschließlich um Filme und Musik. Eigenartigerweise hatte ich den Eindruck, Matten dabei besser kennenzulernen, als hätten wir einander unsere Lebensgeschichten anvertraut. Anfangs zierte er sich, mir Aufnahmen seiner ehemaligen Bands vorzuspielen, weil es unsere Regeln verletzte, aber schließlich konnte ich ihn überzeugen, dass er das mysteriöse Element des Ganzen damit eher befeuerte. Im Laufe der Zeit hatte Matten in den unterschiedlichsten Bands gespielt. Von Jazz über Pop bis Punk war alles dabei. Ich war sofort Fan. Hätte ich einen Slip getragen, ich hätte ihn ihm an den Kopf geschmissen. In der Hoffnung,

Matten meinerseits zu beeindrucken, zeigte ich ihm mein Blog mit den Filmclips. Zum Einstieg sahen wir uns aus der Froschperspektive gefilmte Maisstauden an, die vor einem wolkenlosen Himmel im Wind schaukelten. Danach präsentierte ich ihm mein zweieinhalbminütiges Werk «Spiegelungen eines Taubenschwarms in Heckscheibe von Porsche». Wortlos schaute Matten auf den Monitor. Nach dem vierten Clip war ich komplett hibbelig, als ginge es um meine Bewerbung für die Filmhochschule.

«Wenn du das bescheuert findest, ist das in Ordnung», sagte ich. «Aber erzähl mir bitte nicht, dass es *nett* ist oder so was, weil ...»

«Ina, das ist total schön. Richtig schön. Keine Ahnung, weshalb, aber das hat was. Vielleicht weil es alles ganz alltägliche Sachen sind.»

That's a bingo! Statt meine Herangehensweise zu erläutern, weshalb ich welchen Kamerawinkel gewählt oder mich für die jeweilige Clipdauer entschieden hatte, seufzte ich nur.

«Soll ich da mal Musik zu machen?», fragte Matten. «Das gewinnt bestimmt noch, wenn man es mit Musik hinterlegt. Können wir vielleicht im Lochfraß mit auftreten. Du stehst am Laptop und suchst die Clips raus, die an die Wand projiziert werden, und ich improvisiere dazu. Wie ein Stummfilmabend.»

Ich war kurz vor dem Herzstillstand. Schlagartig waren wir ein Künstlerpaar! In einer Reihe mit Henry Miller und Anaïs Nin oder Courtney Love und Kurt Cobain (nur ohne Schrotflinte).

«Wollen wir das ausprobieren?», hakte er nach, worauf

ich das mit Abstand mädchenmäßigste «Auf jeden!» meines Lebens säuselte.

Der schmuddelige Flokati kitzelte an meinem Arm. Ich wischte Matten Schweiß von der Stirn und küsste eine Tätowierung auf seiner Schulter. «Ist das ein Goldfisch?»

«Das ist ein Koi», korrigierte er mich.

«Sind doch Goldfische, oder nicht?»

«Ja, na ja, aber japanische Goldfische.»

«Potenzielles Sushi.»

Lächelnd drückte Matten seinen Körper an meinen.

«Ich würde dich ja gerne noch hierbehalten», sagte er, «aber ich glaube, ich muss dich demnächst rausschmeißen. Morgen muss ich zum ersten Mal seit Ewigkeiten richtig früh aufstehen. Da muss ich fit sein.»

«Ist heute Sonntag?», fragte ich, worauf Matten nur lachte. «Wo musst du denn hin?»

«Ist mir peinlich. Ist außerdem ein Tabuthema, schöne Unbekannte.»

Ich knabberte an seinem Ohrläppchen. «Ich finde, wir halten uns ganz gut aus, Fremder.»

«Ja. Vögeln können wir.»

«Na gut, Keule», sagte ich und klatschte mit der flachen Hand auf seinen Bauch. «Dann bin ich jetzt raus.»

Bevor ich die Biege machte, schob ich noch einen Zehner unter sein Kopfkissen, auf den ich *Das warst du wert!* gekritzelt hatte.

Apocalypse Now

Auf dem Weg zur Arbeit schien mir die Sonne aus allen verfügbaren Körperöffnungen, und ihre Strahlen kitzelten sanft meine Haut. Seitdem ich am Abend zuvor bei Matten abgehauen war, schrieb ich am Drehbuch für unsere gemeinsame Zukunft, wie ich es zuvor nur mit Johnny in der Hauptrolle gemacht hatte. Es war eine gotterbärmliche Schnulze, aber ich genoss jede einzelne Szene. Zum Beispiel die, in der ich Matten zu einem Konzert begleitete, wo ihn haufenweise Mädchen anbaggerten. Ohne dass ich mich aufdrängte, wimmelte er sie ab, küsste meine Schläfe und streichelte meinen Hintern, diesen Arsch einer Göttin. Ein andermal fuhren wir mit der Fähre nach Dänemark, nur um während der Überfahrt im Rücksitz vom Fox zu vögeln, bis die Scheiben beschlugen. (Soundeffekt: Klatsch! Quieeetsch.) In einer anderen Szene stritten wir über Filme. Die Diskussion eskalierte, als Matten behauptete, es sei schwachsinnig, dass die Eingeborenen in «King Kong» eine Mauer um ihr Dorf gebaut hatten, schließlich hätte der blöde Affe einfach hinüberklettern können. Wild gestikulierend erläuterte ich, dass die Mauer natürlich dazu diente, das übrige Viehzeug fernzuhalten, das auf der Insel herumstrolchte. Um Kong zu besänftigen, opferten sie ihm Frauen! Sichtlich beeindruckt lehnte Matten sich zurück. Es war eine der größten Erkenntnisse seines Lebens. Unser erster gemeinsamer Sommer war standesgemäß eine Montage; eine Aneinanderreihung kurzer Szenen, zusammengehalten von einem Lied im Hintergrund. (Wenn Sie jetzt Phil Collins im Ohr haben, gibt's Fingerkloppe!) Wir schlenderten eine blühende Kastanienallee hinunter. Wir aßen Zuckerwatte. Ich brachte Matten bei, wie man Öl und Zündkerzen wechselte. Wir kauften Luftballons. Matten nahm einen Zug vom Helium und sagte mit Fistelstimme: «Ich schau dir in die Augen, Kleines!» Wir lagen am Fluss, im Schatten einer Fußgängerbrücke, in meinem Viertel. Gegen Abend machten wir ein Lagerfeuer. Matten spielte auf seiner Gitarre ein Lied, das er für mich komponiert hatte. Am folgenden Morgen erwachten wir aneinandergekuschelt und von Mücken zerstochen auf seinem Flokati.

In meinem liebsten Handlungsstrang drehte ich ein Video zu «Alle Fotos von dir, als du jung warst, wurden schon gemacht», das innerhalb einer Woche über vierhunderttausend Klicks auf YouTube bekam. Es war der Startschuss für meine Karriere als Regisseurin. Mein Debütfilm, eine Tragikomödie mit dem Titel «Filmriss für drei» sprengte die Grenzen des Genres. Von der Kritik wurde sie besonders für die subtilen Federico-Fellini-Referenzen gefeiert. Außerdem übertraf sie finanziell sämtliche Erwartungen, obwohl ich gegen den Rat der Produzenten dafür gesorgt hatte, dass zwei der beliebtesten deutschen Schauspielerinnen nicht mit von der Partie waren. Katja Riemann («Ich weiß, dass ich kühl wirke, aber eigentlich bin ich ein ganz herzlicher Mensch») kantete ich ebenso raus wie Veronica Ferres («Haben Sie gerade mal einen guten Zweck, für den ich meine Fresse in eine Kamera halten könnte?»). Durch den Videoclip wurde

Matten zum gefeierten Popschtah, weswegen er natürlich den Soundtrack zum Film komponierte. Wir waren das Traumpaar der Nation; das deutsche Pendant zu Brangelina (Mattina!), nur ohne die lästigen Drittwelt-Blagen.

All das erlebte ich in knapp zwanzig Minuten Fahrt zum Callcenter. Erschöpft betrat ich meine Etage. Im Hinterkopf war ich mit Matten zu Gast in der Sendung «Menschen zweitausendirgendwas», wo wir Günther Jauch von unserer unsterblichen Liebe berichteten. Wie wir selbst nicht mehr an sie geglaubt hatten und wie dankbar wir waren, dass wir einander gefunden hatten. In den vorderen Reihen wurden vereinzelt Taschentücher herausgekramt. Ich hatte gerade den Computer gestartet, als Claudia sich auf den Platz neben meinem pflanzte.

«Iiiiina!», begrüßte sie mich. «Bei uns drüben an der Insel war alles voll, das ist ja schön, wir haben ja ewig nicht mehr nebeneinander telefoniert, was?»

Nachdem Günther, mit dem wir uns inzwischen duzten, Matten und mich verabschiedet hatte, sagte ich: «Kommt mir noch gar nicht so lange vor.»

«Klar doch, das ist bestimmt schon ein halbes Jahr her, irgendwann im Sommer, da hatte ich doch gerade diese Magen-Darm-Geschichte hinter mir, uhahahaha, nachdem ich bei diesem Kroaten war. Nee! So ’n Afghane war das nämlich. Oder? Na egal, irgendwo da unten eben, auf jeden Fall war das Essen richtig schlecht, wie das halt so ist bei ausländischem Essen, da weiß man ja nie so richtig, gab’s neulich auch so ’nen Bericht im Fernsehen, wo die gesagt haben, dass man vorsichtig sein muss, gerade im Sommer, weil die das Essen nicht so richtig frisch halten, guckst du manchmal Vorabendprogramm im Dritten?»

Stur auf den Monitor konzentriert, sagte ich: «Seltener.» Aggressiver als Vorabendprogramm im Dritten machten mich nur Familienserien mit lustigen Tieren.

«Ich war ja eben mit ein paar anderen unten, um einen Blick auf die Neuen zu werfen», sagte Claudia, und als ich sie anschaute, ergänzte sie: «Frischfleisch!»

Ihr Gesichtsausdruck zauberte mir Bilder ins Hirn, die ich mein Lebtag lang nicht vergessen werde. Manche Dinge sollte man sich einfach nicht vorstellen. (In diesem Zusammenhang: Eine der schönsten Schlagzeilen der letzten Jahre lautete meiner Meinung nach übrigens: *Angela Merkel übt den Spagat*. Kriegen Sie das mal wieder aus dem Kopf!)

«Sind halt alle noch ziemlich jung», seierte Claudia weiter, obwohl ich nach wie vor keinerlei Interesse zeigte. «Ich mag ja eher Männer über vierzig, die mit beiden Beinen im Leben stehen und nicht mehr so Flausen im Kopf haben, aber find mal so einen. Was macht das Liebesleben denn bei dir, hm? Du bist doch auch Single, oder? Oder nicht? Doch! Oder habe ich da was von dem Kronenbergh läuten hören, hmmm? Ich hätte bei dir ja gedacht, dass du auch eher ältere Männer magst.»

Ihrer Frage nach Karsten ausweichend, sagte ich: «Jack Nicholson würde ich nicht von der Bettkante schubsen.»

«Uh, ach nee!» Claudia verzog den Mund. «So alt muss ja nun auch nicht sein! Aber ich muss wirklich mal gucken, wie das bei mir weitergeht, so ’n Mann im Haus wäre doch mal wieder was Feines, gerade für die Jungs, und ich ... ach, ich weiß auch nicht.» Gott, ist die bedürftig!, ging es mir durch den Kopf. «Seit der Feier neulich will meine Mutter die Jungs auch wieder öfters mal nehmen, war wohl nicht so schlimm mit denen. Gehst du denn manchmal auf so Singlepartys? Wollen wir da nicht mal zusammen hin, Ina? Diese eine soll ganz toll sein, mit Schlagermusik im ... ehhh, hier, sag schnell, dingensda, wie heißt der Laden noch mal? Na ja, mittwochs sind die jedenfalls immer, mit Live-Musik und, na egal, bist du denn manchmal auf so welchen Partys?»

«Nee», sagte ich. «Nicht auf so welchen.»

In dem Moment setzte sich Jeannette mit nur einer Backe auf meinem Tisch ab.

«Und?», fragte sie.

«Hm?»

«Der Typ.»

Völlig ungeniert rückte Claudia zu uns heran. Meine Stirn in Falten gelegt, wandte ich mich ihr zu. Neugierig erwiderte Claudia meinen Blick. Offenbar begriff sie tatsächlich nicht, dass sie dieses Gespräch nichts anging. Die Alte ist echt das Schwarze Loch des Callcenters, dachte ich. Erst saugt sie alles an sich ran, was in Reichweite kommt, um es auf immer und ewig verschwinden zu lassen. Bei der Vorstellung musste ich schmunzeln, worauf Claudia mich freundlich anlächelte.

«Was für ein Typ denn?», fragte sie. «Ich habe das ja alles nur am Rande mitbekommen, Ina, wusste ja keiner was Genaues, und ich habe echt eine ganze Menge Leute gefragt, weil, du hast dich ja auf der Weihnachtsfeier total lange mit dem Kronenbergh unterhalten, ne? Und mit Küsschen verabschiedet, oder? Und dann hatte ich euch neulich ja auch vor 'm Fahrstuhl gesehen, das war ja auch ganz ulkig, bist du jetzt mit dem zusammen?» Kurz stockte sie, bevor sie sich an Jeannette wandte: «Fandest du den nicht gut? Oder wie war das? War das nicht so? War das andersrum? Komisch alles, na, egal, ich habe mir ja neulich noch mal dem sein Foto im Intranet angeguckt, und also poah! Ich muss ja sagen, der ist schon ziemlich hübsch, finde ich schon, doch, also ziemlich! Und dass der was mit der Franziska hatte, na ja, was soll's, sind ja alle keine unbeschriebenen Blätter, was? Huhuhu! Und so ein Teamleiter verdient ja auch ganz gutes Geld, klar, und ihr passt super zusammen, Ina, doch, finde ich auf jeden Fall, weil nämlich ...»

«Ey, quatsch mich nicht voll und kümmer dich um deinen eigenen Scheiß», hörte ich mich sagen.

Wie ein Vampir im Sonnenlicht krümelte Claudia in sich zusammen. Einige Sekunden hockte sie stumm da, bevor sie in Zeitlupentempo zurück an ihren Computer rollerte.

«Jeannette», flüsterte ich dann, «lass uns das doch bitte nicht hier besprechen.»

«Besprechen? Ich will nichts besprechen», sagte sie in normaler Gesprächslautstärke. «Ich will es einfach nur wissen. Bist du mit Matten noch nach Hause gegangen?»

Zögerlich nickte ich.

«Fährst du jetzt dreigleisig?»

«Drei?»

«Tu doch nicht so», kicherte Jeannette. «Das mit dem Kronenbergh konnte ich irgendwie nicht glauben, deswegen habe ich gar nicht nachgefragt, als ich das neulich gehört hatte. Und Matten hast du jetzt parallel, weil ein Typ nicht reicht, oder ist mit dem Kronenbergh schon wieder Schluss? Stört dich doch bestimmt nicht, dass der was mit anderen hat.» Einige Kollegen sahen zu uns herüber. «Mach, was du willst, Ina. Was ich nur nicht verstehe, ist, weshalb du die Sache mit Henning abziehst und wie du Annika so was antun kannst.»

«Jeannette, ich habe nichts mit Henning», sagte ich gepresst.

«Annika hat sich gestern den ganzen Tag bei mir ausgeheult.» Noch einen Deut lauter fügte Jeannette hinzu: «Hast du ja noch nie so genau genommen, mit wem du ins Bett steigst.» Bevor sie verschwand, beugte sie sich zu mir herunter und wisperte: «Ich kann dir das Leben hier zur Hölle machen.»

Gelähmt glotzte ich ihr hinterher. Steckte ich eben noch in einer zuckergussverschmierten Liebesschnulze, war ich nun gefangen in einem Highschool-Film mit Jeannette als intriganter Cheerleaderin. Ich kam nicht dazu, mir ein Ende zu meinen Gunsten zurechtzuspinnen.

«Inchen?», rief Gunnar. «Gehst du mal auf *Bereit*? Ist schon zwei nach neun.»

«Gleich.»

Gunnar erhob sich und warf einen Blick ins Büro unseres Ressortleiters. Unerwartet barsch sagte er dann: «Nein, nicht gleich. Jetzt!»

Jeannette grinste hämisch.

«Kann ich mir noch schnell einen Kaffee holen?», fragte ich mit Blick auf einen der Flachbildschirme. «Ist gerade kaum was los, und ...»

«Ich will hier nicht immer alles ausdiskutieren müssen!», bölkte Gunnar, worauf ich, ohne nachzudenken, konterte: «Schlecht geschissen oder was?!»

Sämtliche Kollegen gafften mich an. Gunnars Vogel-Strauß-Visage verwandelte sich in einen Karpfen. Wortlos klappte er den Mund auf und zu. Nachdem er sich gefangen hatte, zischte er: «Ina!», und stampfte auf mich zu. Wenn der jetzt sagt: Das wird ein Nachspiel haben!, dachte ich, wird es das erste Mal sein, dass ich jemanden diesen Satz in der Realität habe sagen hören. Abwartend schaute ich zu Gunnar auf.

«Das wird ein Nachspiel haben!», sagte er. «Ich muss hier auch mal Autorität zeigen», ergänzte er, als wiederholte er eine Dienstanweisung. Einige Sekunden hielt er seine neue Rolle aus, bevor er fast entschuldigend fragte: «Verstehst du doch, oder?» Ich blinzelte verständnisvoll. Anschließend schaute Gunnar sich um und hob die Stimme wieder. «Eine Abmahnung wird es wohl nicht werden, sag ich jetzt mal so, aber auf jeden Fall führen wir die nächsten Tage ein Disziplinargespräch.» Er klopfte mit den Knöcheln auf meinen Tisch.

Bevor er sich wieder an seinen Platz setzte, schielte er ein weiteres Mal ins Büro des Ressortleiters. Claudia machte den Rücken gerade und hämmerte auf ihre Tastatur ein. Keine zehn Sekunden später begann mein Arbeitstag mit einer ebenso aufgebrachten wie schwerhörigen Neunundachtzigjährigen, der ein Kredit mit zehnjähriger Laufzeit abgelehnt worden war.

Abwesend streute ich Sonnenblumenkerne über meinen Salat. Ich musste an meinen Papa denken. Beim Griechen hatte er das Grünzeug, sobald es serviert worden war, beiseitegeschoben und gefragt: «Was packen die hier eigentlich immer ihren Kompost auf den Tisch?» Mein Papa hat nicht ungesund gelebt, er hat antigesund gelebt. Seine sportlichen Aktivitäten beschränkten sich auf Trainingsanzug anziehen und Bundesliga gucken, und ständig klebte ihm eine Kippe im Mundwinkel. An manchen Tagen hat er sicherlich häufiger an einer Zigarette gezogen als normale Atemzüge genommen. Seit seinem Tod joggte ich halbwegs regelmäßig und versuchte, das Rauchen unter Kontrolle zu bekommen. Außerdem zwang ich mich wenigstens zweimal pro Woche zur gesunden Ernährung.

Wie in Watte gepackt lehnte ich nun an der Salatbar. Aus dem Augenwinkel bemerkte ich, dass Jeannette, Claudia und Franziska Buttgereit wie eine Herde bissiger Stuten beisammensaßen. Es war passend, dass Franziskas Lache eher ein Wiehern war. An einem anderen Tisch hockte Gunnar mit unserem Ressortleiter. Ich begutachtete meinen spartanischen Salat. Jetzt nicht mit Hunger bestrafen! Damit schaufelte ich einen Haufen Croûtons dazu und ertränkte das Ganze in Cocktaildressing, schnappte mir ein Mohnbrötchen und orderte eine Portion Spaghetti bolognese. Vervollständigt wurde das Menü durch einen Schokopudding und eine Flasche Cola. (Rückblende. Fünfundzwanzig Jahre zuvor. O-Ton meiner Mutter: «Cola gibt's nicht, Kind. Die frisst die Magenwände an!») Während ich an der Kasse wartete, zückte ich mein Handy, um zu schauen, ob Matten sich gemeldet hatte. Augenblicklich spürte ich seinen Atem im Nacken und hatte seine Stimme im Ohr.

«Sind wir jetzt etwa Kollegen, schöne Unbekannte?»

Ich drehte mich um. Vor mir stand Matten. Mit meinem Gehirn im Leerlauf starrte ich ihn an.

«Soll das ein Scherz sein?», hörte ich mich fragen. «Jetzt erzähl mir nicht, dass du einer von den Neuen bist.»

«Ich befürchte.»

Umarmen? Küssen? Explodieren?! Schweigend dröselte Matten seine Koteletten.

«Aber ... aber wieso denn hier?», brachte ich schließlich heraus.

«Vor ein paar Jahren hat mal eine im Lochfraß Theke gemacht, die hier gejobbt hat», sagte er mit den Schultern zuckend. «Die meinte, das wäre leichtverdientes Geld.»

«Du kennst Carlotta?»

«Das ging nicht lange mit uns.»

«Ahhh!», machte ich.

«Bin hier erst mal über eine Zeitarbeitsfirma. Hatte halt keinen Bock mehr auf die Thekenjobs und Klavierspielen.»

«Hallöchen!», drang Jeannettes Stimme zu uns herüber. Mit ausladenden Armbewegungen winkte sie Matten zu, der überrascht zurücklächelte. Anschließend beugte Jeannette sich mit vibrierenden Nüstern vor und flüsterte in die Stutenrunde, worauf Franziska und Claudia ihre Köpfe in unsere Richtung wandten. Auf ihren Pupillen funkelten Fadenkreuze. Sofort ging ein Bombenteppich über mich und mein Verliebtsein nieder, und der Boden unter meinen Füßen erzitterte. Vor meinem inneren Auge spielten sich verschiedenste Kriegsszenarien ab. Mein Leben würde sich in eine Mischung aus «Der Soldat James Ryan» und «Apocalypse Now» verwandeln. Abgetrennte Körperteile, allmählich einsetzender Wahnsinn und herausquellende Eingeweide inklusive. Das Grauen. Das Grauen!

«Schön ... schön, dich zu sehen, Matten», stammelte ich. «Alles okay?»

«Diese Schulung geht jetzt vier Stunden, und ich habe echt nichts verstanden. Ich habe keine Ahnung von diesem ganzen Bankenscheiß.»

«Acht Euro sechzig», sagte die Frau an der Kasse. Ich gab ihr meine Mitarbeiterkarte, von der sie das Geld abbuchte.

«So eine Karte habe ich noch gar nicht», sagte Matten und holte sein Portemonnaie aus der Hosentasche.

Toll, wie er so das Kleingeld zusammensucht! Einen Hauch von Napalm in der Nase, blinzelte ich mich wach.

«Was machst du denn die Woche durch abends?», fragte ich. «Können uns ja treffen, und ich erkläre dir ein paar Sachen. Ich habe die nächsten beiden Tage frei und ...»

«Vergiss es! Wenn ich aus diesen Schulungen rauskomme, ziehe ich mir nur die Decke über den Kopf und will nichts mehr hören. Am Donnerstag habe ich Vollidiot auch noch eine Thekenschicht zugesagt, und dann muss ich diese beschissene Offene Bühne organisieren. Ich bin jetzt schon im Arsch.»

«Hmhm.»

Nachdem er mir ein knappes Lächeln zugeworfen hatte, verschwand er an den Tisch der übrigen Neuen. Ein Sommerurlaub vor einigen Jahren kam mir in den Sinn. Damals war ich einige Male Wasserski gefahren und hatte mich ganz passabel gehalten. Einmal aber hatte sich das Seil vom Boot gelöst, worauf ich erst zusehends langsamer geworden war, um dann allmählich in den Wellen zu versinken. Jetzt klammerte ich mich an mein Tablett und schnappte nach Luft. Kurz überlegte ich, Matten hinterherzulaufen, aber dann hörte ich Franziska Buttgereits Wiehern.

Im Anschluss an die Mittagspause hockte Claudia neben Jeannette in der Ecke. Am Nachmittag schickte Matten eine interne E-Mail: *Gerade rausgefunden, dass ich dir schreiben kann. Nur kurz: Lass uns die Sache mit dem Absturz mal für uns behalten, ja? Auf so ein Gerede habe ich hier keinen Bock. Hören voneinander? Gruß, Matten!* Absturz?, ging es mir in Endlosschleife durch den Kopf. Die Hindenburg war abgestürzt. Die Concorde war abgestürzt. Charlie Sheen war abgestürzt! Wir hingegen hatten uns, dem Phoenix gleich, aus den Aschen unserer trostlosen Vergangenheit erhoben und in den siebten Himmel gevögelt. Und was war bitte schön mit Dänemark und den ganzen Mückenstichen? Von meiner Karriere als Regisseurin konnte ich mich natürlich auch verabschieden.

Kurz vor Feierabend teilte Gunnar mir mit, dass unser Ressortleiter beim Disziplinargespräch anwesend sein würde, er mir aber noch keinen Termin nennen konnte. Im Fahrstuhl zum Parkplatz checkte ich mein Handy. Niemand hatte sich gemeldet. Erst auf den zweiten Blick bemerkte ich, dass es unverändert offline war. Seit vergangenem Dienstag! Nachdem ich es eingeschaltet hatte, hoppelte ich durch den eisigen Wind zum Fox. Bei jedem Schritt ertönte ein Fiepsen. Ich zog die Autotür hinter mir zu und atmete tief durch. Zweiunddreißig Anrufe in Abwesenheit sowie zehn neue SMS. *Entschuldige, Ina!*, hatte Henning noch vom Izarro aus geschrieben. *Rede die Tage mit Annika. Versprochen!* Meine Mutter hatte mehrfach versucht, mich zu erreichen, bis sie am vorherigen Abend schließlich getextet hatte: *Lebst du noch, Kind? Mache mir Sorgen! Wann kommst du denn Heiligabend? Denk an die Tupperschalen!*

Erstaunlicherweise stammten die übrigen Anrufe und SMS von Karsten. Offenbar hatte er die ersten Nachrichten noch knatterdicht nach unserem letzten Telefonat verschickt. Hier mein Favorit und ein guter Grund, weshalb man besoffen keine Autovervollständigung verwenden sollte: *Ich habe kein Arschloch! Lass uns Redewendung wenn ich zurück bin.* Seine folgenden SMS wiederholten denselben Inhalt fehlerfrei, ohne aber wirklich etwas zu erklären.

Inzwischen war mein morgendliches Hochgefühl nur noch eine dumpfe Erinnerung. Ich fühlte mich komplett leer. Wie mit einem Spachtel ausgekratzt. Augenblicklich lief dieser Hohlraum in mir mit irgendetwas voll. Was auch immer es war. Gott, war ich bedürftig.

Angriff ist die beste Verteidigung

Weil ich unter keinen Umständen selbstmitleidig herumdümpeln wollte, raffte ich mich am folgenden Morgen zum Joggen auf. Es war schweinekalt. In meinem grauen Rocky-Gedächtnis-Trainingsanzug trabte ich gen Park und dort am Fluss entlang. Keine Schmerzen! Raureif lag auf den Büschen, und am strahlend blauen Himmel kreischten Möwen. Eigentlich ganz schön, dachte ich. Auf Höhe der Fußgängerbrücke zog ich das Tempo an. Ich würdigte die Stelle, an die ich mich mit Matten geträumt hatte, keines Blickes. (The Eyeeeeee! Of the Tiger.)

Später mistete ich meine Wohnung aus, entsorgte den Inhalt meiner Kramschublade, dann ebenso unbesehen die unteren Lagen des Kleiderschranks, gefolgt von sämtlichen Medikamenten und Gewürzen, die älter als fünf Jahre waren. Nach diesem eher zaghaften Einstieg schnappte ich mir einen blauen Müllsack und kloppte restlos alles in die Tonne, was ich in den letzten drei Jahren weder beachtet noch gebraucht hatte. Bei manchen Gegenständen hatte ich den Eindruck, ich betrachtete sie mit brandneuen Augen. Wie pottenhässlich bist du eigentlich?!, dachte ich bei einem Kerzenständer, den meine Oma aus Tirol angeschleppt hatte. Das Teil war keramikgewordene Nutzlosigkeit. Zwar respektierte ich seine Existenz, darüber hinaus spielte es aber keine Rolle in meinem Leben. Nachdem ich in meiner Wohnung klar Schiff gemacht hatte, wuchtete ich einen Umzugskarton randvoll mit Videokassetten aus dem Keller und stellte ihn an die Straße. Ich besaß seit mehreren Jahren keinen Videorekorder mehr. Dummerweise erinnerte ich mich erst, als der Karton verschwunden war, dass sich hinter einem der Filme ein Video befand, in dem ich mich als Sechzehnjährige nackt zu Madonnas Lied «Erotica» auf meinem Bett räkelte. (Es ist nur eine Frage der Zeit, bis ich eine E-Mail mit der Betreffzeile «Bist du das?!» und einem entsprechenden Link bekomme.) Stolz auf meinen Aktivismus und geschafft von den Strapazen des Tages, drehte ich anschließend sämtliche Heizungen auf und packte mich in Schlabberklamotten vor die Glotze. Es war kurz vor halb zwei. Nachmittags.

Am Abend des folgenden Tages fühlte es sich nicht mehr an, als läge ich auf dem Sofa, sondern als klebten die Polster wie bösartige Tumore an meinem Rücken. Außerdem waren meine Ellenbogen wund vom Rumfläzen. Im Licht einer Straßenlaterne rieselten Schneeflocken vor dem Fenster herunter. Ich war zu träge, die Vorhänge zuzuziehen. Ausdruckslos glotzte ich ins Nichts. Nur zu gerne hätte ich ein Loch in die Welt gestarrt, um anschließend hindurch zu entfleuchen. Nach einer Weile zog sich der Fokus auf die Realität wieder scharf, und mein Blick klebte an meinem knallroten Schuhkarton unter dem Schrank. Es war einer dieser Kartons, den wohl die meisten Menschen besaßen: randvoll mit Dingen, die man vergessen will – aber man weiß genau, wo er steht.

In ihm befand sich ein Sammelsurium aus Briefen und Postkarten, Fotos, Krimskrams und Ex-Freund-Memorabilia. Jahrelang hatte ich nicht in den Karton geschaut, sondern lediglich neuen Kladderadatsch in ihm verstaut, aber nun zog er mich magisch an. In die Wolldecke gewickelt wie in einen Kokon, lehnte ich mich an die Heizung und schüttete den Inhalt des Kartons auf den Teppich.

Zuerst sprang mir Hennings Ring ins Auge. Selbst mit gehörigem Kraftaufwand bekam ich ihn auf keinen meiner Finger gequetscht. (In Hexenterminologie gesprochen, war ich offenbar bratfertig.) Anschließend entdeckte ich einen walnussgroßen Jadebuddha, den mir Physiotherapeuten-Boris geschenkt hatte. Ohne einen Funken Ironie hatte er nach unserer ersten Nacht gesagt: «Jetzt sind wir für zehn Jahre auf der feinstofflichen Ebene miteinander verbunden.» Anstatt darauf einzugehen, sah ich mich in seinem Schlafzimmer um. «Was ist das denn für ein komischer Schrank?», fragte ich, worauf er beiläufig antwortete: «Das ist kein Schrank. Das ist ein Schrein.»

Henning hatte Boris wahlweise den Massagehippie oder den Räucherstäbchen-Philosophen genannt. Obwohl ich seinen Esoterikmüll so dringend brauchte wie eine dritte Brustwarze, waren Boris' Hände zu weich, um die Sache nicht eine Weile laufen zu lassen. Erst als er vorschlug, nach Mondphasen zu vögeln und unsere Idealstellungen auszupendeln, strich ich die Segel.

Ich legte den Buddha beiseite und betrachtete ein Foto von Kai Mönkeberger. Weshalb fandest du den Spacken noch mal toll?, rätselte ich. Kai hatte eine dieser Frisuren, bei denen man sich unweigerlich fragte, was er wohl beim Friseur sagte. Höchstwahrscheinlich: Einmal ab, bitte!

Ungläubig fingerte ich dann an der Hundepfeife von Glatzen-Markus herum. (O-Ton: «Damit der Dolph dich auch akzeptiert.») Sein Staffordshire-Bullterrier, benannt nach Schauspiellegende Dolph Lundgren, war eine dauerfurzende Sabberschleuder mit mehr Zähnen als Hirnzellen. Lieber hätte ich mir einen Penis auf den Hals tätowiert, als mich mit Dolph in der Öffentlichkeit blicken zu lassen. Seit Markus galt darüber hinaus die Grundregel: keine Hundebesitzer. Erotische Erlebnisse waren schlichtweg unmöglich mit Kerlen, die für Fremde hörbar Sätze sagten wie: «Ja, hast du fein Kackikacki gemacht! Ja, hast du aber ganz fein Kackikacki gemacht!» Außerdem gab es nur wenige Sachen, die abtörnender waren, als von Hunden beim Sex beobachtet zu werden. Anders als Katzen, die nur gelangweilt dalagen, als dachten sie: Pfff, habe ich auch schon gemacht!, starrten einem Hunde völlig ungeniert auf den Arsch und schienen sich pausenlos zu fragen: Ernsthaft jetzt? Das geht auch?! (Evolutionstechnisch betrachtet, sind Hunde übrigens näher an der Amöbe als am Delphin. Sie können das auf Wikipedia nachlesen. Den Artikel habe ich neulich erst aktualisiert.) Schluss gemacht habe ich aber nicht wegen Dolph, sondern unter anderem, weil Markus sich jedes Mal mit den Worten «Ich muss mal für kleine Königstiger» gen Klo verabschiedete. Geht. Gar. Nicht!

Noch an der Pfeife knabbernd, fiel mir ein Flyer für eine Best-of-Ballermann-Party in die Finger, den mir ein Kerl nach einem One-Night-Stand überreicht hatte. Angeblich war er

DJ, aber auf meine Frage, ob er auch Vinyl auflegte, antwortete er allen Ernstes: «Manchmal. Eigentlich alle Musikrichtungen. Meistens Après-Ski-Hits.» In Trivial Pursuit wäre der Kerl sogar von Lothar Matthäus abgezogen worden.

Anfangs kicherte ich noch beim Durchstöbern meiner Trophäensammlung, aber nach und nach blieb mir das Lachen im Halse stecken. Was ich längst befürchtet hatte, war nicht länger zu leugnen: Es war ein einziges Gruselkabinett aus Vollpfosten, das ich mir zusammengevögelt hatte.

Frustriert stopfte ich das Gerümpel zurück in den Karton, als mir ein Brief meines ersten Freundes in die Hände fiel. Lesen oder verdrängen?, überlegte ich. Zögerlich entfaltete ich das himmelblaue Papier und überflog die mit Füller hingeklierten Zeilen.

Wir sind erst fünfzehn, Ina, und in den Augen der Erwachsenen sind wir nur dumme Kinder, aber was wissen die schon? Das Feuer meiner Liebe wird ewiglich für dich brennen, Ina! Lichterloh Funken schlagend wird es brennen!

Sieben Monate waren Robert und ich zusammen gewesen, bevor er am Schuljahresende in ein dreihundert Kilometer entferntes Kaff gezogen war. Obwohl einer der heißesten Sommer seit Menschengedenken vor sich hin köchelte, verließ ich die Ferien hindurch kaum das Haus. Meine Brüder und ich hatten unsere Zimmer samt eigenem Bad im Dachgeschoss, sodass die stickige Luft bald nicht mehr auszuhalten war. Daher verlegte ich mein Heimkino, bestehend aus Videorekorder und tragbarem Fernseher, auf den Klodeckel und verbrachte viel Zeit im Bikini in einer eiskalten Wanne.

Eines Sonntagnachmittags, ich hatte gerade «Rumble Fish» eingelegt und war mit einer Ladung Eiswürfel ins Wasser gestiegen, klopfte es an der Tür.

«Kann ich reinkommen, Prinzessin?», fragte mein Papa.

«Was denn?»

«Habe dir ein Pony gekauft.»

«Ein Pony?»

«So ein kleines dickes mit gelben Zähnen und einem Hintern wie Tante Gisela», sagte er. «Kackt gerade das Esszimmer voll. Deine Frau Mutter kricht einen Nervenzusammenbruch. Dachte, das solltest du dir mal angucken.»

«Komm rein», lachte ich.

Wortlos trat er ein und schloss die Tür hinter sich, zog den Gürtel seines Bademantels zurecht und setzte sich auf den Rand der Wanne.

«Habe gelogen», sagte er und drückte mir einen rot-weiß gestreiften Lolly in die Hand. «Ponys waren aus.» Er fischte eine Schachtel Zigaretten aus seiner Trainingshose und steckte sich eine Kippe an. Eine Weile saßen wir still beieinander, aber schließlich nahm er einen tiefen Zug und fragte: «Tut weh, oder?»

«Was?»

«Jetzt markier doch nicht! Wegen dem Jungen.»

Mit den Zehenspitzen an einem Eiswürfel herumspielend, fragte ich: «Warum ist eigentlich immer alles so scheiße, Papa?»

«Och, ist ja nicht immer *alles* scheiße», sagte er, «nur das meiste eben.»

«Papa! Ich dachte, du baust mich jetzt mit so einer tollen Vater-Tochter-Ansprache auf.»

«Ist doch so», sagte er. «Das meiste ist immer scheiße. Die meisten Autos sind scheiße, die meisten Lieder sind scheiße, die meisten Filme sind scheiße, ernsthaft mal: Die meisten Leute sind scheiße. Ina, in der Welt, wo das meiste gut ist, würde ich ja auch mal gerne leben, aber was willste machen?» Kichernd lutschte ich am Lolly. «Aber der Sommer gerade», fuhr mein Papa fort und deutete aus dem Fenster, «der ist alles andere als scheiße. Und du gammelst hier in der Bude rum. Weißte, was, du musst mal rechnen, und die Rechnung kriegste sogar trotz deiner Fünf in Mathe hin. Sagen wir mal, im Durchschnitt werden Menschen vielleicht fünfundsiebzig Jahre alt. Das heißt, du hast um die fünfundsiebzig Sommer. Davon hast du jetzt schon fünfzehn rum. Die meisten Sommer sind natürlich scheiße, weil verregnet, und irgendwann musst du dann auch mal arbeiten und kannst nicht einfach nach der Schule den ganzen Nachmittag draußen sein, wenn tolles Wetter ist. Dann kriegste, mit ein bisschen Glück, ein paar schöne Tage mit. Vielleicht hast du irgendwann Kinder und musst dich danach richten, was die machen wollen, und bevor du es merkst, bist du zu alt, um die Temperaturen genießen zu können, dann kriegste nur noch Herzklabaster von der Hitze. Dann ist die Hitze nämlich auch auf einmal scheiße. Ich würde mal schätzen, die meisten Menschen haben keine zehn so richtig schönen Sommer. Zehn! Das ist nichts, Ina. Gar nichts. Du musst in Sommern rechnen! Und es sind immer zu wenige. Und egal, wie traurig du gerade bist, so einen Sommer verplempert man nicht wegen einem Jungen. Man verplempert überhaupt keine Zeit, schon gar nicht mit Rumjammern. Schreib dir das mal auf einen Zettel und kleb dir den an den Spiegel oder so, damit du das nicht vergisst. Der Bengel ist jetzt halt weg. Und? Was willste machen? Wenn man Sachen ändern kann, muss man sie ändern, wenn nicht, hilft Jammern auch nicht. Und jetzt», mein Papa klemmte die Zigarette zwischen seine Lippen und zog den Stöpsel aus der Wanne, «Arschbacken zusammenkneifen, Prinzessin!»

Keine Stunde später lag ich mit Henning am Kiesteich. Robert und ich schickten uns noch ganze vier Briefe, bevor wir den Kontakt verloren. In seinem letzten schrieb er:

Ich bin in den letzten Monaten ganz viel reifer geworden, Ina, und ich musste einsehen, dass unsere Liebe nicht echt war. Sie war ein Wunschtraum, mehr nicht. Samsara! Ich muss auf zu neuen Ufern. Wir müssen beide wachsen!

Im Gegenzug bekam er eine Valentinskarte von mir mit den Worten:

Du kannst mich mal kreuzweise mit deiner Hermann-Hesse-Scheiße!
PS: Du gehörst übrigens zu den meisten.

Noch immer an die Heizung gelehnt, wühlte ich im Karton, bis ich den Zettel fand, den ich damals an meinen Spiegel geklebt hatte. Er war wie eine Flaschenpost aus der Vergangenheit. Statt die schlaue Sache mit den Sommern zu notieren, hatte ich *Arschbacken zusammenkneifen, Prinzessin!* daraufgekritzelt. Natürlich hatte mein Papa recht gehabt. Man verplemperte keine Zeit. Dabei spielte es keine Rolle, ob man in Sommern rechnete. Ebenso gut konnten es Winter, Wochenenden oder Momente sein. Und es waren immer zu wenige.

Ich strich mit den Fingerspitzen über das Papier. In den vergangenen zwei Tagen hatte ich Karstens Anrufe ebenso ignoriert wie die von Nils und meiner Mutter. Matten hatte sich nicht gemeldet. Ihm hinterherzutelefonieren und um Aufmerksamkeit zu betteln stand nicht zur Debatte. Weil ich zumindest das Missverständnis mit Annika aus der Welt schaffen wollte, rief ich Henning an und lud die beiden für den folgenden Abend zum Spanier ein.

DRITTER AKT
Frauen am Rande des Nervenzusammenbruchs

«Wissen Sie, was, Frau Maibach? Ihre Bank nimmt mein Geld, wenn ich sparen will, aber wenn ich mal ein neues Auto brauche, kriege ich keinen Kredit von Ihnen!»

«Es tut mir leid, Herr Müller», sagte ich, das Kabel meines Headsets zwirbelnd, «aber solange Sie arbeitslos sind, können wir Ihnen leider keine weiteren Kredite einräumen.»

Obwohl sich unser Gespräch seit knapp zehn Minuten im Kreis drehte, ließ der Kunde nicht locker. Wie üblich wurde mir kotzübel, wenn ich mich im Namen der Bank *Wir* sagen hörte. Von einer Sekunde auf die andere mutierte ich zu genau der gesichtslosen Callcenter-Idiotin, die der Kunde von vornherein erwartet hatte.

«Aber sobald ich das Auto habe, bekomme ich doch den neuen Job», sagte er. «Deswegen brauche ich ja das Geld! Habe ich doch gerade lang und breit erklärt.»

«Ich weiß, aber Sie tun sich doch auch selbst keinen Gefallen damit, jetzt noch einen Kredit aufzunehmen.»

«Na, das lassen Sie mal meine Sorge sein.»

Eine Mail von Matten erschien in meinem Postfach: *Kennst du eine Franziska Buttgereit?*

Flüchtig vom Scheißefinden, antwortete ich, bevor ich mich an den Kunden wandte. «Sie haben Ihren Disporahmen mit über zweitausend Euro überzogen, und Sie haben noch bei anderen Banken Kredite mit insgesamt dreißigtausend Euro. Wenn Sie gerade kein Einkommen haben, ist das schon ein bisschen ...»

«Spionieren Sie mir hinterher?»

«Wir spionieren Ihnen nicht hinterher, aber solche Sachen werden geprüft, bevor Kredite vergeben werden, weil ...»

«Ich brauche dieses Scheißauto!», wurde er lauter. «Meine Frau liegt seit einem Jahr im Krankenhaus, sonst hätten wir doch Geld!»

Hast du dieser Franziska den Freund ausgespannt?, wollte Matten wissen.

Nicht jetzt.

«Herr Müller», sagte ich, «wir können Ihnen momentan wirklich nicht weiterhelfen.»

«Was wollen Sie denn?! Soll ich auf den Knien angekrochen kommen oder was?»

«Es tut mir wirklich leid, aber ...»

«Ach, einen Scheiß tut Ihnen das!»

«Ich würde Ihnen ja gerne weiterhelfen, es ist nur ...»

«Abzockerbanken immer!»

Warum fertigst du mich denn so blöd ab, Ina?

Soll das ein Scherz sein, Matten?, antwortete ich. *Wer hat hier wen abgefertigt?*

«Wissen Sie, ich mache Ihnen persönlich ja gar keinen Vorwurf, Frau Maibach», sagte Herr Müller wieder ruhiger. «Sie können ja nichts dafür, aber ich weiß wirklich nicht, was ich machen soll. Dieser Scheißkrebs bei meiner Frau.» Sein Atmen wurde zu einem Schluchzen. «Und ich kann seit zwei Jahren nicht mehr richtig laufen, und die Kinder ...»

Er weinte.

Lautlos holte ich Luft und fragte: «Darf ich mal ganz direkt sein?» Nachdem er zustimmend gebrummt hatte, fuhr ich fort: «Jeder, der Ihnen in Ihrer jetzigen Situation einen zusätzlichen Kredit gibt, will Sie über den Tisch ziehen.»

Herr Müller schniefte. «Tut mir leid. Wollte Sie nicht anmotzen.»

«Kein Problem.»

Warum ziehst du denn diese Scheiße mit mir ab?

Ohne zu begreifen, was genau vor sich ging, antwortete ich Matten: *Erkläre ich später.* Anscheinend hatte Jeannettes Rachefeldzug begonnen.

«Frau Maibach?», fragte Herr Müller. «Sind Sie noch dran?»

«Wissen Sie, was das Beste ist, das ich für Sie tun kann?», fragte ich zurück und schaute mich um, ob ein Vorgesetzter mithörte. «Soll ich Ihnen mal die Nummer von der Schuldnerberatung raussuchen?»

Kaum hörbar antwortete Herr Müller: «Machen Sie mal.»

Gerade als ich die Nummer schließlich ansagen wollte, schrieb Matten: *Musst nichts erklären. Ich bin für kurz und schmerzlos. Dann war's das eben.* In der nächsten Sekunde erhielt ich zu allem Überfluss eine Nachricht von Karsten: *Können wir uns bitte nach der Arbeit treffen? Ich würde das alles gerne erklären.* Ich machte dicke Backen. Nachdem ich den Text seiner Mail in meine Antwort an Matten kopiert und verschickt hatte, schrieb ich ihm: *Musst nichts erklären, Karsten. Ich bin für kurz und schmerzlos. Dann war's das eben.*

«Suchen Sie noch die Nummer?», hakte Herr Müller nach.

«Gerade gefunden. Haben Sie einen Stift zur Hand?»

«Ja, sagen Sie mal an.»

Soeben war ich bei den letzten Ziffern angekommen, als Herr Müller unvermittelt in einen Heulkrampf ausbrach.

«Sind nur noch drei Stellen», sagte ich, aber er reagierte nicht.

Weiß schon Bescheid, antwortete Matten. *Ich bin das Arschloch, das du als Rachefick benutzt hast. Was gibt es da zu klären? Lass gut sein.* Ich klickte auf Reply, aber bevor mir etwas Schlaues eingefallen war, schrieb Karsten: *Mich halten einige Frauen für ein Arschloch. Ich würde nur gerne wissen, ob du nicht auch eins bist. Es gibt hier so Gerüchte.* Auch bei Karstens Mail drückte ich den Antwort-Button. Herr Müller weinte. Planlos gaffte ich die beiden ungefüllten Nachrichten auf dem Bildschirm an, als ich eine Hand auf meiner Schulter spürte. Neben mir stand Gunnar.

Obwohl ihm klar sein musste, dass ich einen Kunden in der Leitung hatte, sagte er: «Morgen um vierzehn Uhr Disziplinargespräch, ja, Inchen? Raum A113.»

Anschließend klopfte er mir auf den Rücken, als hätte er mich auf eine Runde Minigolf eingeladen. Von ihrer Ecke aus warfen Jeannette und Claudia mir Blicke zu wie Handgranaten, und in der Ferne glaubte ich Franziska Buttgereit wiehern zu hören.

Unverändert Herrn Müllers Wimmern in den Ohren, fragte

ich schließlich: «Soll ich Ihnen noch die letzten Stellen von der ...»

«Geld, Geld, Geld, Geld, Geld!»

«Herr Müller, ich ...»

«Immer dieses Scheißgeld!»

«Es tut mir wirklich ...»

«Und Ihre Scheißbank!»

«Ja, ich ...»

«Wenn ich in der Gosse verrecke, sind Sie schuld daran!»

«Aber ...»

«Da kann ich mir auch gleich ’nen Strick nehmen!»

In dem Moment schaltete mein Gehirn auf Autopilot. *Fuck it!*, hackte ich in die Tastatur. *Du bist ein Arschloch, ich bin ein Arschloch, scheißegal! Alles egal! Warst ein netter Fick! Arrivederci!* Einen Sekundenbruchteil zu spät bemerkte ich, dass ich die Mail nicht wie beabsichtigt an Karsten, sondern Matten geschickt hatte. *Die war nicht für dich!*, tippte ich, begriff aber noch rechtzeitig, dass diese Erklärung das Ganze eher verschlimmerte.

«Frau Maibach?», fragte Herr Müller wieder gefasster.

«Ich ... also, ich weiß gerade auch nicht weiter.»

«Entschuldigen Sie bitte. Sie haben ja recht», sagte er. «Ich rufe mal bei dieser Schuldnergeschichte an. Irgendwas muss man ja machen, um aus der Scheiße rauszukommen, in die man sich geritten hat, was?»

Mehr wollte ich doch gar nicht hören, schrieb Matten. *So kann man sich täuschen.*

Ina?, hakte Karsten nach.

Komm auf keinen Fall hier rauf!

«Ich will halt nur, dass Sie wissen, dass ich nicht an allem selbst schuld bin», sagte Herr Müller. «Manche Sachen passieren einfach so, dann kommt eines zum anderen, und auf einmal kann man nichts mehr machen und weiß auch gar nicht mehr, wie das alles mal angefangen hat.»

«Kenne ich.»

«Willst du?» Henning hielt Annika eine frittierte Makrele vor den Mund.

Angewidert verzog sie das Gesicht. «Das sieht ja noch aus wie Fisch!»

«Du isst doch auch gerade Gambas, Schatz.»

«Die sind ja aber gepult und gekocht, die sehen doch aus wie Erdnussflips», antwortete Annika und schaute auf meinen Teller. «Nicht so wie die gegrillten Dinger von Ina, wo noch alles dran ist.»

Kurz warf Henning mir einen Blick zu, als wolle er sagen: «Die meint das echt ernst.» Offenbar begriff er aber, wie unpassend das war, und hielt den Rand.

Zusammengequetscht hockten wir an einem Zweiertisch in der Mitte des Restaurants, während viele der übrigen Tische zu Tafeln zusammengerückt worden waren. Um uns herum fanden Weihnachtsfeiern statt. Hier und da wurde gewichtelt, und in unregelmäßigen Abständen brandete Gelächter auf. Zur Begrüßung hatten Henning und ich uns nicht umarmt, sondern nur verkrampft gegenübergestanden und knapp «Hallo!» gesagt. Seitdem plauderten wir über

Belanglosigkeiten. Annika blieb einsilbig und schaute mir nur selten in die Augen. Ich war nach wie vor unentschlossen, ob ich die vermeintliche Affäre ansprechen sollte oder ob ich die Einladung selbst als Friedensangebot verstanden wissen wollte.

«Wein?», fragte Henning, aber Annika hielt die Hand über ihr Glas. «Ich habe extra wegen dir eine Flasche Riesling bestellt.»

Ohne ihn anzuschauen, nippte sie an ihrem Wasser. «Mich hat keiner gefragt.»

Die beiden saßen nebeneinander wie Fremde. Außerdem hatte Annika ausschließlich Gerichte mit größtmöglichem Knoblauchanteil bestellt. Nach späterem Knutschen war ihr anscheinend nicht zumute. Eine Weile futterten wir still vor uns hin. Es schien, als stopften wir unsere Münder so voll wie nur möglich, damit unser Schweigen gerechtfertigt war.

«Und, Ina?», fragte Annika schließlich. «Wie war die Arbeit heute?»

«Joah», machte ich und bohrte meine Fingernägel in den Nacken einer Garnele. «Ganz okay.»

«Ja, bestimmt. So was hat Jeannette mir vorhin auch erzählt.»

Öl siffte über meine Finger. Scheiße, wie langsam bist du eigentlich? Natürlich war Annika nicht nur bestens über Jeannettes Zickenoffensive informiert, sondern saß aller Wahrscheinlichkeit nach sogar mit im Planungsstab. Arschbacken zusammenkneifen, Prinzessin!, ermahnte ich mich.

«Annika, ganz ehrlich?», fing ich an. «Ich habe keine Ahnung, weshalb du glaubst, Henning und ich hätten was miteinander. Wir sind einfach nur Freunde. Seit Ewigkeiten. Weißt du doch. Wir telefonieren ab und zu, und einmal im Monat gehen wir in die Kneipe oder ins Kino.»

«Ja, genau», höhnte Annika. «Einmal im Monat, ne?»

«Vielleicht auch zweimal», lenkte ich ein.

«Ihr habt euch alleine im letzten Monat zehnmal getroffen!», protestierte Annika und knallte ihre Gabel auf die Tischplatte. «Willst du mich verarschen?»

Einige Leute schauten zu uns herüber.

«Zehnmal?», wiederholte ich.

«Und das waren nur die Male, von denen Henning mir erzählt hat. Was weiß ich, bei wie vielen angeblichen Treffen mit seinen Freunden er wirklich war.»

«Henning?», wandte ich mich an ihn.

«Na ja, da ... da hat Annika schon recht», sagte er. «In den letzten zwei, drei Monaten haben wir uns wirklich viel, viel öfter gesehen als sonst.»

Anschließend lehnte er sich zurück, sodass Annika sein Gesicht nicht sehen konnte, und riss die Augen auf. Schlagartig begriff ich, dass er sie tatsächlich betrog. Eine Faust gegen ihre Lippen gepresst, kämpfte Annika mit den Tränen. Erst zögerte ich, schluckte meinen Stolz dann aber herunter.

«Entschuldige, Annika», sagte ich schließlich, «aber in letzter Zeit liefen so viele gute neue Filme, und ich wollte nicht alleine gehen, da sind wir öfter als sonst im Kino gewesen, und wenn wir dann einmal anfangen, über Filme zu reden, artet das halt immer aus. Dann treffen Henning und ich uns in Zukunft nicht mehr so oft, wenn du das blöd findest. Aber du musst dir wirklich keine Gedanken machen.

Ich habe noch nie jemanden so verarscht, du kennst mich doch, ich ...»

«So wie mit dem Teamleiter und diesem anderen Typen?», fiel sie mir ins Wort. «Du fickst doch mit allem, was nicht bei drei auf den Bäumen ist.»

Sagen wir vier, dachte ich.

An ihre Serviette geklammert, verschwand Annika auf Toilette.

Henning knabberte am Schwanz einer Makrele. «Sorry, Ina. Das war alles irgendwie anders geplant.»

«Ach! Wie war das denn geplant?», motzte ich unterdrückt. «Erklär mal! Du gehst fremd, und ich bin dein Alibi? Bist du nicht ganz dicht?»

«Irgendwie herrscht gerade voll das Chaos bei mir, und ich weiß echt nicht, was ich machen soll.»

«Ja, willkommen im Club, du Pimmel!»

«Ich muss noch mal in Ruhe mit Annika reden», sagte Henning und beugte sich zu mir herüber. Mit dem Zeigefinger deutete er an, dass ich näher kommen sollte. Ich lehnte mich vor, bis unsere Gesichter nur wenige Zentimeter voneinander entfernt waren. Henning umfasste mein Handgelenk. «Bitte nicht sauer sein, Ina. Ist alles nicht dein Problem, logisch, ich kläre das, und dann ...»

Ein Schneeball donnerte gegen Hennings Schläfe und platschte ins Öl von Annikas Gambas. Tropfen spritzten in meine Augen. Sofort breitete sich aufgeregtes Gebrabbel im Restaurant aus.

«Señor!», rief Miguel. Ich sah verschwommen Karsten auf uns zutorkeln. In einer Hand hielt er einen Whiskeyflachmann, und mit der anderen stützte er sich an fremden Schultern ab. Aus der Tasche seines Angoramantels ragte eine geöffnete Weinflasche.

«Was machst du denn hier?», fragte ich blinzelnd.

«Der Flurfunk weiß alles!», lallte Karsten und blieb an unserem Tisch stehen. «Ist das der Typ aus der Kneipe oder der Freund von der Freundin von ... ehhh, na ja, von dieser einen von deiner Etage?»

Henning zupfte Eiskristalle aus seinen Locken. «Was geht denn hier gerade ab?»

Tonlos sagte ich: «Du hast da ein wichtiges Update verpasst.»

«Señora Ina?», fragte Miguel und baute sich hinter Karsten auf. «Alles gutt?»

«Eher mittelgut.»

«Como?»

Tuschelnd beobachteten die übrigen Gäste das Geschehen.

«Sag mal, Ina», setzte Karsten nach. «Welcher von deinen Stechern ist das?»

«Halt mal bitte den Ball flach, Karsten. Das ist nur ein guter Freund von mir.»

«Genau, so sah das auch gerade aus», sagte er und nahm einen Schluck Whiskey.

Miguel zupfte an Karstens Ärmel herum. «Wir müsse' Sie jetzt bitte, zu gehe, Señor. Sons' rufe wir Poliszei.»

«Padder mich nicht an, Pepe!», knurrte Karsten. Damit warf er den leeren Flachmann auf unseren Tisch wie einen Fehdehandschuh. «Macht gerade die Runde, dass du eine ganz schöne Schlampe bist, Ina.»

«Wie redest du denn bitte mit ihr?», fragte Henning.

Karsten musterte ihn ungläubig. «Was willst du denn, mit deinen Spargelärmchen?»

«Dir deinen Schwuchtelmantel um die Ohren hauen», sagte Henning in einem Anflug von Größenwahn. Soweit mir bekannt war, hatte er sich das letzte Mal in der sechsten Klasse geprügelt und dabei eine gehörige Abreibung von Katharina Moschner kassiert. (Körpertyp: Kugelstoßerin.) Außerdem konnte man ihm seine Hühnerbrust selbst durch den Wollpulli ansehen.

Abschätzig kichernd wandte Karsten sich an mich. «Und ich dachte schon, ich hätte einen miesen Ruf. Wenn ich das geahnt hätte, hätte ich mir gar nicht die ganze Mühe gemacht.»

«Mühe?», fragte ich.

Miguel machte sich auf zum Tresen. «Dann rufe' wir jetzt Poliszei.»

Umständlich friemelte Karsten die Weinflasche aus seinem Mantel. «Na, dann hätte ich halt einfach gefragt, ob du bumsen willst.»

Bumsen?, wiederholte ich in Gedanken. (Ficken, vögeln, poppen: alles tutti. Bumsen aber war als Begriff völlig indiskutabel. Weiber wie Kader Loth konnte man *bumsen.*) Von einem Nachbartisch glotzten mich rund zwanzig Schwachmaten mit Rentiergeweihen aus Filz oder Weihnachtsmannmützen auf der Rübe an. Einem von ihnen, wahrscheinlich dem Vorgesetzten, blinkte zur Feier des Tages eine rote Plastiknase in der Fresse. Wir waren der Mittelpunkt des Geschehens. Schlussendlich war ich also Hauptdarstellerin einer

Daily Soap geworden. Kurz wartete ich auf die obligatorische Werbeunterbrechung im dramatischen Augenblick, aber als sie nicht kam, fügte ich mich in mein Schicksal. Wenigstens eine anständige Show wollte ich den Zuschauern bieten. Ich setzte einen entrüsteten Gesichtsausdruck auf und poperzte kurz meine Lippen, bevor ich im zickigstmöglichen Tonfall sagte: «Du bist doch derjenige, der rumgevögelt hat und dann auch noch diese SMS an den einen Teamleiter verschickt hat! Du bist echt der Letzte, der ...»

«Das ist Axel!», brüllte Karsten. «Ein Freund! Der wollte eigentlich mitfahren, aber die haben ihm den Urlaub storniert, und deswegen haben wir ihm solche SMS geschickt, um ihn zu verarschen!»

Reflexartig holte ich Luft, um zurückzubrüllen, aber schon in der nächsten Sekunde kam Karstens Erklärung bei mir an. Ich brachte keinen Ton heraus. (Stichwort: Als Tiger gesprungen und als Bettvorleger gelandet.)

«Ich wollte das alles nicht am Telefon oder per SMS erklären», sagte Karsten und fuhr sich durch die Haare. «Weil du mir wichtig bist. Oder warst. Nachdem wir neulich Abend telefoniert hatten, haben die anderen mir das Handy weggenommen und ausgeschaltet, weil sie weiterfeiern wollten. Und dann warst du auf einmal nicht mehr zu erreichen. Eine ganze Woche lang! Konnte ich ja nicht ahnen, dass du gleich was mit einem anderen anfängst und sowieso noch eine Affäre am Laufen hast.» Schwankend deutete er auf Henning. «Wie sieht der überhaupt aus? Wie Pumuckls behinderter Bruder.»

Betont lässig lehnte Henning sich zurück und warf mir

einen «Kein-Ding meine Kleine! Ich regele das schon!»-Blick zu.

«Jetzt pass mal auf», sagte er. «Falls Ina und ich was miteinander haben, bringe ich es im Bett garantiert auf mehr als fünf erbärmliche Punkte.»

Ich schloss die Augen.

«Was?», fragte Karsten.

«Und mit mir muss sie auch keine Spaziergänge machen und frühstücken oder so einen Scheiß!», bollerte Henning weiter. Anscheinend glaubte er, Boden gutmachen zu können, wenn er Karsten nun anständig Kontra gab, nachdem er mich Annika gegenüber hatte auflaufen lassen. «Und wenn wir schon mal dabei sind», fuhr er fort. «Fuck Phil Collins, Alter!»

«Fünf Punkte?», wiederholte Karsten an mich gerichtet.

«Das war ein grober Näherungswert», nuschelte ich.

«Gegen mich kannst du nicht im Ansatz anstinken, du Schnitzel!», legte Henning nach. Offensichtlich gefiel er sich in der Rolle des edlen Ritters Hatkeinenplan. «Lass morgen mal wieder zum Poppen treffen, Ina. Diesmal Hotel oder bei dir?»

«Ich wusste es!»

Ruckartig wandte ich mich um und bekam noch zu sehen, wie Annika ihre Jacke von der Garderobe riss, bevor sie aus dem Restaurant stürmte.

«Sorry, Ina!», sagte Henning regelrecht panisch und hechtete ihr hinterher.

«Poliszei ist auf dem Weg, Señora Ina!»

Ich presste das Gesicht in meine klebrigen Handflächen.

«War das seine Freundin?», fragte Karsten.

Ich nickte. Ein Garnelenfüßchen kitzelte an meinem rechten Augenlid.

«Und hattest du was mit ihm?»

«Nee», sagte ich. «Nicht mit ihm.»

«Nicht mit *ihm*?»

Stocksteif hockte ich da. Wäre Leonardo da Vinci zur Tür hereinspaziert gekommen, um ein Modell für seine Statue *Kann ihr mal jemand rechts und links eine Backpfeife verpassen?* zu finden, ich hätte monatelang so sitzen können. Eine Weile war nur das Rumgeschreie der Gypsy Kings zu hören, bevor sich allmählich wieder Getuschel ausbreitete. Ich blickte auf. Karsten war fort. Dann wurden die Hauptgerichte serviert.

«Einmal zum Mitnehmen, bitte, Miguel.»

«Si, Señora. Si.»

Nacht der lebenden Toten

Schnee und Streusalz knirschten unter meinen Schuhen, als marschierte ich über einen Fühlpfad aus Schnecken. Eisiger Wind zog mir in die Nase. Ich fühlte mich wie einer dieser Walt-Disney-Hunde, der sich mit hängenden Augenlidern durch die Dunkelheit schleppt. Sobald er an einer Kreuzung haltmacht und verloren ins Nirgendwo starrt, fährt ein Auto durch eine Pfütze, und er verschwindet in einem Schwall Wasser. Auf einmal spürte ich wieder diesen Hohlraum in mir. Seit Tagen war er ununterbrochen am Volllaufen wie der Keller eines baufälligen Hauses. Volllaufen, ging es mir durch den Kopf. Super Idee! Mit den Zähnen zog ich den Korken aus Hennings Weinflasche und kippte mir einen anständigen Schluck in den Hals. Er war erstaunlich lecker. Ich hatte gerade meinen Schlüssel in die Haustür geschoben, als meine Mutter anrief. Ohne darüber nachzudenken, drückte ich sie weg und schickte ihr, noch in den Eingang gelehnt, eine meiner Standard-Nachrichten: *Spätschicht. Kann nicht telefonieren. Melde mich.*

Ich wollte das Handy schon wegstecken, als mein Blick am Datum hängenblieb. Es war Donnerstag. (Special Effect: Glühbirne leuchtet über meinem Schädel, britzelt und implodiert.) Matten hatte für heute eine Thekenschicht zugesagt. Nach unserem Mailkontakt vor einigen Stunden hatte ich ihn nicht mehr zu fassen bekommen, sodass ich nach wie vor im

Unklaren darüber war, was genau Jeannette abgezogen hatte. Ich machte mich unverzüglich auf den Weg ins Lochfraß.

Gedankenverloren am Wein nuckelnd, hockte ich in der Bahn, sah die nächtlichen Häuserfassaden vorbeirauschen und die Spiegelungen der Lichter in Tauwasserpfützen. Wenn es dunkel wird, taucht das Gesindel auf, kam mir Robert De Niros Monolog aus «Taxi Driver» in den Sinn. Huren, Betrüger, Amateurnutten, Sodomiten, Trinen, Schwuchteln, drogensüchtige Fixer, kaputte Siffkranke. Ich hoffe, eines Tages wird ein großer Regen diesen Abschaum von der Straße spülen. Und Jeannette gleich mit!, ergänzte ich.

Wie es sich für einen Donnerstag gehörte, fand im Lochfraß eine Studentenparty statt. Arbeitsscheues Dreckspack! Ellenbogen ausgestellt, wühlte ich mich durch die Meute, konnte Matten aber auch nach mehreren Runden nirgends finden. An die Theke gelehnt, winkte ich einen Glatzkopf heran.

«Warte mal, Mädel!», rief er und wandte sich an eine Kollegin. «Hast du Essen bestellt?» Erst jetzt wurde mir bewusst, dass ich noch immer die Tüten vom Spanier herumschleppte. «Einen Moment», sagte der Glatzkopf und öffnete die Tür zum Büro. Dort auf dem Sofa hing Matten. Seinen Kopf hatte er in den Nacken gelegt, und zwischen seinen Beinen kniete die Dreadlocks-Bedienung. Sofern sie nicht versuchte, ihm mit den Lippen einen Hosenknopf anzunähen, waren ihre Kopfbewegungen eindeutig. Damit Matten mich nicht zu sehen bekam, tauchte ich in den Schutz der Theke. Trotz des Wummerns der Musik hörte ich meine Knie knacken, als zerbräche eine Handvoll Zweige. Ich war alt. Und hässlich. Vor allem aber gewaltbereit.

Fragend lugte der Glatzkopf zu mir herunter.

«Kleingeld verloren», sagte ich.

«Tut mir leid, Mädel, keine Ahnung, wer bei euch angerufen hat, wir jedenfalls nicht.»

Vorsichtig erhob ich mich. Inzwischen war die Bürotür wieder geschlossen. Neben mir drängelten sich schweißgebadete Erstibratzen und winkten dem Glatzkopf mit Geldscheinen zu. Ich hätte ihnen reihenweise ihre Penatencreme-Visagen zu Brei schlagen können.

«Gib das Essen mal bitte Matten», sagte ich. «Habe auch nur in eins der Gerichte reingespuckt.»

«Reingespuckt?»

Freundlich nickend ergänzte ich: «Damit die junge Frau den schlechten Geschmack aus dem Mund bekommt.»

«Was?»

«Und bestell ihm mal schöne Grüße von Ina.»

«Du bist Ina?», fragte der Glatzkopf. «Matten ist echt ganz schön fertig wegen der Sache mit dir.»

Auf der Stelle erstickte die Geräuschkulisse der Party wie unter einer Wolldecke. Sein Satz hallte als endloses Echo in meinem Schädel wider. Ein entferntes, aber bedrohliches Pfeifen erklang in meinen Ohren, und die Welt schien zum Stillstand zu kommen. So und nicht anders musste es sich anfühlen, bevor Selbstmordattentäter sich in die Luft sprengten. Bevor ich aber «Allahu Akbar!», «Freiheit für die Schweiz!» oder «Entzieht Til Schweiger die Schauspiellizenz!» brüllen konnte, sagte der Glatzkopf: «Du solltest Matten wirklich nicht noch mehr verarschen, der ist zur Zeit sowieso schon total gestresst wegen allem, und wenn ...»

«Redest du mit mir?», hörte ich mich fragen. Offenbar hatte sich der Geist Robert De Niros meiner bemächtigt. «Kann es sein, dass du mich meinst?», blieb ich in seiner Taxi-Driver-Rolle und schaute mich demonstrativ um. «Ich bin die Einzige, die hier ist!»

Verwirrt sah der Glatzkopf die in Zweierreihen wartenden Kinder an. «Ich ... ich gebe Matten das Essen einfach mal», sagte er dann, «ich wollte ja nur ...»

«Mit wem kannst du Arsch in diesem Ton reden?!», legte ich nach, und weil es so unglaublich befreiend war, ergänzte ich: «Ich habe lange auf dich gewartet, du Scheißkerl. Du wolltest mich ficken!» Regelrecht verzweifelt schaute mich der Glatzkopf an, und obwohl er keinen Ton von sich gab, beendete ich die Szene drehbuchgetreu. «Ach, ... ja?! Okay ... ha!»

Um einen klaren Gedanken fassen zu können, besorgte ich Bier und Zigaretten vom Kiosk. Meine Bestellung begann nicht mit den Worten «Ich hätte gerne», sondern mit «Ich brauche jetzt mal dringend». Zu Hause angekommen, war es mal wieder höchste Eisenbahn für das Double-Feature «Nacht der lebenden Toten» und «Kettensägenmassaker». Ich begann mit Letzterem. Niemals zuvor hatte ich mich derartig mit Leatherface und dem Rest seiner verkommenen Sippschaft identifiziert. Gegen kurz vor zwölf, das dritte Bier war fast erledigt, und die Säge knarrte auf Hochtouren, klingelte es bei mir.

«Frollein Maibach!?», kläffte Frau Stubenrauch.

Ich machte dicke Backen und erhob mich. Ein Bier in der Hand und mit glühender Kippe im Mundwinkel öffnete ich. «Hm?»

«Machen Sie mal den Fernseher leiser!»

Blutfontänen schossen aus ihrem Hals. Kübelweise ergoss sich der rote Lebenssaft über ihr Nachthemd. Ihr Schädel kullerte die Stufen in den zweiten Stock hinunter, und die aus der Wunde ragenden Wirbel zuckten, als versuchten sie ihm hinterherzuschauen. Genüsslich leckte ich über die Klinge meiner Laubsäge.

«Können Sie das etwa hören?», fragte ich.

«Was?!»

Frau Stubenrauch verzog das Gesicht und wandte mir ein Ohr zu. Einen guten Teil ihres Hörvermögens hätte sie sicherlich dadurch zurückgewonnen, die Haarbüschel in ihren Ohren zu trimmen. Nachbarschaftlich lächelnd lehnte ich mich vor.

«Sie sind ’ne ganz olle Schreckschraube», flüsterte ich, sodass es selbst für mich kaum hörbar war.

«Ja ... ach so», murmelte Frau Stubenrauch. «Wie dem auch sei. Das kann so jedenfalls nicht weitergehen. Mit Ihren Männergeschichten ist ja seit einer Weile Ruhe, aber dafür jetzt immer ... und, ich, also ...» Nach Luft schnappend, unterbrach sie sich und starrte mir auf die Brüste. Ich konnte mir nur schwer vorstellen, dass sie so spät im Leben noch lesbische Erfahrungen sammeln wollte und ausgerechnet mich zur Gespielin auserkoren hatte. (Anmerkung am Rande: Wäre ich lesbisch, würde ich übrigens sofort eine Affäre mit dem jungen Bill Kaulitz anfangen.) «Also, das ist ja ... also wirklich, nein! Mit was für Leuten man hier zusammenwohnt.»

Unverständlich vor sich hin brabbelnd, zuckelte sie zurück in ihre Wohnung. Aus unerfindlichen Gründen hielt ich es für eine brillante Idee, meine Tür zuzuknallen. Zwei Schritte später bemerkte ich im Garderobenspiegel, dass ich mein Sumsen-ist-buper!-T-Shirt trug, aber die Erkenntnis entlockte mir nicht mal einen müden Lacher. Anscheinend hatte ich mich damit abgefunden, dass mich die Menschheit wahlweise für eine asige, eine dumme oder eine intrigante Schlampe hielt. Ich hatte gerade den Ton des Fernsehers leiser gedreht, als es erneut läutete.

«Jetzt tun Sie mal nicht so, als könnten Sie das noch hören!», grölte ich. Ohne mich zu rühren, erwartete ich das Klopfen, aber stattdessen klingelte mein Handy. Es war Henning. Kurz zögerte ich, aber schließlich schaltete ich die Glotze stumm und ging ran.

«Was?!»

«Stehe bei dir vor dem Haus. Annika hat mich rausgeschmissen. Kann ich bei dir pennen?»

«Arschloch.»

«Ich weiß.»

«Warte, ich mache auf.»

Eine Reisetasche in den Händen, stand Henning vor mir. Zur Begrüßung boxte ich gegen sein Brustbein. Nicht liebevoll, sondern als wollte ich die Knochen zerschlagen, um anschließend sein noch pumpendes Herz herauszureißen. Stichwort: «Indiana Jones und der Tempel des Todes». («*Kalimaaaaa!*

Schaktidee! Kalimaaaaa!») Wortlos schlurfte Henning an mir vorbei.

«Bier?», fragte ich.

«Das war hoffentlich eine rhetorische Frage.»

Ich stand noch am Kühlschrank, als mein Handy im Wohnzimmer klingelte.

«Ist dieser Karsten», rief Henning.

«Drück weg!»

Nachdem ich ihm sein Bier überreicht hatte, schlüpfte ich unter die Decke. Henning hing im Sessel und strampelte sich die Schuhe von den Füßen, zog seine Socken aus, roch an ihnen und hängte sie kommentarlos über die Heizung. Anschließend knöpfte er seine Hose auf und kramte eine Flasche Wodka aus der Reisetasche. So angepisst ich auch war, so angenehm fand ich es doch, wie vertraut wir miteinander waren.

Mit Blick auf den Wodka sagte ich: «Gläser sind in der Küche.»

«Keinen Bock aufzustehen.» Er nahm einen großen Schluck und bleckte die Zähne. Anstatt zur Sache zu kommen, fragte er dann: «Sag mal, hast du vielleicht das Essen vom Spanier mitgenommen? Ich hab voll Kohldampf.»

Fassungslos schnipste ich ihm einen Kronkorken an die Stirn. «Du musst mir jetzt erst mal was erzählen, Keule!»

Erst nach zwei weiteren Schlucken gab Henning mir den Wodka, öffnete sein Bier, trank und setzte dann schwungvoll die Flasche ab. Schaum sprudelte heraus und siffte ihm über den Handrücken in den Schoß. Unbeteiligt schaute Henning dem Geschehen zu wie Pflegefall 356 von der Demenzstation.

«Wann musst du denn morgen arbeiten?», fragte er.

«Mittelschicht. Erst um halb zwölf.»

Nachdem er tief durchgeatmet hatte, sagte er: «Annika und ich haben seit einer Weile Stress, aber wir reden da nicht so richtig drüber. Sie will unbedingt ein Kind. Und dann macht sie auch immer wieder Andeutungen von wegen heiraten. Ich ... ich kriege voll die Panik, Ina.»

«So, so. Und anstatt mit mir darüber zu reden, vögelst du lieber fremd.»

«Das war anders.»

«Hast du Annika denn jetzt erzählt, dass du eine Affäre hattest?»

Wortlos mit den Schultern zuckend, leckte Henning Bier von seinen Fingern.

«Oh Mann! Was hast du ihr denn erzählt?»

«Das Gespräch ist eher suboptimal gelaufen», antwortete er. «Ich konnte das irgendwie nicht. Annika würde mir nie glauben, was passiert ist, und wenn sie es glaubt, wäre alles nur noch verkorkster. Ich habe keinen Plan, was ich machen soll. Du wirst mich auch gleich hassen.» Begleitet von einem Stöhnen beugte er sich vor und durchwuschelte seine Locken, als könne er eine passable Lösung herausschütteln. Kaum hörbar sagte er dann: «Ich hatte was mit Jeannette.»

Mein Hirn knirschte wie Rubiks Zauberwürfel. Um das Gewinde zu ölen, nahm ich einen Schluck Wodka und spülte sicherheitshalber mit Bier nach. Es tat sich nichts. Ebenso wie früher bekam ich auch jetzt nicht mehr als zwei Seiten des Würfels zusammengeschraubt.

«Das ist irgendwie so passiert», fuhr Henning fort. «Annika

war für ein langes Wochenende bei ihren Eltern, und Jeannette ist eigentlich nur vorbeigekommen, um ihr ein Buch zurückzubringen. Hat sie zumindest gesagt. Und dann haben wir uns unterhalten und ein bisschen Wein getrunken. Ein bisschen zu viel vielleicht. Ging damit los, dass sie mir ins Gewissen geredet hat, wie schlecht es Annika wegen der Sache mit dem Kind geht, und irgendwie habe ich mich dann voll bei ihr ausgeheult, keine Ahnung, das ist einfach so passiert, und dann war Jeannette auf einmal total verständnisvoll, hat so Sachen gesagt, dass Annika ja auch ganz schön penetrant sein kann, wenn sie sich was in den Kopf gesetzt hat, und einen dann mit einem schlechten Gewissen bestraft. Das war alles echt genau auf den Punkt. Und dann hat sie mich in den Arm genommen und gestreichelt und ... na ja, weißte, Annika hatte mich die Monate vorher kaum noch rangelassen, und ... oh Mann, war ich dicht.»

Ich hätte in allen Regenbogenfarben kotzen können. Wahrscheinlich wäre ich weniger angewidert gewesen, hätte Henning von einer Umschulung zum Schafhirten und seinem neu entdeckten Faible für unsere wolligen Zeitgenossen berichtet. Tantraspiele mit einem Schäfchen auf einer idyllisch gelegenen Alm? In Lack und Latex? Warum nicht! Auf jeden Fall war es eine erträglichere Vorstellung als Henning und Jeannette zusammen in der Kiste.

«Weißt du, wie Annika das erste Mal misstrauisch geworden ist?», fragte er.

«Na?»

«Irgendwann hat sie morgens im Badezimmer gesehen, dass ich mir mal wieder den Sack rasiert hatte. Scheiße, ey, da guckt die monatelang meinen Schwanz nicht an und dann so was.» Hilflos kichernd kratzte Henning sich am Hals. «Das ging knapp drei Monate mit Jeannette. Neulich im Lochfraß habe ich die Sache beendet, und da ist sie total ausgeflippt. Um mir einen reinzuwürgen, hat sie dann noch vor meinen Augen diesen einen Typen angegraben. Den, mit dem du dich dann ausgerechnet auch noch unterhalten hast, und ...»

«Das wusstest du die ganze Zeit?!»

Henning gab ein Geräusch von sich, als sei er mit kaltem Wasser übergossen worden.

«Sorry, Ina», sagte er. «Den Abend im Lochfraß hatte ich schon mal so ein paar Andeutungen gemacht, aber davon wusstest du ja am nächsten Tag nichts mehr. Jeannette war wirklich verliebt in mich. Die dachte echt, ich mache wegen ihr mit Annika Schluss.»

Das Einzige, was ich herausbekam, war ein tonloses: «Ihretwegen.»

«Ina, ey», grunzte Henning.

In dem Moment rief Karsten erneut an, aber ich ignorierte ihn.

«Jeannette ist so ein Miststück», raunte ich und steckte mir eine Zigarette an.

«Aber echt Hammer im Bett.» Beeindruckt verzog Henning seinen Mund. «Die macht echt alles. Nicht so wie Annika. Hier, ey, das eine Mal hat Jeannette sogar meinen ...»

«Laalaalaalaalaaa!», sang ich und hielt mir die Ohren zu.

«Sorry.»

Eine Weile schwiegen wir.

«Warte mal», sagte ich dann. «Jeannette hat mir neulich noch erzählt, sie hätte Annika getröstet. Stimmt das etwa? Macht sie da jetzt einen auf beste Freundin?»

«Wodka», sagte Henning nur. Ich reichte ihm die Flasche. «Seit dem Abend im Lochfraß habe ich nicht mehr mit ihr gesprochen. Habe sie nur noch gesehen, wenn sie Annika besucht hat. Was meinst du, wie ätzend das ist, wenn die beiden in der Küche sitzen und ich nebenan im Zimmer bin.»

«Und warum hast du ihr eben nicht die Wahrheit gesagt?»

«Wie denn? Ich hatte nichts mit Ina, Schatz, dafür mit deiner besten Freundin.»

«Genau!», sagte ich. «Ehrlich und direkt. Um mehr geht's doch nie.»

Kopfschüttelnd umarmte Henning den Wodka wie eine Wärmflasche.

«Solange Annika glaubt, dass es nur irgendeine Frau war, lässt sich das Ganze vielleicht wieder einrenken, aber wenn sie rausfindet, dass es Jeannette war, ist definitiv Schluss. Außerdem ist dann ja auch zwischen ihr und Jeannette alles kaputt, weil ...»

«Was ist das denn wieder für eine Querschusslogik? Willst du denn, dass Annika mit der Schlampe befreundet bleibt, die für alles verantwortlich ist?» Statt darauf einzugehen, pulte Henning eine Zigarette aus meiner Schachtel. «Liebst du Annika?», wollte ich wissen.

Henning ließ den Rauch aus seinem Mund quellen.

«Weiß ich nicht mehr. Muss ja einen Grund geben, weshalb ich kein Kind haben und nicht heiraten will. Oder?»

«Meine Fresse, bist du ein Hirni. Was du willst, musst du natürlich schon wissen.»

«Sag mal, Ina: Macht man das, was ich gemacht habe, wenn man seine Freundin wirklich liebt?»

Erwartungsvoll schaute Henning mich an.

«Soll ich das jetzt etwa beantworten?», fragte ich zurück. «Hmm, lass mich überlegen, grübel, grübel ... Oder soll ich das mal eben für dich googeln?»

Einen Augenblick hockten wir uns stumm gegenüber, aber dann prustete ich los.

«Ina, das ist voll nicht lustig.»

«Doch!», lachte ich. «Doch, das ist total lustig. Du bist ja echt noch bekloppter als ich.»

Ein verschmitztes Lächeln zog sich über Hennings Gesicht. «Was ist denn jetzt bei dir und diesem Karsten los?»

Knapp eine Stunde später hatten wir den Wodka zur Hälfte geleert, und Henning war auf dem neuesten Stand, was die Katastrophen meines Lebens betraf. Zwischendurch hatte ich in unregelmäßigen Abständen immer wieder Karstens Anrufe weggedrückt. Ohne Zähne zu putzen, kroch ich schließlich in mein Bett, während Henning es sich auf dem Sofa bequem machte. Obwohl ich gut einen im Kahn hatte, konnte ich nicht einschlafen. Ich starrte auf meinen Radiowecker. Punkt halb zwei klingelte es erneut an der Tür. Meine Finger ins Kopfkissen gekrallt, hielt ich den Atem an und lauschte. Es läutete in der Wohnung unter mir, anschließend bei Frau Stubenrauch, und kurz darauf polterten Schritte das Treppenhaus hinauf. Jemand klopfte.

«Ina?», hörte ich Mattens Stimme. «Mach mal bitte auf, ich weiß, dass du da bist», lallte er. «Habe gesehen, wie das Licht ausgegangen ist. Stand schon eine Weile draußen. Saukalt.»

Um weiteren Ärger mit Frau Stubenrauch zu vermeiden, erhob ich mich.

«Was?», fragte ich durch die geschlossene Tür.

«Ich weiß nicht, was ich glauben soll», sagte Matten gequält. «Vorgestern saßen zwei Frauen neben mir in der Kantine, und die eine erzählt der anderen, dass du ihr den Freund ausgespannt hast, er dann dich beschissen hat und dass du ihn mit einem anderen Kerl eifersüchtig machen wolltest. Das konnte ja nur ich sein. Gestern quatscht mich dann Jeannette voll und fragt, ob ich weiß, was du für einen Ruf hast, erzählt mir dieselbe Geschichte und dann noch von dieser Nummer mit dir und dem Rothaarigen, mit dem du hinter dem Rücken seiner Freundin rummachst, und dass sie ihn neulich im Lochfraß dazu bringen wollte, damit aufzuhören. Als du mich dann mit den Mails so abgefertigt hast, war das irgendwie der Beweis, dass ...»

Im Treppenhaus war ein Klacken zu hören.

«Frollein Maibach!», krächzte Frau Stubenrauch. «Was ist das für ein Lärm hier zu nachtschlafender Zeit? Ich will nicht mitkriegen, was Sie immer für einen Schweinkram veranstalten!»

Eilig öffnete ich die Tür und zerrte Matten in meinen unbeleuchteten Flur. Nur das Licht der Nachttischlampe drang herüber. Im Wohnzimmer klingelte mein Handy.

«Weshalb wolltest du mich denn die Woche durch nicht sehen?», fragte ich.

«Ich wollte einfach nur meine Ruhe haben, hatte ich doch gesagt.» Eine Knoblauchfahne schlug mir entgegen. «Ich bin gerade total am Ende, Ina. Ich weiß echt nicht, wo mir der Kopf steht. So ein Bürojob ist genau das, was ich nie machen wollte. Ich habe immer nur irgendwo am Tresen gestanden, Hiwi-Jobs gemacht oder Konzerte gespielt, aber das kann ich nicht länger so durchziehen. Das nervt alles so dermaßen. Außerdem bin ich da dauernd nur am Saufen und so was.» Angestrengt zog er seine Nase hoch. «Und dann ständig irgendwelche Weiber, die mir eigentlich egal sind, aber du ...»

«Bläst diese Rothaarige eigentlich mit Zähnen oder hat sie es wenigstens raus?»

Ächzend stützte Matten sich im Holz des Türrahmens ab.

«Du hast nicht wirklich in das Essen gespuckt, oder?», fragte er, aber ich verschränkte nur meine Arme. «Es ist halt ... du bist irgendwie anders. Glaube ich. Aber ich hatte noch nie eine Beziehung, die länger als ein Jahr gedauert hat. Ich weiß gar nicht, wie das geht, sich regelmäßig bei jemandem zu melden und so was. Aber ich dachte echt, dass ...» Matten schaute über meine Schulter. «Willst du nicht mal ans Handy gehen?» Ich schüttelte den Kopf. «Ich dachte nur echt», fuhr er fort, «ich dachte echt, du bist vielleicht der Joker. Weißt du, was ich meine?»

«Hmhm. Und da hast du den Wind des Schicksals dann mal so blasen lassen.»

«Ina, ich ... War ich nur ein Rachefick?»

Ich pustete mir eine Haarsträhne aus dem Gesicht. Ehrlich und direkt sein, dachte ich. Um mehr geht's doch nie!

«Weißt du», fing ich an, «vielleicht war das im ersten Moment wirklich so, ja, aber dann ...»

«Oh Mann!» Im Rhythmus des Handyklingelns klopfte Matten seine Schläfe gegen das Holz. «Und läuft das mit diesem Rothaarigen noch?»

«Das ist anders», sagte ich. «Das kommt jetzt vielleicht irgendwie komisch rüber, und so richtig kennen wir uns ja noch gar nicht, deswegen ...»

«Alter!»

Mattens Augen ploppten fast aus ihren Höhlen, als wäre er Mäuserich Jerry, wenn Kater Tom mit einem Hackebeil um die Ecke biegt. Ich drehte mich um. Nur in Boxershorts und Tennissocken hielt Henning mir das Handy hin.

«Ist dieser Karsten», sagte er und rieb sich durchs Gesicht. «Willst du dem die Sache mit uns jetzt erklären, damit er Bescheid weiß, oder soll ich den wieder wegdrücken? Das Gebimmel nervt voll.» Erst jetzt bemerkte er Matten. «Oh!», machte er und leuchtete ihn mit dem Display an.

Knurrend schob Matten mich beiseite. Es gelang mir noch, Henning das Handy abzunehmen, bevor beide zu Boden stolperten. Unbeteiligt beobachtete ich das Geschehen. Ich war zu bräsig, um mich aufzuregen oder gar einzumischen, aber es war ohnehin eher eine Grundschulrauferei. Keiner von beiden benutzte seine Fäuste. An die Wand gelehnt rutschte ich in die Hocke und zog mein T-Shirt über die Knie.

«Vorsichtig mit dem Spiegel dahinten», sagte ich nur und ging ans Telefon. «Na?»

«Ina, schön ... schön, dass du doch noch rangehst.» Zum Glück war Karsten ebenfalls dicht wie ’ne Natter. «Ich wollte nur sagen, dass mir die Sache im Restaurant leidtut, und ich will, dass du weißt, dass ich eigentlich ganz anders bin, als du mich bisher kennst. Mir sagen immer alle Frauen, dass ich zu wenige Komplimente mache, nie was von mir erzähle, immer nur Sex will und zu wenig Sachen mache, die man halt so macht. Spazierengehen und kochen und so was. Das asiatische Zeug hatte ich den Tag vorher schon mal probegekocht, damit ich mich nicht zu blöd anstelle. War gar nicht auf Dienstreise. Ich wollte diesmal einfach alles richtig machen, und dann bist ausgerechnet du eine, bei der das gar nicht nötig gewesen wäre.» Ich machte dicke Backen. «Ina? Was guckst du denn da im Fernsehen?»

Mitlerweile saß Henning zum Muskelreiten auf Mattens Armen und kloppte ihm einen meiner Turnschuhe an den Schädel. Es war weniger ein Beweis für Hennings Überlegenheit, sondern belegte eher, wie stramm Matten war.

«Hattest du im Urlaub eigentlich was mit anderen Frauen?», fragte ich.

«Das erste Mal, nachdem Axel mir erzählt hat, dass du was mit einem anderen hast.»

«Das erste Mal?»

«Axel wusste das von Franziska», ignorierte er meine Frage. «Und heute standen dann diese zwei Frauen von deiner Etage bei uns in der Kaffeeküche. Mit einer von denen hatte ich mich kurz auf der Weihnachtsfeier unterhalten, und das andere war dieses Puttchen vom Fahrstuhl neulich, egal, die reden jedenfalls über dich und einen Typen aus einer Disko und dass du was mit dem Freund ihrer besten Freundin hast und heute zum Spanier gehst. Erst deine SMS mit dem Fremdvögeln letzte Woche, und dann warst du nicht erreichbar und dann die E-Mails heute ... also ... da bin ich halt durchgedreht.»

Energisch tippte ich mit dem Finger gegen meine Schläfe, wie man die Knöpfe einer Fernbedienung drückt, wenn die Batterien den Geist aufgeben. Zum ersten Mal in meinem Leben vermöbelten sich meinetwegen zwei Kerle, während mir ein dritter seine Liebe gestand. Zu doof, dass es von vorne bis hinten bedeutungslos war. Henning prügelte sich nicht meinetwegen, sondern verteidigte sich lediglich. Außerdem gab es für Matten nicht mal einen Grund, ihm eine reinzuhauen, und darüber hinaus hatte Karsten soeben zugegeben, mir nur etwas vorgespielt zu haben. Gleichzeitig hieß es aber, dass beide in mich verknallt waren und dass in Karsten eventuell doch der entspannte Kerl vom Buffet steckte. Zur Krönung hatten beide was mit anderen Weibern gehabt, während ich den jeweils einen mit dem anderen betrogen hatte. Was für eine glorreiche Arschlochparade wir doch waren! Und ausgerechnet Jeannette gab den Takt vor, zu dem wir marschierten.

«Ich lasse dich aufstehen, aber du musst jetzt Ruhe geben!», befahl Henning und schaute sich triumphierend zu mir um. Matten wand sich unter ihm wie ein Rodeopferd.

«Mach doch mal den Fernseher leiser», sagte Karsten. «Was ist denn jetzt los, Ina?»

Anstatt auf ihn einzugehen, sagte ich, sodass sich auch Matten und Henning angesprochen fühlen mussten: «Feierabend, Kinners!», worauf beide innehielten. «Könnt mich ab morgen im Kloster besuchen. Einfach nach Schwester Angelina fragen.»

«Ganz kurz», setzte Karsten an. «Wegen dieser Fünf-Punkte-Geschichte. War das eigentlich ...»

«Mach's gut», sagte ich und legte auf.

«Mit *wem* hast du denn jetzt *was*?!», rief Matten.

«Isch 'abe fertisch.» Stokelig richtete ich mich auf. «Henning, sorg mal dafür, dass Matten sich verpisst. Macht 'ne Schneeballschlacht oder Schwanzvergleich oder was Kerle halt so machen. Schlafen kannst du hier, aber morgen bist du so früh wie möglich raus und meldest dich erst wieder, wenn du das mit Annika geklärt hast.»

Noch immer unter Henning am Boden liegend, fragte Matten: «Macht der jetzt etwa wegen dir mit seiner Freundin Schluss?», worauf Henning im Siegestaumel kicherte: «Deinetwegen!»

«Was?! Wieso denn meinetwegen?»

Ohne mich weiter um die beiden zu kümmern, verschwand ich ins Schlafzimmer und verriegelte die Tür hinter mir.

Das Schweigen der Lämmer

Dieser Weg wird kein leichter sein. Dieser Weg wird steinig und schwer. Nicht mit vielen wirst du dir ...

«Ey, geh beten, Xavier!»

Ich hämmerte auf den Radiowecker, als wollte ich Gevatter Naidoo an sein wohlverdientes Kreuz nageln. Mein Gesicht im Kopfkissen vergraben, lag ich regungslos da und lauschte dem Knacken der Heizung. Dabei stellte ich zum wiederholten Male in den letzten Wochen fest, wie hervorragend ich regungslos daliegen konnte. Besser als regungslos daliegen konnte ich nur ausdruckslos ins Nichts starren. Regungsloser als ich lag sicherlich nicht mal Daniela Katzenberger beim Vögeln da. Wobei die es natürlich tat, damit ihre Frise nicht verrutschte, ich hingegen, weil ich ein Wrack war. (Bei genauerer Betrachtung traf Letzteres auf sie natürlich ebenfalls zu.)

«You need a plan, Sweetheart.» In Löffelchenstellung an mich gekuschelt streichelte Johnny meine Hüfte.

«Wo hast du dich denn rumgetrieben?»

«Well, ich dachte, ich lasse dich mal alleine machen. So, what's up?»

«Alles scheiße.»

«Alles?»

«Das meiste. Wie immer. Weil nämlich ...»

«Shhhh», machte Johnny. «Ruf Matten und Karsten doch einfach an. Just tell them the truth, and ...»

«Ich telefoniere denen garantiert nicht hinterher.» Leiser fügte ich hinzu, was ich damit eigentlich hatte sagen wollen: «Wüsste sowieso nicht, was ich denen erzählen sollte.»

«Meine Fresse, bist du ein Hirni», brummte Johnny und küsste zärtlich meinen Nacken. «Was du willst, musst du natürlich schon wissen. Was wünschst du dir denn?»

«Wünschen», wiederholte ich. «Ich habe mir auch schon mal größere Titten und den Weltfrieden gewünscht. Hat sich auch nichts getan. Mit Frustrationen leben lernen! So ist das halt.»

«Vielleicht kannst du ja etwas ändern. Here's the deal: Erst musst du dich entscheiden, was du willst, und dann Matten und Karsten ehrlich sagen, was passiert ist und was du fühlst, und dann die Sache mit Jeannette regeln und das Missverständnis mit Annika aus der Welt schaffen, wenn Henning das nicht macht. Heute musst du erst mal das Disziplinargespräch hinter dich bringen, und später könntest du auch so langsam mal deinen Führerschein abholen. Und ruf doch deine Mutter endlich mal an, die macht sich doch Sorgen, Kind, und die braucht ganz dringend ihre Tupperschalen zurück. By the way, geputzt hast du schon seit Wochen nicht mehr. Ts, ts, ts! Und unterhalt dich Weihnachten doch mal wieder ein bisschen mit Jan, das ist doch dein Bruder, und vielleicht solltest du dich auch bei Frau Stubenrauch entschuldigen, und ... well, don't you think, dass du in letzter Zeit zu viel Alkohol trinkst und rauchst, und sowieso ...»

«Shut the fuck up, Johnny!», brüllte ich ins Kopfkissen.

Einige Atemzüge wartete ich, und als ich mich herumwälzte, war er verschwunden. Mit verklebten Augen schaute ich auf den Wecker. Noch zwei Stunden bis Schichtbeginn. Für gewöhnlich hätte ich mich an einem Morgen wie diesem umgehend krankgemeldet. Um aber nicht den Eindruck zu erwecken, ich würde das Disziplinargespräch schwänzen, raffte ich mich auf. Henning war samt Reisetasche verschwunden. Über der Heizung hingen seine Socken wie vertrocknete Bananenschalen, und am Badezimmerspiegel klebte neben meinen eigenen ein Zettel von ihm: *Dem besten Kumpel Zeit geben, um die Sache zu richten.*

Ein Hornissenschwarm rumorte in meinem Schädel, als ich mich das Treppenhaus hinunterschleppte. Im Vorbeigehen rupfte ich ein Büschel Werbung aus meinem Briefkasten, wobei ein Umschlag mit offiziellem Stempel herausrutschte. Es war Post von der Staatsanwaltschaft. Auf die kalten Stufen gehockt, las ich das Anschreiben, brauchte aber zwei weitere Anläufe, um es zu begreifen. Mit Stichtag 23. Dezember war ich meinen Führerschein los. Zurück bekäme ich ihn nur nach einem erfolgreich bestandenen Idiotentest, und das Bußgeld für den THC-Gehalt im Blut allein belief sich auf über achthundert Euro. Darüber hinaus müsste ich regelmäßig Urinproben abgeben. Inzwischen war der Hohlraum in mir bis zum Eichstrich vollgelaufen, und das Schreiben drohte ihn zum Überschwappen zu bringen. Ratlos überflog ich die Zeilen erneut, als mein Handy fiepte. *Ruf mal bitte an!*, schrieb meine Mutter. *Komm doch Heiligabend schon mittags. Kannst auch gerne die ganzen Feiertage bleiben.* Bei der Vorstellung, in dieser Stimmung Zeit mit meiner Mutter zu verbringen, spürte ich

Angstschweiß im Nacken. Genauso gut konnte ich Weihnachten im Guantanamo Bay Inn verbringen und mich dort anständig waterboarden lassen. *Muss mal sehen, wann ich komme*, antwortete ich noch auf der Treppe sitzend. Vorsorglich ergänzte ich: *Habe mir eine Grippe eingefangen.* Ich hatte die Nachricht gerade verschickt, als sich die Haustür öffnete. Frau Stubenrauch betrat den Flur. In Schräglage auf ihren Stock gestützt, eierte sie auf mich zu und blieb dicht vor mir stehen.

«So, jetzt will ich Ihnen nämlich mal was erzählen», sagte sie. «Ich habe mich im Laufe der Zeit schon dreimal beim Vermieter beschwert. Der Herr Sedelies unter Ihnen hat auch genug davon, der ruft ja immer bei mir an, wenn's laut ist. Und der Vermieter meinte, wenn so was noch mal vorkommt, kriegen Sie eine Abmahnung oder so was. Die letzten Monate war ja halbwegs Ruhe, aber so was wie heute Nacht, also nein! Ich rufe da jetzt an, und dann können Sie nämlich mal ...»

Ich hörte mich schluchzen. Erschrocken senkte ich den Kopf und versteckte mich hinter dem Anschreiben. Vor einem fremden Menschen zu heulen war mir unangenehmer, als versehentlich beim Frauenarzt pupsen zu müssen. Nachdem ich tief durchgeatmet hatte, wagte ich es, Frau Stubenrauch anzusehen.

«Jetzt machen Sie hier mal nicht auf Mitleid», sagte sie mit knatschendem Gebiss. «Das haben Sie sich alles selbst eingebrockt.»

Damit wackelte sie an mir vorbei die Stufen hinauf. Kurz versuchte ich, meine Kettensäge anzuschmeißen, um Frau

Stubenrauch fein säuberlich in ihre Einzelteile zu zerlegen, aber selbst dazu war ich zu schwach. Ich war fertig. Mit den Kerlen, mit der Welt und mit mir selbst. Fertiger als ich war sicherlich nicht mal Oliver Kahn nach dem vergeigten WM-Finale 2002. In BILD-Zeitungs-Deutsch war ich demnach ein Fertigseins-Titan! Das Disziplinargespräch würde ich unter keinen Umständen durchhalten. Schon gar nicht, wenn ich auch noch Jeannette und Gefolgschaft über den Weg laufen würde, geschweige denn Karsten oder Matten. Ich zückte mein Handy und rief auf der Teamleiter-Hotline an. In meinem Ohr summte das Freizeichen. Inständig hoffte ich, dass ich nicht Gunnar in der Leitung hatte.

«Schönen guten Tag, mein Name ist Karsten Kronenbergh.»

(FUMP! CHRRZ! KNIRSCH! BRÖSEL!)

Stumm klappte ich mit der Schulter gegen die Wand.

«Hallo?»

«Hier ist Ina. Du bist auf der Arbeit?»

«Seit sieben. Voll die Kopfschmerzen. Bist du krank?»

«Total.»

«Was hast du denn?»

«Lepra», nuschelte ich. Es fühlte sich nicht mal wie eine Lüge an. Nach und nach bröckelte ich auseinander.

Karsten ging nicht weiter darauf ein, sondern fragte: «Bis wann denn?»

«Mal gucken. Gehe jetzt zum Arzt.»

Nach einem Moment der Stille fragte er: «Meldest du dich noch mal?»

«Auf jeden. Wenn ich weiß, wie lange ich krankgeschrieben bin.»

Bevor ich zum Arzt fuhr, saß ich eine Weile im Fox und streichelte das Lenkrad, als verabschiedete ich mich von einem in die Jahre gekommenen Haustier. Den Motor startend, sagte ich hörbar: «War echt 'ne schöne Zeit mit dir», und als würde er mir antworten, quietschte der Keilriemen.

«Frau Maibach!», begrüßte mich Doc Holiday (Name von der Redaktion geändert). «Wir haben uns ja länger nicht mehr gesehen. Und? Nervt das Callcenter?»

Ich ließ mich in den Stuhl neben seinem Schreibtisch fallen und bohrte meine Hände in die Trainingsjacke. «Wenn's nur das wäre.»

Anders als sonst machte der Doc sich nicht sofort am Rechner zu schaffen, um den gelben Schein auszufüllen, sondern schaute mich prüfend an. In der ganzen Zeit, die ich Patientin bei ihm war, hatte es außer einer gelegentlichen Grippe nie etwas zu behandeln gegeben. Der Doc war eher mein Vertrauter als mein Arzt. Einige Wochen vor meinem dreißigsten Geburtstag war ich nur deshalb zu ihm gegangen, weil mein eigentlicher Hausarzt Urlaub hatte, und da ich ihm nichts vorspielen wollte, sagte ich zur Begrüßung: «Ich habe einen ätzenden Callcenter-Job und brauche dringend eine Pause, um herauszufinden, wer ich bin, wenn ich nicht die Probleme anderer Leute löse. Außerdem muss ich mal wieder eine komplette Woche nichts anderes machen als Filme gucken.»

Gemütlich seine Hände faltend, lehnte der Doc sich daraufhin zurück.

«Ehrlichkeit. Sehr schön», sagte er. «Stresssyndrom? Das grassiert ja gerade. Zwei Wochen erst mal?» Überrascht schaute ich ihn an. Wenigstens eine knappe Ansprache über Arbeitsmoral und ein «Aber was, wenn das alle machen würden?» hatte ich erwartet. Stattdessen fragte der Doc: «Was für Filme gucken Sie denn so? Empfehlen Sie mir mal einen guten neuen.»

Obwohl das Wartezimmer brechend voll war, unterhielten wir uns eine gute Viertelstunde über Schauspieler und Regisseure. Einer seiner Lieblingsfilme war «Das Schweigen der Lämmer», womit er mich prompt von seiner medizinischen Kompetenz überzeugt hatte. (Man kann ja über Dr. Hannibal Lecter sagen, was man will, aber was die Anatomie des menschlichen Körpers betrifft, ist er schon eine Koryphäe.)

«Na ja, wie immer halt», sagte ich, als der Doc mich unverändert musterte.

«Neeneeneeneenee! Das klang anders als sonst. Sonst klingen Sie zwar urlaubsreif, aber eben», er wackelte mit der Hand, «eben klangen Sie richtiggehend am Ende. Das ist diesmal noch was anderes, oder?»

Schlagartig war der Doc vom netten Kerl, der mir ab und an eine Verschnaufpause verschaffte, zu jemandem geworden, der mühelos durch die Oberfläche in mich hineinschauen konnte. Sein Blick alleine schien genug Masse zu besitzen, um den Hohlraum in mir zum Überlaufen zu bringen. Ausweichend sah ich mich im Sprechzimmer um. Seinen Bücherschrank organisierte der Doc nach dem bewährten Stopf-mich-hin-wo's-geht-Prinzip, und auf dem Behandlungstisch lagen, ebenso wie auf den Regalen, Vordrucke, Zettel und verknickte Briefumschläge verstreut. An den freien Stellen verstaubte Werbekitsch von Pharmafirmen neben halbleeren Q-Tips-Schachteln. Die Landschaftsaquarelle an den Wänden hingen schief, und der Teppich unter dem Schreibtisch war übersät mit Kaffeeflecken. Besonders angetan hatte es mir seit jeher seine Schreibtischunterlage. Vollgekritzelt mit wirren geometrischen Formen, Zahlen und Strichmännchen, wirkte sie, als tüftelte der Doc nebenher an einer Zeitmaschine.

«Ihnen geht es gerade wirklich nicht gut, oder?», fragte er.

Ich glotzte eine Plastikfigur von der Größe eines Streichholzes an, die eine mehr als vierfach so große Schmerztablette auf ihrem Kopf balancierte.

«Nee», sagte ich kaum hörbar. «Geht's mir nicht.»

«Möchten Sie vielleicht reden?»

Hinter meinem Brustbein glühte es. Ein Zittern pulsierte vom Zwerchfell bis in meinen Unterkiefer. Kopfschüttelnd stützte ich einen Ellenbogen auf den Schreibtisch und legte eine Hand über meine Stirn. Ich schluckte. Etwas in meinem Inneren vibrierte. Schniefend kniff ich meine Lippen aufeinander. Im Wartezimmer brüllte ein Kind. Nachdem ich durchgeatmet hatte, konzentrierte ich mich auf die Kante eines Beistelltischchens, an der die Lackierung abgesprungen war, bis mein Atem ruhiger ging. Schon glaubte ich, es überstanden zu haben, als der Doc sich vorbeugte und eine Hand um meinen Ellenbogen legte.

«Sie dürfen hier ruhig weinen, Frau Maibach.»

Ich konnte meine Augen nicht schnell genug zukneifen,

bevor sein Blick mit voller Wucht in mich klatschte. Mit einem Keuchen aus der hintersten Ecke meiner Lunge klappte ich vornüber und presste das Gesicht in meine Handflächen. Tränen schossen mir in die Augen. Das verdammte Zeug lief nicht, es sprudelte wie aus einer geschüttelten Proseccoflasche. Du Mädchen!, dachte ich fassungslos. Es fühlte sich an, als heulte ich mich selbst aus mir heraus. Außerdem waren es andere Tränen als jene, die ich bei Filmen weinte, und sie schienen von einem völlig anderen Ort zu kommen. Einem Ort, den ich seit Jahren mit dem Arsch nicht angeguckt hatte. Schluchzend und kichernd zugleich stammelte ich: «Ich habe keine Lust mehr, immer die starke Frau zu markieren. Ich will jetzt auch mal klein sein dürfen und irgendwen finden, bei dem das total in Ordnung ist und dem ich wichtig bin, ohne dass ich mich verstellen muss, und der weder ein Leben wie in irgendwelchen Vorabendserien führen will, am besten noch mit Seehund oder so einem Scheiß, und der aber auch nicht, wie ich, komplett beziehungsgestört ist. Es soll jetzt mal alles einfach sein. Und vor allem ehrlich. Ich möchte jetzt auch mal irgendwo ankommen, wo es sich zur Abwechslung ein kleines bisschen wie zu Hause anfühlt. Nur um mal zu sehen, wie das eigentlich so ist.» Zitternd keuchte ich vor mich hin. Mit erstickter Stimme hörte ich mich dann sagen: «Und ich habe total Schiss davor, irgendwann einsam und verlassen dazusitzen. Und ich vermisse meinen Papa.»

Eine Weile verharrte ich in mich zusammengekauert. In Gedanken wiederholte ich, was ich gerade von mir gegeben hatte. Seltsamerweise fühlte es sich nicht an, als hätte ich selbst es gesagt. Ich spürte jeden einzelnen Wirbel, als ich mich schließlich aufrichtete. Meine Muskeln waren butterweich, und auf meiner Hose hatte ich einen Rotzfleck hinterlassen, der aussah wie Alfred Hitchcocks Profil.

«Entschuldigung.» Ich wischte mit dem Ärmel über meine Wangen. «Ich bin so ein doofes Mädchen manchmal.»

«Letzten Endes sind wir doch alle doofe Mädchen», sagte der Doc und reichte mir ein Taschentuch. Ich lächelte. «Wissen Sie», fuhr er fort, «was soll ich groß sagen? Ich glaube, Sie wissen das alles selber, und ich will mich hier gar nicht wichtigmachen, aber es ist doch so: Die meisten Menschen fühlen sich einsam, egal, ob sie in einer Beziehung sind oder nicht. Entweder sind sie frustriert, weil sie alleine sind, oder sie sind genervt von ihrem Partner, weil er sie nicht versteht. Ich glaube ja, niemand kennt irgendjemanden so richtig. Alles, was es gibt, sind unterschiedliche Grade des Sich-Fremdseins. Menschen nerven halt. Alleinsein auch. So. Und jetzt? Man muss sich halt entscheiden, wovon man genervt sein will. Sie haben doch bestimmt kein Problem, jemanden zu finden. Und Sie sind doch noch jung.»

«Bin ich?»

«Na, Sie sind doch höchstens Ende zwanzig.» Damit beugte er sich über meine Krankenakte. «Oh, na ja. Bloß nichts auf Zahlen geben. Aber zumindest wissen Sie doch, was Sie wollen. Oder? Wissen Sie, was Sie wollen?»

Nachdem ich das Taschentuch zusammengeknüllt in den Mülleimer geworfen hatte, sagte ich: «Erst mal eine Woche.»

Der Doc schmunzelte. «In sechs Tagen ist ja schon Heiligabend. Müssen Sie über die Feiertage arbeiten?»

«Dazwischen.»

«Dann sagen wir doch bis einschließlich dritten Januar. Nehmen Sie mal eine Auszeit von allem, was nervt. Tun Sie sich was Gutes. Gehen Sie spazieren oder so. Frische Luft. Bekommen Sie erst mal den Kopf frei, wenn Sie gerade Stress haben. Mädchen sein ist schon in Ordnung.» Feixend ergänzte er: «Clarice Starling hat nach der Geschichte mit Hannibal bestimmt auch erst mal ein Wellnesswochenende eingelegt.»

Für die folgenden Tage stellte ich mir ein ausgiebiges Rekonvaleszenzprogramm zusammen. Unter anderem ging ich in die Sauna und ins Fitnessstudio, ins Solarium und zum Friseur. Ich machte quasi mein Seepferdchenabzeichen im Mädchensein. Nur zur Maniküre traute ich mich nicht. Maniküre war für Freischwimmer. Außerdem beschloss ich, neue Interessen zu entwickeln. Weil der Riesling vom Spanier so verdammt lecker geschmeckt hatte, wurde ich kurzerhand Weinkennerin. In einem Lädchen bei mir um die Ecke ließ ich mir die Grundbegriffe erklären, und nach knapp einer Stunde Weinprobe waren die Verkäuferin – Moni – und ich nur noch am Gackern. Zwei Wochen zuvor hatte Moni mit einer meiner Ex-Affären Schluss gemacht; einem Kerl, der unser Techtelmechtel mit dem Satz beendet hatte: «Ich glaube, wir sind zur Zeit in unterschiedlichen emotionalen Postleitzahlenbereichen.» (Mitten. Auf. Die. Fresse.) Zum Abschluss schenkte Moni mir ein Buch für Weinbanausen. Ich versprach, eifrig zu studieren. An einem anderen Tag war ich todesmutig genug, *shoppen* zu gehen. Für gewöhnlich ging ich *einkaufen*, und das am liebsten online. Allein der Begriff Shoppen löste in mir das Bedürfnis aus, neugeborene Kätzchen gegen Wände zu schmeißen. Wie befürchtet scheiterte ich kläglich. In der Parfümerie herrschte ein Gestank, als wäre eine Horde inkontinenter Einhörner durchgaloppiert. Ich hielt es keine zehn Minuten aus. Eine Weile verbrachte ich in einem Schuhgeschäft, aber alles, was kein Stoffturnschuh war, war wie ein Tellereisen an meinen Füßen. Beim anschließenden Versuch zu bummeln war mir schon beim dritten Schaufenster sterbenslangweilig. Auf der Suche nach Weihnachtsgeschenken für meine Familie verzweifelte ich endgültig. Die Kitschregale begutachtend, sah ich mich Heiligabend auf unserem Sofa versauern, während in der Glotze André Rieu vor sich hin fiedelte. (Irgendwo habe ich mal gelesen, dass Heavy Metal rückwärts abgespielt den Drang in einem auslösen soll, seine Familie umzubringen. Ich habe die Aufregung deswegen nie verstanden. André Rieu schafft das vorwärts!) Ich war drauf und dran, einen auf einem Halbmond schaukelnden Clown für meine Mutter zu kaufen, als ich die Stimme des Docs im Ohr hatte: «Nehmen Sie mal eine Auszeit von allem, was nervt.» Bei genauerer Betrachtung hatte er vielleicht sogar gesagt: «Ihre olle Mutter kann die Feiertage auch mal ohne Sie verbringen. Sie sind doch erwachsen!» Um meine Genesung nicht zu gefährden, befolgte ich seinen Rat. Nachdem ich es mit der SMS an meine Mutter ohnehin vorbereitet hatte, würde ich auch meiner Familie gegenüber krankmachen. Für den Fall, dass sich meine Laune besserte, würde ich ihnen einfach DVDs aus meiner Sammlung mitbringen.

Einen Tag vor Heiligabend erinnerte ich mich an all die Clips, die ich in den vergangenen Wochen aufgenommen hatte. Ohne sie vorher anzuschauen, zog ich sie vom Handy auf meinen Laptop und ließ sie vom Moviemaker chronologisch aneinanderreihen. Ich betitelte es «Wassermelonen ohne Hebefigur» und hinterlegte «Dreams are my Reality» als Begleitmusik. Erst als ich damit fertig war, schaute ich mir das komplette Filmchen an.

Es begann mit einer Collage aus Schokobrunnen, gefolgt von der Bahnfahrt nach der Weihnachtsfeier. In den Reflexionen der Scheibe war mein hirnrissiges Lächeln zu erahnen. Im Anschluss an mein erstes Date mit Karsten hatte ich ziellos über das Lenkrad des Fox gefilmt. Die Wischerblätter quietschten über die Scheibe, und ich hörte mich frustriert stöhnen. Auf dem Weg zu Henning ins Lochfraß hatte ich eine der wackelnden Handschlingen in der Bahn gefilmt. Nach dem nächsten Schnitt erstarrte ich. Matten lächelte mich an. «Was filmst du mich denn jetzt?», fragte er. «Damit ich mich morgen an dich erinnere», lallte ich und drehte die Kamera auf mein Gesicht. Ich zog an einem Joint. Anschließend richtete ich die Linse schnurrend auf Matten. «Was ist dein Lieblingsfilm?» Er zuckte mit den Schultern. «Du magst bestimmt Filme, in denen Spinnen die Weltherrschaft übernehmen und so was», kicherte ich. «Wollen wir knutschen?», fragte er. «Nnnnjanee ... ich habe gerade was mit so einem Kerl angefangen. Mit so ’nem Emo-Spießer.» Lachend hielt Matten seine Hand vor die Kamera. Karge Felder rauschten vorbei. Becki und Tatjana winkten mir im Rückspiegel zu, als ich vom Parkplatz des Spaßbades fuhr. Auf dem Polizeirevier hatte ich das Handy heimlich unter dem Tisch eingeschaltet, sodass ich nun der Polizistin auf ihre wippenden Knie glotzte. «So, Frau Maibach, das wird natürlich Konsequenzen haben.» Ich in Mia-Wallace-Verkleidung im Fox. «You're so stupid, Ina! Du ziehst das jetzt mit Karsten durch. Wenigstens ausprobieren. C'mon!» Die Kamera absetzend, hörte ich mich nuscheln: «Hast ja recht, Johnny.» Großaufnahme von Karstens Schussverletzung. «Wir haben Ihnen extra gesagt, dass Sie die Masken nicht abnehmen dürfen», nölte der Mitarbeiter der Paintball-Ranch. Die Rückleuchten von Karstens Auto, wie er von Schneeflöckchen umweht vor meinem Haus wegfuhr. Meine Füße, während ich Karstens Treppenhaus hinauftrippelte, gefolgt von meinen Füßen, als ich es hinunterschlurfte. Matten auf der Bühne. Seine vor dem gekippten Fenster wehende Bob-Marley-Flagge. Ein Tisch voller Bringdienstschachteln und überquellender Aschenbecher. Matten nackt auf seinem Sofa, nur ein Kissen vor den Schoß gehalten. «Noch mal für die Kamera», sagte ich. «Okay ... Du hast den Arsch einer Göttin.» Gleißendes Sonnenlicht auf dem Weg zur Arbeit. Im Hintergrund undeutlich meine Stimme: «Keule, du hast ‹King Kong› ja voll nicht gecheckt!»

Schwarz.

Upload to Internet?, lautete eine der möglichen Optionen.

«Auf gar keinen Fall», knurrte ich.

Ohne zu zögern, löschte ich den Clip und leerte den Windows-Mülleimer. Kurz überlegte ich, die Festplatte zu formatieren und anschließend meine komplette Vergangenheit derselben Prozedur zu unterziehen. Ich hockte regungslos da. Ich starrte ins Nichts. Ich steckte mir eine Zigarette an. Ich machte dicke Backen. Es war alles beim Alten. Lediglich abgelenkt hatte ich mich für einige Tage. Die Wellness-Lüge!, ging es mir durch den Kopf. Wahrscheinlich hätte Stephan eine passende Verschwörungstheorie parat, wenn ich ihn das nächste Mal im Izarro traf. Die Wellness-Industrie, die von der Männerwelt nur zu dem Zweck aus dem Boden gestampft worden war, um gehirnamputierte Mädchen (wie mich!) von ihren eigentlichen Problemen abzulenken. Bis der perfekte Teint wichtiger war als ein Partner, mit dem man gemeinsame Interessen hatte. Bis eine schweineteure Ayurveda-Massage sich besser anfühlte als ein gemütlicher Sonntagmorgenfick. Bis man seinen schwulen Friseur für einen unterhaltsameren Gesprächspartner hielt als den Kerl, mit dem man sich die Klobrille teilte. Bis auf einmal nicht mehr zählte, ob man glücklich war, sondern ob man zum rosa Nagellack noch ein Glitzersteinchen auf den kleinen Finger brauchte.

«Was willst du denn?», fragte ich hörbar in den Raum und lauschte dann der geradezu buddhistischen Stille. Selbst Johnny hatte ich offenbar endgültig vergrault. Vorwurfsvoll schaute er mich vom Kissen aus an. Bevor er besorgt an seinen Haaren herumfummeln konnte, beförderte ich ihn mit einem Tritt vom Sofa.

In der Hoffnung, dass Henning Neuigkeiten von der Annika-Front hatte, schaltete ich mein Handy auf empfangsbereit, aber nur Nils und meine Mutter hatten mehrfach angerufen. Dann poppten drei neue SMS auf. *Warst ne gute Lehre!*, ließ

Karsten mich wissen. Deutlich knackiger brachte Matten es auf den Punkt: *Das war echt das Letzte!* Einige Tage vorher bereits hatte Jeannette getextet: *Wünsche gute Besserung, Schlampe!*

Ich war kurz davor, zu explodieren. Bevor ich Henning anrief, spülte ich meine Wut mit einem Glas Wein herunter. Riesling Hölle Kabinett trocken, Weingut Künstler. Seine nachhaltige Struktur hatte es mir ebenso angetan wie die kräftige Würze der hochreifen Trauben, die sich mit ausgewogener Säure präsentierten, dazu die dezente Citrusnote. Steinobst wie Pfirsiche und Aprikosen kam mir in den Sinn. Ein bemerkenswerter Wein, der seine Toplage oberhalb des Mains bei jedem Schluck vollmundig verströmte. (Satte elf Euro neunzig pro Pulle übrigens.)

«Hallo, Ina! Und ... alles im Lack bei dir?», meldete sich Henning.

Lallende Männer schienen mein Schicksal zu sein. Am Korken schnüffelnd, fragte ich: «Bist du schon wieder besoffen?»

«Morgen ist Weihnachten», sagte Henning. «Was willste machen?»

«Wo bist du denn?»

«Piano.»

«Ist Annika dabei?»

«Nee, die macht Parfumwichteln im Pier 51.» Erst nach einer kurzen Pause ergänzte er: «Ich glaube, das wird nichts mehr, Ina.»

«Hast du ihr erzählt, was Sache ist?»

«Nnnnja, also noch nicht so im Detail, weil ...»

«Ey, soll das ein Scherz sein?! Dann glaubt sie immer noch, dass wir was miteinander hatten?»

«Ist doch aber auch egal. Wenn ich jetzt nicht mehr mit ihr zusammen bin, lauft ihr euch doch sowieso nicht mehr über den Weg.»

«Das ist nicht egal, wenn Annika so was von mir denkt und Jeannette damit durchkommt. Die sehe ich doch jeden Tag! Willst du denn überhaupt, dass mit Annika Schluss ist?»

«Irgendwie ja. Glaube ich. Weißt du ... was du da neulich mit diesem *gutbürgerlich* und so erzählt hast und *Ketchup* ... also ... na, da war schon was dran. Und ich glaube, Annika findet das gar nicht so schlimm, wie das jetzt ist.»

«Du bist nur zu feige.»

«Ja, nee, es ist halt nur so, dass ...»

«Gib sie mir mal», hörte ich jemanden sagen. «Hallo, Große.»

Ich sackte in mich zusammen. «Nils?»

«Ja, trinke gerade zum ersten Mal seit hundert Jahren wieder mit Henning.»

«Was hat er dir erzählt?»

«Einiges.» Schweigend drückte ich den Korken gegen mein rechtes Nasenloch. «Große, komm doch morgen schon zum Mittag vorbei. Mama traut sich schon gar nicht mehr, dich anzurufen, weil sie dich nicht nerven will. Und die Kinder freuen sich auch total auf dich, die proben schon die ganze Zeit dieses eine Lied von Lady Gaga und Beyoncé. Kannst ja mal wieder ein Video mit denen drehen. Tatjana will sich sogar schwarz anmalen.»

«Deine Tochter ist Rassistin», nuschelte ich.

Nils lachte nur. «Wann kommst du denn?»

«Mal sehen. Erzähl Mama nichts. Gar nichts!» In meinen

Eingeweiden kochte es mittlerweile. Jeannettes SMS ging mir nicht aus dem Sinn. Ich war komplett auf Krawall gebürstet. Bevor ich mich von Nils verabschiedete, sagte ich: «Richte Henning mal aus, dass ich das Ganze jetzt kläre. Und zwar ohne Rücksicht auf Verluste!»

American Psycho

Ich lugte durch das Bullauge der Stahltür in den schimmligen Keller. Von den Torturen der vergangenen vierundzwanzig Stunden gezeichnet, wippte Jeannette auf dem Betonboden zusammengekauert vor und zurück. Anfangs hatte sie noch versucht, sich vom Eisenhalsband zu befreien und die rostige Kette zu lösen, um mehr Bewegungsspielraum zu haben, aber mittlerweile hatte sie resigniert. Unmenschlichste Qualen, die selbst die Gräueltaten der spanischen Inquisition als Kindergeburtstag erscheinen ließen, hatte ich sie erdulden lassen: nonstop Phil Collins' Greatest Hits in trommelfellzerschmetternder Lautstärke begleitet von Stroboskoplicht. Einen Lärmschutzkopfhörer aufgesetzt und eine Schweißerbrille vor den Augen, hatte ich Jeannette in unregelmäßigen Abständen Stippvisiten abgestattet, ihr mal einen angelutschten Finger ins Ohr geschoben oder sie alternativ mit Knallerbsen beworfen. Um ihrem Selbstbewusstsein einen Knacks zu verpassen, hatte ich sie außerdem in Klamotten der untersten Preisklasse vom Schnäppchenparadies gesteckt. Vor dem bevorstehenden Finale wollte ich sie allerdings in Sicherheit wiegen. Daher hatte ich soeben Ruhe einkehren lassen, das Licht gedimmt und ihr großmütig ein Spiegelchen samt Schminkutensilien überlassen. Obwohl sie nur noch ein Schatten ihrer selbst war, schmierte sie, ohne zu zögern, Lidschatten über ihre Klüsen. Sich aufzuhübschen war eine reine Instinkthandlung, ähnlich wie Paviane sich am Arsch kratzten, wenn es eben juckte. Einige Minuten gab ich ihr Zeit, sich zu berappeln, aber schließlich schaltete ich erneut Flackerlicht und Mucke ein. Ich betrat den Keller. Trotz des Lärmschutzes war die widerwärtige Geräuschkulisse nicht zu überhören. Um mir das bevorstehende Blutbad nicht zu verschandeln, beschwor ich Patrick Bateman aus «American Psycho» herauf. Seit Jahren war er mit deutlichem Abstand mein Lieblingsserienkiller. Aus ebenso unerfindlichen wie nunmehr praktischen Gründen war er darüber hinaus bekennender Phil-Collins-Verehrer.

«Komm heraus, Patty, Patty, Patty!», säuselte ich und nahm Lärmschutz und Schweißerbrille ab. Gemächlich spazierte ich auf Jeannette zu. Ganz gegen meine Gewohnheit flanierte ich regelrecht.

«I don't care what you say!», stimmte ich in den Text des Liedes ein. «We never played by the same rules anyway. I don't care anymore!»

Kreischend vor Verzweiflung winselte Jeannette um Gnade, aber Patrick und ich waren bereits miteinander verschmolzen.

Eine gewisse Genugtuung meinerseits war nicht zu leugnen, als ich Jeannette daraufhin mit einer stumpfen Nagelfeile skalpierte. Gerade wollte ich sie noch bei Bewusstsein in eine elendig langsame Schrottpresse verfrachten, als mir jemand auf die Schulter tippte.

«Hallo? Sie?»

«Nicht jetzt.»

«Waren Sie nicht neulich wegen Ihrem Führerschein hier? Nur mit anderen Haaren?»

Drecksverkackte Realitätsscheiße immer! Widerwillig wandte ich mich um und hatte die bekannte Bedienung vor mir.

«Was?»

«Ihr Führerschein», wiederholte sie. «Den hat unser Chef Ihnen gerade heute zugeschickt, weil er den hier nicht mehr rumliegen haben wollte.»

Nachdem ich mich von Patrick verabschiedet hatte, sagte ich: «Alles tutti.»

«Bis ein Platz frei wird, machen Sie es sich ruhig hier hinter den Kleiderständern bequem», antwortete sie schnippisch. «Kann aber noch ein bisschen dauern, so voll, wie es gerade ist.»

Nachdem sie verschwunden war, schob ich erneut Jacken und Mäntel beiseite und linste zur Proseccoclique hinüber. An der Stirnseite des Tisches thronte Erzgräfin Jeannette, mit Annika zu ihrer Rechten, während die übrigen Grazien als glucksender Hofstaat danebenhockten. Einen tröstlichen Ausdruck über ihr Schlangenantlitz gestülpt, redete Jeannette auf Annika ein und drückte ihre Hand. Im Getöse des Cafés konnte ich nicht verstehen, worum es ging. Ich beobachtete nur, wie Annika mit den Schultern zuckte und ihrerseits etwas sagte, worauf die Clique in untertäniges Gegacker ausbrach. Ich wandte mich ab. Proseccogläser klirrten. Mein Mund war staubtrocken. Vielleicht doch erst noch ein Bier?, überlegte ich. Oder einen Wein? Einen schönen entspannten Pinot grigio vielleicht, der ...

Ich erstarrte. Keinen Meter entfernt, aber ohne mich zu

bemerken, ging Annika an mir vorbei in Richtung der Toiletten.

An eines der Waschbecken gelehnt, knabberte ich am Schal und hörte Annika beim Pinkeln zu. Auch irgendwie komisch, ging es mir durch den Kopf. Um mich abzulenken, holte ich nach, was ich vor meinem überstürzten Aufbruch versäumt hatte, und warf einen Blick in den Spiegel. Über meine Lippen zog sich ein bläulicher Schleier vom Rotwein, und meine Haare trotzten fisselig der Schwerkraft. Hätte ich mich in diesem Zustand bei RTL 2 für eine Folge Frauentausch beworben, wäre ich ohne weitere Nachfragen als die asoziale der beiden Kandidatinnen zum Einsatz gekommen. Ich strich mir mit den Fingernägeln durch die Haare. Die Klospülung rauschte. Kurz darauf öffnete sich das Türchen. Noch in die Kabine gelehnt, blieb Annika stehen. Innerhalb von Sekundenbruchteilen wechselte meine Mimik von einem entschuldigenden zu einem kumpelhaften Lächeln, gefolgt von einem aufmunternden, das sich in einem hilflos überforderten auflöste.

«Na?», fragte ich und ergänzte ein an Idiotie kaum zu überbietendes: «Du?»

Annika runzelte die Stirn. Mir war warm. Ich knöpfte meine Jeansjacke auf und zog schnaufend den Reißverschluss der Trainingsjacke herunter.

«Es tut mir wirklich leid, dass Henning dir das nicht selbst erzählt hat», sagte ich schließlich. «Aber wenn er nicht genug Eier in der Hose hat, dir das zu sagen, muss ich das jetzt halt machen.» Die Hände in meine Gesäßtaschen gebohrt, legte ich den Kopf in den Nacken und machte meinen Rücken gerade. «Die Wahrheit ist», setzte ich an, «dass Henning und ...»

«Kommst du dir gar nicht billig vor?»

Annika starrte auf meine rausgestreckte Brust.

Ohne an mir herunterzuschauen, fragte ich kleinlaut: «Sumsen ist buper?» Annika reagierte nicht. «Das war, weil ... ich bin so schnell zu Hause losgegangen, da habe ich vergessen, mich umzuziehen. Doofes T-Shirt. Ich weiß.» Blöderweise hörte ich mich ergänzen: «Das hat Henning mir mal geschenkt, aber ich ...»

«Du bist dir auch echt für nichts zu schade!», zischte Annika und marschierte an mir vorbei.

Ich griff sie am Ärmel. Reflexartig wand sie sich heraus und zimmerte mir dabei mit voller Wucht ihren Ellenbogen ins Gesicht. Ein eisiger Schmerz fuhr durch meine Knochen. Vor Schreck schluckte ich und hatte einen metallischen Geschmack im Mund. Ich betatschte meine Nase. Blut rann über meine Fingerkuppen. Annika gaffte mich an. Sag was, Prinzessin! Augenblicklich stauten sich unzählige Satzanfänge und Erklärungsversuche gleichzeitig in meinem Sprachzentrum, sodass es Sekunden später wegen Überlastung kollabierte. Es entlud sich in Form eines mittelprächtig intelligenten: «Boaheyfuckdohkacke!»

Der Lärm des Cafés drang zu uns in die Toilette. Einen Moment schaute Annika mich mitleidig an, bevor sie sich abwandte, dann aber innehielt und mich erneut musterte. Vornübergebeugt hielt ich meine Nase. Schließlich zupfte Annika Papiertücher aus einem Spender und drückte sie mir in die Hand.

«Alles in Ordnung, Ina», sagte sie nüchtern. «Ich weiß schon seit Monaten, dass Henning Schluss machen will und sich nur nicht getraut hat, es zu sagen. Mit dem kann man doch gar nicht reden. Das hat auch eigentlich alles gar nichts mit dir zu tun. So ist er halt. Der hat einfach Angst, endlich erwachsen zu werden und Verantwortung zu übernehmen. Heiraten will er nicht und Kinder kriegen auch nicht. Weißt du ja bestimmt alles, hm? Hat eine Weile gedauert, bis ich das verstanden habe, aber Henning glaubt halt, er wäre immer noch ... er wäre immer noch so ein Twentysomething, der sich irgendwie durchs Leben wurschteln kann.» Leiser fügte sie hinzu: «Ihr passt schon ganz gut zusammen.»

Ein Knäuel blutiger Tücher gegen mein Gesicht gedrückt, sagte ich: «Annika, du darfst bitte nicht denken, dass ich ...»

«Ganz ehrlich, Ina?», fiel sie mir ins Wort. «Eigentlich bin ich dir sogar ganz dankbar. Jetzt weiß ich wenigstens, woran ich bin. Ich habe viel zu lange so getan, als wäre Henning der Richtige.»

Sosehr mein Stolz auch Alarm schlug, ich gab keinen Ton von mir. In Endlosschleife drehten sich meine Gedanken im Kreis. Offenbar waren Henning und Annika zufrieden mit der Situation. Schlagartig schien es nur noch egoistisch zu sein, die Wahrheit zur Sprache zu bringen. Außerdem würde Annika mir wahrscheinlich ohnehin nicht glauben, sondern das Ganze für eine billige Retourkutsche halten, die ich Jeannette verpassen wollte. Ich hatte keine Beweise; keinen eingebauten Erinnerungsspeicher, den ich ihr hätte vorspielen können. Konnte es ein Zeichen von Größe sein, die Sache unausgesprochen zu lassen?

«Mach's gut, Ina», sagte Annika.

Langsam fiel die Tür hinter ihr zu. Größe hatte sich nie mickriger angefühlt.

Stirb langsam

Heiligabend, 10:36 Uhr

Nu' komm schon! Eine Hand zwischen meine Beine gepresst, lag ich im Bett. Sosehr ich mich auch konzentrierte, es tat sich nichts. Ich blieb furztrocken. (Anmerkung am Rande: Aus eigener Erfahrung fand ich den Begriff *furz*trocken nie hundertprozentig treffend.) Zu allem Überfluss war der einzige halbwegs unbekleidete Kerl, der mir in den Sinn kam, unser Heiland hoch am Kreuz. Spanking, schön und gut, aber diese Sadomaso-Nummer war dann doch nicht so meins. Unter Aufbietung letzter Kräfte quälte ich mich aus den Laken und warf einen Blick durch die Vorhänge. Dicke Schneeflocken trudelten vom Himmel. Eine zentimeterdicke Schneeschicht bedeckte die Welt. Bei der Farbpalette des Tages hätte man ohne weitere Effekte einen Schwarzweißfilm drehen können, und ein Kind in roter Winterjacke wirkte wie eine wandelnde Boje. Ich war gerettet. Selbst bei dem geringsten Frost weigerte sich meine Mutter, ein Auto zu besteigen, weil es ihr angeblich zu gefährlich war. Erleichtert ließ ich die Stirn gegen die Scheibe sinken, zuckte aber zurück, als meine Nase gegen das Glas ditschte. Vorsichtig strich ich mit den Fingerspitzen über die Plastikschiene auf meinem Nasenrücken und roch die Mullbinden, die meinen Schädel auf Stirnhöhe einschnürten. Ich sah aus wie Andre

Agassi in einer venezianischen Faschingsmaske vom Ein-Euro-Laden.

«Ist zwar nur angebrochen», hatte der Arzt in der Notaufnahme gesagt, «aber zwei Wochen sollten Sie den Verband schon tragen.» Auf seine Frage, was passiert war, hatte ich behauptet, meinen Freund gegen Hooligans verteidigt zu haben. Obwohl er mir die Geschichte ganz offensichtlich nicht abkaufte, ergänzte ich: «Die kommen hier bestimmt auch gleich vorbei, wenn sie wieder bei Bewusstsein sind.»

Ich wandte mich vom Fenster ab. Gebeutelt von den Mühen der vergangenen Wochen und dem Vorhandensein als solchem, rief ich meine Mutter an, um Weihnachten zu canceln.

«Schön, dass du dich endlich meldest, Ina! Bringst du gleich die Tupperschalen mit? Und fahr doch ruhig jetzt schon los, dann können wir noch mit den Kindern Mittag essen.»

Bevor ich antwortete, hustete ich demonstrativ. «Mama, hast du mal rausgeguckt?»

«Wieso?»

«Ist alles vereist, und es schneit weiter, und ich habe doch keine Winterreifen.»

«Nils meinte, du hättest Allwetterreifen drauf.»

«Nnnnja, aber die sind total runtergefahren. Mama, das ist mir zu gefährlich. Ich glaube, ich komme lieber zwischen den Feiertagen oder im neuen Jahr, wenn das Wetter besser ist.»

«Ach, dann nimm doch den Zug.»

«Das ist auch blöd. Dann muss ich vom Bahnhof noch die fünf Kilometer den Bus zu euch nehmen, und vielleicht fahren die Busse heute gar nicht, weil ...»

«Dann holt einer von den Jungs dich vom Bahnhof ab.»

«Ich will nur ... warte mal kurz.» Damit hielt ich das Handy beiseite und räusperte mich. Um keinen Zweifel an meinem erbarmungswürdigen Zustand aufkommen zu lassen, zog ich lautstark die Nase hoch und bekam prompt die Quittung für meinen Blödsinn. Es fühlte sich an, als hätte ich mir Schorfkrümel ins Gehirn gezogen, und das Zwiebeln meiner blutverkrusteten Schleimhäute ging mir durch Mark und Bein. Einen stummen Schmerzenslaut von mir gebend, riss ich den Mund auf.

«Ina?», fragte meine Mutter.

«Jaaaaahahaaa», machte ich und brachte das Ganze mit einem miserabel geschauspielerten Nieser zum Abschluss. «Ich will Nils und Jan Heiligabend nicht mit so was nerven», sagte ich. «Außerdem bin ich total angeschlagen.»

«Dann koche ich dir was. Kurierst du dich hier mal richtig aus.»

«Ich will euch nicht anstecken.»

«Ach, Ina! Willst du nicht kommen?»

«Doch, natürlich!», sagte ich. Es klang mindestens so glaubwürdig wie Michael Jacksons Beteuerungen, er habe sich keinerlei Schönheitsoperationen unterzogen. «Ist doch Weihnachten», setzte ich nach, aber in meinem Kopf hörte ich: Und ich habe nie, nie, nie kleine Jungs angefasst!

«Und was machst du dann heute?», wollte meine Mutter wissen. «Sitzt du dann alleine zu Hause?»

«Gucke ich halt Filme, und falls es mir doch noch bessergeht, besuche ich Henning.»

«Feiert der nicht bei seinen Eltern? Neulich beim Einkaufen hat mir seine Mutter erzählt, dass er mit seiner Anita vorbeikommen wollte.»

«Die haben sich kurzfristig umentschieden.» Stolz setzte ich ein Häkchen hinter den Punkt *Erster ehrlicher Satz des Tages*. «Mama, ich melde mich demnächst, ja?»

«Hach, na gut», seufzte sie, nur um umso enthusiastischer fortzufahren: «Aber dann erzähl doch mal, was hast du denn in letzter Zeit so gemacht?»

«Och, nichts Besonderes.»

«Schon wieder?»

«Erzähle ich dir, wenn ich vorbeikomme, ja? Das ist doch netter als so am Telefon. Du musst doch bestimmt noch total viele Sachen für heute Abend vorbereiten.»

«Ja, ja, aber dann ...»

«Grüß mal alle von mir.»

«Ina, du ...»

«Feiert schön, Mama!»

«Tschüss», sagte sie tonlos.

Ich legte das Handy beiseite wie ein glühendes Brikett. Genauso gut hätte ich meiner Mutter einen Vorschlaghammer vor die Rübe zimmern können. Planlos taperte ich in die Küche und setzte Kaffee auf. In der Spüle stapelte sich Geschirr, und hinter dem Mülleimer sammelten sich Pfandflaschen neben dem Altpapier. Beim ersten Schluck Kaffee schrumpfte mein Magen auf die Größe eines Tennisballs. Ich musste dringend etwas essen. In meinem Kühlschrank befand sich lediglich ein Glas Meerrettich, aus dem ich vor einem Dreivierteljahr ganze vier Messerspitzen verbraucht hatte, als ich mir Lachstoast gemacht hatte. Damit ich über die Feiertage etwas zu essen im Haus hatte, ging ich einkaufen.

Es war ein Kraftakt. Ebenso gut hätte ich den Mount Everest besteigen können, nur dass ich dabei wenigstens den Yeti oder Reinhold Messner zu sehen bekommen hätte. Meine sogenannten Mitmenschen waren mir allerdings ebenso fremd wie diese beiden Kreaturen. (Quizfrage: Was hat einen längeren Bart? Der Yeti oder Reinhold-Messner-Witze?) Wie befürchtet platzte der Supermarkt aus allen Nähten, und die Schlange an der Kasse wand sich meterlang bis hinter die Kühltruhen. Was für Arschlöcher gingen eigentlich Heiligabend vormittags einkaufen? Um meiner Trägheit entgegenzuwirken, beschloss ich, zur Abwechslung etwas Anständiges zu kochen. Allein die Entscheidung war ein Triumph. Ich kaufte Rotkohl und tiefgefrorene Hähnchenteile auf Alublech, eine Tüte Kroketten und Pfeffersoße, fünf Tafeln Schokolade, einen Becher Vanilleeis und sechs Schachteln Kippen. Stichwort: Fressorgie. Auf dem Heimweg machte ich noch einen Abstecher ins Weingeschäft, und erst nach einigen Probiergläschen verabschiedete Moni mich mit den Worten: «Lass uns demnächst mal Ficklisten vergleichen. Kann man sich vielleicht vor noch mehr Schaden bewahren.»

«Auf jeden, Keule! Tauschen wir uns mal aus, was das Bukett betrifft, damit sich der Charakter nicht erst im Abgang bemerkbar macht.»

«Fleißig gelernt, was?»

11:48 Uhr

Aus unerfindlichen Gründen überkam mich ein Putzwahn. «Geh in die Angst!», sagte ich hypnotisch zu mir selbst. Um die Sache interessanter zu gestalten, zog ich die Vorhänge zu, legte eine Red-Hot-Chili-Peppers-CD ein und erklärte die Aktion zur Nacktputzorgie mit Jesus-Verbot. Eine Dreiviertelstunde später lag ich mit angewinkelten Beinen in meinem picobello abgestaubten Wohnzimmer. «Losing my taste for the human race! Social grace is a waste of time!», rappte Anthony Kiedis. Gottverdammte Scheiße, so isses nämlich, Tony! Nachdem ich den Abwasch erledigt hatte, ging ich mit Argusaugen durch meine Küche. Dabei entdeckte ich immer neue Schmutzflecken. Ein besonderes Ärgernis stellte mein Herd dar, den ich vor einigen Jahren für läppische vierzig Euro in einem Krempelladen gekauft hatte. Im Prinzip war das Ding schon damals schrottreif gewesen. Rings um die Platten zogen sich bräunlich verschmorte Kreise wie Asteroidengürtel, und die Temperaturregler waren mit einer Schmierschicht überzogen. Einen Lappen um den Zeigefinger gewickelt und unverändert nackt, rubbelte ich an einem der Regler herum. Ich drehte ihn auf vier, dann auf eins und drei, bemerkte neue Flecken, drehte und rubbelte weiter, bis der Herd ein dumpfes Knacken von sich gab. Hinter der Verkleidung war eine Stichflamme zu erahnen. Durch meine verkniffenen Lippen presste ich Luft aus meiner Lunge. Auf der Spüle taute das Hähnchen auf. Ich zählte bis zehn und versuchte erfolglos, den Herd einzuschalten.

«Du Dreckspenner!», zischte ich. Wenn es eines Zeichens bedurft hatte, dass sowohl Kochen als auch in einer sauberen Wohnung zu leben sinnlos waren, war es dieses. Routiniert schmiss ich mich auf das Sofa und zog mir die Decke über den Kopf. Trägheit war mein Freund und Müßiggang meine heimliche Affäre. Als der Sauerstoff aufgebraucht war, bestellte ich Pizza, schlüpfte in den Bademantel und suchte Weihnachtsfilme aus meiner DVD-Kollektion heraus.

13:39 Uhr

Bringdienstkerl. Titten raus. Selbstbewusstsein. Genau, das ist ein Nasenbeinbruch! Schlägerei und so. Sofa. Pizza. Decke. Weihnachtsfilm Nummer eins.

15:52 Uhr

«Stirb langsam»: erledigt. («Jippijajeh, Schweinebacke!») Weiter mit Weihnachtsfilm Nummer zwei.

17:39 Uhr

«Gremlins»: erledigt.

Inzwischen war es dunkel geworden, und mit einem Blick aus dem Fenster stellte ich fest, dass schon wieder Tauwetter herrschte. Autos rauschten über den feuchten Asphalt. Verheerenderweise nahmen dann zwei der ungeöffneten Weinflaschen eine telepathische Verbindung zu mir auf. Dabei spielte der Rotwein die Rolle des Teufelchens, der Weißwein die des Engelchens.

Teufelchen (hopst klappernd von Fuß auf Huf): «Yoh, Ina! Schon fast sechs Uhr! Jetzt wird gesoffen, bis'er Arzt kommt! Whoop! Whoop! Dein erster Heilichabend ohne deine Mudda!» (Diabolisches Gelächter.)
Engelchen (fummelt an seinen güldenen Löckchen herum): «Ina, du darfst jetzt nicht auf Alkohol zurückgreifen. Schokolade und Eis sind in Ordnung, aber doch kein Alkohol, s'il vous plaît!»
Teufelchen: «Was bis'n du für'ne Ulknudel? Schokolade is' okay?! Fett kann'se ruhig werden, nur Spaß darf'se keinen haben?!»
Engelchen: «Oh, du garstiges Biest! So habe ich das doch nicht gemeint.»
Teufelchen: «Scheiß drauf, Ina. Jetzt wird direkt aus'er Flasche gesoffen. Gläser sind für Mädchen! Ran annen Hals, die Pulle. Yiehaaa!»
Engelchen (drückt sich den Handrücken gegen die Stirn, als sei es kurz davor, in Ohnmacht zu fallen): «Mon dieu ... mir wird ganz blümerant. Bleib stark, Ina!»
Teufelchen: «Ach, Kokolores!» (Hält sich die Hand vor den Mund und macht ein Pupsgeräusch.) «Das wird das mördergeilste Weihnachten, wo gibt. Ay, Caramba! Erst zusaufen, und später wird aber mal schön der Scheißverband abgenommen und um die Häuser gezogen, um irgendeinen geilen Stecher zu ...»
Engelchen: «Ina, dein Leben ist ein einziger Scherbenhaufen.»

Teufelchen: «Saufen! Saufen! Druckbetankung de luxe, Prinzessin!»

17:49 Uhr

Schwerfällig kroch ich zurück unter die Decke. Ich blieb stark.

18:01 Uhr

Lange genug stark geblieben.

18:52 Uhr

Flasche Nummer eins: erledigt.

19:38 Uhr

Flasche Nummer zwei: zur Hälfte erledigt.

Teufelchen (in beeindrucktem Tonfall): «Wäre das hier die Vorrunde für ‹Deutschland sucht den Superalki›, wärst du längst im Recall, Ina. Respekt!»
Engelchen (die Contenance verlierend): «Halt's Maul!»
Teufelchen: «So fuckin' what?! Matten und Karsten sind Ina doch eigentlich latte, und wenn se heute loszieht, ist das eine endlose Schwanzparade, die nur ihretwegen veranstaltet wird!»
Ich: «Tolle Grammatik, Teufelchen.»

Engelchen: «Ini, Chérie, du solltest wirklich ...»
Ich: «Nenn mich nicht Chérie, du Flachpfeife.»
Engelchen: «Excuse-moi, aber wenn du die Sache mit den Kerlen schon nicht klärst, melde dich doch bei deiner Mutter. Die vermisst dich. Und sie ...»
Teufelchen: «Himmel, Arsch und Zwirn, bist du 'ne Niete! Jetzt erst mal neun bis zwanzig Kippen rauchen, Ina. Wozu hast du die Drecksdinger denn gekauft? Fuck the world!»
Engelchen (mit Tränen in den Augen): «Bitte, Ina! Du ...»
Ich (kurz vorm Eindösen): «Ihr müsst jetzt beide die Fresse halten.»

21:56 Uhr

Aus einem der gegenüberliegenden Fenster schimmerte Weihnachtsbeleuchtung durch meine Vorhänge. In der Ferne läuteten Kirchenglocken. Ich starrte an die Zimmerdecke. Eine Minute. Zwei Minuten. Zehn Minuten. Erst glaubte ich, mir sei langweilig, aber dann begriff ich, dass ich einsam war. Ich musste an meinen Papa denken.

Einige Monate nachdem ich zum Studieren fortgezogen war, hatten meine Brüder und meine Mutter am Abendbrottisch auf ihn gewartet. Als er eine halbe Stunde überfällig war, rief Nils in der Werkstatt an. Es war besetzt, weshalb sie davon ausgingen, dass er noch mit einem Kunden sprach. Wenig später fanden sie ihn mit geplatzter Bauchschlagader im Büro, den Oberkörper auf den Schreibtisch geklappt, eine verglühte Kippe neben seinem Mund und den Telefonhörer in der Hand. Im Display waren die ersten sechs Stellen meiner Nummer zu sehen. Seitdem habe ich jenes Gespräch, das wir vielleicht miteinander geführt hätten, in unzähligen Varianten durchgespielt. Allerdings gelangten wir in meiner Vorstellung immer nur bis zu einem gewissen Punkt. Dieser eine schlaue Satz meines Papas, der welches Thema auch immer zu einem runden Abschluss gebracht hätte, wollte mir nie einfallen. Nun aber hatte ich klar und deutlich seine Stimme im Ohr.

«Wenn ich mal unter der Erde bin, kümmerst du dich um deine Frau Mutter, ja? Die ist manchmal ein bisschen anstrengend mit ihrem Putzfimmel und so, aber die liebt dich. Die liebt dich wirklich, Ina. Das ist schon eine von den Guten, sonst hätte ich sie doch nie im Leben geheiratet. Ich verlasse mich da auf dich, Prinzessin.»

22:31 Uhr

Eine eiskalte Dusche und ausgiebiges Zähneputzen später erklärte ich mich für fahrtüchtig und machte mich auf den Weg nach Hause. Damit ich während der Fahrt nicht einschlief, verordnete ich mir durchgängiges Mitsingen. Ich legte die Kassette mit dem Pulp-Fiction-Soundtrack ein und setzte der Vollständigkeit halber die Mia-Wallace-Perücke auf. Weil die Landstraße frei war, gab ich Vollgas. «Girl, you'll be a woman soon!», drang es aus den Boxen. Irgendwann tauchten im Rückspiegel die Scheinwerfer eines Autos auf, das sich zügig näherte. Anstatt mich aber zu überholen, blieb es hinter mir, fuhr dicht auf, ließ sich dann zurückfallen, nur um anschließend noch näher heranzukommen.

«I've been misunderstood for all of my life!», grölte ich mit gerecktem Mittelfinger.

Dann ging das Blaulicht an.

«Junge Frau, junge Frau», hörte ich eine vertraute Stimme. «Das Auto kennen wir doch, haben wir uns gedacht und wollten gleich mal gucken, wie es Ihnen so geht.»

«Alles tutti.»

Eisige Luft wehte ins Wageninnere. Die Polizistin leuchtete mir mit einer Taschenlampe ins Gesicht.

«Haben Sie sich die Haare gefärbt?» Aus irgendeinem Grund nickte ich. «Und was ist denn mit Ihrer Nase passiert?»

«Warum müssen Sie denn Heiligabend arbeiten?», fragte ich zurück.

«Sie werden's nicht glauben, aber an den Feiertagen fahren besonders viele Leute alkoholisiert Auto.»

«Was Sie nicht sagen, Frau Wachtmeister.»

«Ist schon nach sechs. Haben Sie was getrunken?»

«Außer Brause?»

«Steigen Sie mal aus. Sie kennen das ja.»

Natürlich fanden die Polizisten sofort heraus, dass ich den Führerschein einen Tag zuvor hatte abgeben müssen. Es war nicht von Vorteil, dass ich ihn auch dieses Mal nicht bei mir hatte, und ebenso wenig fiel der Alkoholtest zu meinen Gunsten aus. Im Licht von Neonröhren saß ich schließlich im Flur des Reviers und fummelte wahlweise an Perücke oder Verband herum.

«Wie ist das eigentlich mit diesem einen Anruf, den man

hat?», fragte ich die Polizistin. «Darf ich den vom Handy aus machen?»

«Mit diesem einen Anruf?», kicherte sie und wackelte an mir vorbei in ihr Büro. «Wir sind hier nicht in Hollywood, junge Frau. Telefonieren Sie ruhig.»

«Ina! Ach, das ist ja eine Überraschung.»

Meine Augenhöhle auf einem Handballen abgelegt, brummte ich: «Hallo, Mama.»

«Frohe Weihnachten! Das hatten wir vorhin gar nicht gesagt.» Ich schwieg. «Wir sitzen hier noch alle. Die Kinder sind auch noch wach. Willst du doch noch kommen? Ist doch jetzt ganz gut draußen, oder? Dann bist du kurz vor zwölf hier, so lange dürfen die Kinder heute aufbleiben. Oma ist auch noch da. Feierst du mit Henning? Das ist so still bei euch, man hört ja gar nichts.»

«Bin gerade im Schlafzimmer bei denen.»

«Und geht ihr noch ins Pizzicato?»

Anstatt zu antworten, drückte ich das Handy an mein Ohr und lauschte. Über dem Klangteppich eines Weihnachtsschlagers brabbelten Becki und Tatjana aufgeregt durcheinander, dann johlte Nils: «Highscore, ihr Versager!»

«Nee», sagte ich schließlich. «Wir bleiben wohl hier.»

«Bei uns ist es gerade richtig schön gemütlich. Wir sitzen hier alle zusammen und ...»

«Vermisst du Papa eigentlich?»

Stille. Mein Herz klopfte bis in meinen Hals. Von ihrem Schreibtisch aus, über Papiere gebeugt, schielte die Polizistin zu mir herüber. Das Surren der Neonröhren wurde lauter.

«Was meintest du?», fragte meine Mutter dann. «Die Kinder waren eben so laut.»

Keuchend setzte ich mich auf und presste meinen Rücken gegen die Stuhllehne, bis ich meine Wirbel spürte. An das Handy geklammert, wiederholte ich: «Ob du Papa vermisst.»

Erst nach einem erneuten Moment des Schweigens flüsterte meine Mutter: «Immer.»

Ich schluckte. Zum ersten Mal hatte ich das Gefühl, nicht nur mit der Fassade meiner Mutter zu sprechen, sondern wirklich mit dem Menschen in ihr.

«Aber ... aber hast du nicht manchmal Lust, einen neuen Kerl kennenzulernen? Du bist immer so alleine.»

«Ich habe doch die Kinder und die Jungs. Und meine ganzen Frauen vom Kegelverein.»

«Ja, na ja, aber einen Kerl, meine ich. Das ist doch was anderes.»

«So was brauche ich nicht mehr, Ina. Ich hatte doch deinen Vater.»

«Willst du denn alleine sein?»

«Ina, weißt du ...», fing sie zögerlich an. «Ich bin ...»

«Omma, gib mal Ina», hörte ich Beckis Stimme, gefolgt von Tatjanas energischem: «Ohhh! Maaaaaaah!»

«Boah, geh doch einfach kacken, du Doof!»

«Becki! Red nicht immer so mit deiner Schwester!»

«Aber Omma, ich ...»

«Nee, mal nix hier mit Omma jetzt! Abflug. Aber zackig!»

«Nu' lass doch die Mädchen», maulte meine Oma aus dem Hintergrund. «Hier, Kinners, nu' esst doch ersma noch 'n paar Schokotaler.»

Stöhnend fragte meine Mutter: «Entschuldige, Ina. Wo waren wir?»

«Wegen Alleinsein. Weil du immer ...»

«Ina, ich bin wirklich nicht alleine.» Anschließend holte sie tief Luft und fragte: «Du bist alleine, oder?»

Es fühlte sich an, als hätte sie mir die Kleider vom Leib gerissen. Außerdem klang es, als habe sie jenen Satz schon jahrelang geprobt. Hinter meinem Zwerchfell spürte ich wieder dieses Zittern. Zu allem Überfluss hatte ich auch noch eine Ahnung jenes Pfeifens in den Ohren, und die Welt verlangsamte sich.

«Ina?»

«Hast du Papa geliebt?», fragte ich. «So richtig?»

Für einen Augenblick nahm ich nur ihren Atem wahr, aber schließlich sagte meine Mutter: «Kind, ich habe gerade richtig Angst um dich.»

Ihr Ton ging mir durch und durch.

«Ich bin irgendwie doch voll das Mädchen.»

«Du bist eine wunderschöne, starke, junge Frau!», sagte meine Mutter. Dabei klang sie wie früher, wenn sie mich aus den obersten Ästen eines Baumes herunterbeordert hatte. «Ich bin stolz auf dich, auch wenn ich nicht so richtig verstehe, was du eigentlich immer treibst. Du erzählst ja nie was. Aber du musst mir jetzt sofort sagen, was gerade los ist.»

«Alles gut, Mama.»

«Sag nicht ‹Alles gut, Mama›!», protestierte sie. «Es ist offenbar nicht alles gut. Halt mich doch nicht für blöd.»

«Entschuldige, ich bin einfach nur ... mir gehen die Männer gerade auf den Sack.»

«Männer?», fragte meine Mutter. «Hast du Liebeskummer?»

«Liebeskummer», wiederholte ich nur.

«Ja, kann doch sein.»

«Mädchen haben Liebeskummer, bei mir ...»

«Du hast Liebeskummer!», befahl meine Mutter. «Ich schicke jetzt sofort Jan vorbei, um dich abzuholen», sagte sie und blökte: «Ja – han?!»

«Mama, ich ...»

«Wo wohnt Henning denn? Gib mir mal seine Anschrift.»

«Ich bin nicht bei Henning. Ich ... ich sitze hier auf einem Polizeirevier.»

«Polizeirevier?»

«Erkläre ich später. Alles halb so wild. Irgendwie.»

«Gut, ja ... aha, dann holt Jan dich eben da ab.»

«Kann Nils nicht bitte kommen?», fragte ich.

«Nils?», lachte meine Mutter. «Es ist Weihnachten. Guck mal auf die Uhr. Der ist schon wieder lattenstramm und lässt die Kinder nicht an die Videospiele. Ich hole mal Jan her, und du erklärst ihm, wo du bist.» Abschließend nuschelte sie: «Und ich stelle schon mal den guten Obstler für uns raus.»

«Du trinkst Obstler?»

«Ach, Kind, bitte!»

23:51 Uhr

«Ist die gebrochen?», fragte Jan. «Und warum hast du dir die Haare gefärbt?»

Ich nahm die Perücke ab und warf sie in den Fußraum seines Autos. Der Geruch von Öl zog mir in die Nase.

Obwohl ich mich gleich ein wenig mehr zu Hause fühlte, fragte ich: «Können wir jetzt bitte nicht reden?»

Die Innenbeleuchtung schaltete sich aus. Wortlos fummelte Jan an der Lüftung herum. Im bläulichen Schimmer des Armaturenbretts konnte ich nur die Konturen seines Gesichts erkennen.

«Wir haben in letzter Zeit ja nicht mehr so viel miteinander zu tun», sagte er dann. «Aber ich bin jetzt nicht der spießige ältere Bruder, oder? Es ist halt so ... ich weiß immer gar nicht, worüber ich mit dir reden soll. Ich habe keine Ahnung von Filmen und solchen Sachen. Ich sitze immer nur da wie der letzte Horst, wenn du mal zum Kaffeetrinken kommst, und ... na ja.» Ohne mich anzuschauen, knetete er das Lenkrad. «Ich finde dich halt cool. Du wohnst in der Stadt, machst immer so dein Ding, hast Ahnung von ... von irgendwie so Zeug eben, und ich dümple mit Frau und Kind auf dem Dorf rum. Ich meine, das ist auch toll, klar, aber ich habe immer Angst, dass du mich für das totale Landei hältst.»

Seitdem ich mich von meiner Mutter verabschiedet hatte, spürte ich unverändert jenes Zittern in mir. Nun pulsierte es bis unter meine Fingernägel. Inzwischen war ich nicht mehr sicher, wie viel Ehrlichkeit ich tatsächlich von meinen Mitmenschen brauchte, wenn sie mich jedes Mal zum Heulen brachte. Schniefend gab ich Jan einen Kuss auf die Wange.

«Weinst du?», fragte er.

«Ist so eine neue Marotte von mir», sagte ich und wischte eine Träne von der Schiene. «Gerade voll der coole Trend bei mir in der Stadt.»

«Wenn dich irgendein Typ verarscht hat, kann ich dem so dermaßen die Fresse polieren. Musste nur Bescheid sagen.»

«Irgendwie habe ich mich selbst verarscht.»

Zärtlich kniff Jan mir in den Oberschenkel. «Dir kann ich auch die Fresse polieren.»

«Danke, hab schon», sagte ich. «Lass mal bitte losfahren.»

Jan startete den Wagen. In der nächsten Sekunde schwallte Phil Collins aus den Boxen. «Hörst du so was? Habe ich gerade neu.»

«Knorke.»

Eine Weile fuhren wir still durch die Dunkelheit, aber nach dem dritten Lied kicherte Jan: «Ich war gestern übrigens auch im Piano. Vielleicht hat Henning uns doch ein paar Details zu viel anvertraut. Wollen wir morgen nach dem Frühstück einen Spaziergang machen?»

Grinsend boxte ich ihm gegen die Schulter.

Ein Quantum Trost

Für gewöhnlich fühlten sich die Umarmungen meiner Mutter wie Würgegriffe einer emotional labilen Boa constrictor an, aber diesmal war ich diejenige, die nicht losließ. Ich konnte mich nicht erinnern, wann ich sie zum letzten Mal derartig lange berührt hatte.

«Hast du gar nichts dabei?», fragte sie, meine Schultern rubbelnd.

«Entschuldige», sagte ich und schlüpfte in meine unerwartet kuscheligen Pantoffeln. «Ich habe irgendwie keine Geschenke gekauft, weil ich ...»

«Ach, das meine ich doch nicht. Schlafsachen oder so.»

«Habe ich vergessen. Tupperschalen auch.»

«Ist ja auch egal. Ich habe die anderen eben alle weggeschickt, damit wir Ruhe haben, und Jan fährt jetzt noch Oma nach Hause.» Damit wandte sie sich an ihn: «Bleib noch mal kurz bei ihr und guck, ob sie alleine ins Bett kommt, ja? Wie immer.»

Im Wohnzimmer roch es nach Tannennadeln und Kerzen, kaltem Fondue und Zigarettenqualm. Schriller als der Weihnachtsbaum hat sicherlich nicht mal Elton John zu seinen besten Zeiten geglitzert. Über den Teppich verstreut lagen Geschenkpapierfetzen und Spielzeug, und auf dem Tisch stapelte sich benutztes Geschirr.

«Hast du noch gar nicht aufgeräumt?», fragte ich.

«Doch nicht an Heiligabend.»

Vom Schaukelstuhl aus lächelte mich meine Oma mit einem Gläschen Obstler in der Hand an. «Was hast du denn mit deiner Nase angestellt?»

«Sei doch nicht immer so neugierig», sagte meine Mutter. «Jan bringt dich jetzt nach Hause.»

«Wie?», fragte meine Oma. «Jetzt, wo es interessant wird?»

«Mutti!»

«Ja, nu', die ganze Zeit das Rumgetobe von den Kindern und irgendein Gerede über die Werkstatt und Autos, und jetzt willste mich abschieben?»

«Ina und ich wollen uns mal unterhalten.»

«Und nächstes Jahr hocke ich in irgendeinem Heim mit den ganzen alten Leuten oder was?» Angewidert stellte meine Oma ihr Glas auf den Tisch. «Oder hast du mir gleich Arsen in den Obstler gekippt, damit du endlich Ruhe hast?»

«Komm mal, Oma», sagte Jan und schob ihr den Rollator hin. «Erzählen die beiden dir morgen alles. Ich hau ja auch ab.»

Ungelenk erhob sich meine Oma. «Wie ein alter Hund werde ich hier behandelt, Ina.»

«Ich kann das nicht mehr lange», sagte meine Mutter leise.

«Musste ja auch nicht», sagte meine Oma. «Geld für die Beerdigung habe ich gespart, kostet dich schon nichts, da mach dir mal keine Gedanken.»

Jan hielt ihr die Tür zum Flur auf. «Lass mal gut sein, Oma.»

«Du machst das schon alles richtig, Ina!», rief sie noch. «Mit solchen Leuten würde man auch gar nichts zu tun haben, wäre man nicht verwandt mit denen.»

Als die Haustür ins Schloss gefallen war, setzte meine Mutter sich in den Schaukelstuhl.

«Wenn ich bloß wüsste, wo man Arsen herkriegt», nuschelte sie und kippte den Obstler herunter. «Du brauchst bestimmt auch einen, was?»

Ich nahm in meiner Stammecke des Sofas Platz. «Was ist denn mit Oma los?»

«Die meint das nicht so.»

«Ist sie öfter so drauf?»

«Nur jeden zweiten Tag.» Nachdem meine Mutter uns eingeschenkt hatte, tranken wir. «Letzte Woche ist ihre beste Freundin gestorben. Die Beerdigungen, zu denen wir gehen, werden immer übersichtlicher. So langsam ist sie mal an der Reihe. Jetzt hat sie noch was getrunken, und dann ist alles noch ein bisschen schlimmer. Aber was soll ich machen? Ist halt meine Mutter.» Ihrem Blick ausweichend, nickte ich vor mich hin. «Erinnerst du dich noch an Oma Irmchens Beerdigung? Und die tolle Rede von deinem Vater?»

Ich schmunzelte. «Was die alle doof geguckt haben.»

«Der hat aber auch immer Sachen rausgehauen.» Gedankenverloren schaute meine Mutter die mit Familienfotos zugepflasterte Wand hinter mir an.

Nach der Beisetzung meiner Oma väterlicherseits waren wir zum Leichenschmaus in der Fußballklause gewesen. Obwohl die betroffene Stille bereits in Getratsche umschlug, ging es meinem Papa offenbar nicht schnell genug.

«Noch mal danke, dass ihr gekommen seid», sagte er und erhob sich mit einem Schnaps in der Hand. «Irmchen hätte sich bestimmt gefreut, euch noch mal alle zu sehen. Ich bin ja nicht so der Redner, aber ...» Abwesend schaukelte er das Gläschen hin und her. «Scheißegal», sagte er dann. «Wenn ich mal den Löffel abgebe, will ich auf jeden Fall einen Grabstein in Thekenhöhe mit eingelassenem Grill. Kommt ihr alle immer zum WM-Finale vorbei, was?» Mit ausgestrecktem Ellenbogen stürzte er den Korn herunter, bevor er in die mucksmäuschenstille Runde lachte.

Langsam drehte sich die Pyramide auf dem Wohnzimmertisch. Die Kerzen waren fast heruntergebrannt.

«Was ist denn jetzt mit dir und den Männern?», fragte meine Mutter und schenkte uns einen weiteren Obstler ein. Erstaunlicherweise wirkte sie weder neugierig noch übertrieben besorgt, sondern einfach interessiert.

«Kann ich mal ganz direkt sein?», fragte ich.

«Direkt sein ist wichtig», sagte sie und stieß ihr Glas gegen meines. «Haben wir dir doch beigebracht.»

Runter, Prinzessin, die Hosen, sie müssen!, hatte ich Yodas weise Worte im Ohr. Ich leerte den Obstler. Anschließend ließ ich meine Mutter sozusagen einen Blick in meinen roten Karton werfen und machte mir nicht ansatzweise die Mühe, den Wust aus Anekdoten und Erinnerungsfetzen familienfreundlich zu verpacken. Ehrlich und geradeaus. Um mehr geht's doch nie! Erstaunlicherweise unterbrach sie mich kein einziges Mal. Stattdessen brummte sie gelegentlich und lachte sogar an den richtigen Stellen.

«Na, holla, die Waldfee!», sagte sie irgendwann. Inzwischen hatte ich mich ausgestreckt wie auf der Couch eines Psychiaters. Gerade als ich befürchtete, sie würde doch zu einer

Moralpredigt ansetzen, fragte sie: «Aber du verheimlichst mir kein viertes Enkelkind, oder? Dann wäre ich schon sauer.»

An einem Spekulatius knabbernd, grinste sie mich an. Obwohl ich einen völlig fremden Menschen vor mir zu haben schien, fühlte ich mich ihr näher als jemals zuvor. Jahrelang waren wir uns in Superheldenkostümen begegnet, um unsere wahren Identitäten zu verbergen. Nun saßen wir uns auf einmal nicht mehr als Batman und Iron Man gegenüber, sondern einfach als Bruce Wayne und Tony Stark.

«Was für Männer magst du denn eigentlich?», fragte sie. «Du hast ja irgendwann kaum mehr einen mitgebracht.»

«Das waren auch alles Nulpen.»

«Ach, dieser eine war doch ganz nett. Dieser, der irgendwie aussah wie ein Engländer?»

«Kalkleichenthomas.»

«Ina!», lachte meine Mutter.

«Der war so dermaßen bleich. Und dann auch noch diese Sommersprossen auf den Armen und ... sonst wo. Und so richtig schlau war der auch nicht. Den habe ich mal ins Solarium geschickt, damit er ein bisschen Farbe kriegt. Er geht da dann auch drei-, viermal hin, aber bis auf einen Hauch Rot am Rücken tut sich nichts. Irgendwann sitzen wir vor der Glotze, zappen rum und sehen auf irgendeinem Sender jemanden, der sich auf eine Sonnenbank legt und den Deckel runterzieht. Da guckt Thomas mich total aufgeregt an und fragt: Kann man die in unserem Studio etwa auch zumachen?»

Kichernd zwirbelte meine Mutter eine Haarsträhne um ihren Zeigefinger. Auf einmal war es kein Zeichen mehr von

Besorgnis oder eines unterdrückten Vorwurfs, sondern lediglich ein Tic. Ein niedlicher Tic noch dazu.

«Und magst du mir erzählen, was jetzt gerade bei dir los ist?», fragte sie. «Weshalb warst du denn auf einem Polizeirevier?»

«Also ...», setzte ich an.

Gegen kurz vor zwei war ich in der Gegenwart angelangt. Meine Mutter schob sich einen Dominostein in den Mund.

«Die beiden Jungs ...», fing sie kauend an, korrigierte sich aber: «Die beiden Männer müssen erfahren, was diese Jeannette da veranstaltet hat. Und vor allem Hennings Freundin.»

«Henning ist das egal.»

«Aber das kannst du nicht so stehenlassen, Ina. Egal, was er will. Ruf doch diese Jeannette gleich mal an.»

Ihr Vorschlag kam in meinen Top Ten sinnloser Ideen direkt nach dem Entschluss dieser Amerikanerin, sich mit Anfang achtzig die Titten vergrößern zu lassen. Genauso gut konnte man einem Auto auf dem Weg zum Schrottplatz noch schnell einen Spoiler dranschrauben.

«Auf keinen Fall», sagte ich. «Jeannette arbeitet sowieso über die Feiertage.»

«Am besten müsste man die irgendwie dazu kriegen, das alles zuzugeben.»

«Das macht die nie.» Schnaufend rollte ich mich auf die Seite. «Jetzt wünschte ich echt, ich wäre Robocop. Dann könnte ich denen allen meinen Erinnerungsspeicher vorspielen, damit sie sehen, was Jeannette für eine durchtriebene Schlampe ist.»

«Robocop?»

«Officer, Alex, Murphy», antwortete ich in meiner Roboterstimme. «Und dann würde ich meine Wumme ziehen und Jeannette so dermaßen ...»

«Ina! Gewalt ist doch keine Lösung.»

«Nicht, wenn man der Schwächere ist», raunte ich.

«So ganz verstanden habe ich das alles aber auch noch nicht. Bist du denn in einen von den beiden verliebt?» Ich zuckte mit den Schultern. «Ach, so was weiß man doch. Bei deinem Vater wusste ich das gleich, als er damals angehalten hat.»

«Als er angehalten hat?»

«Na, ich stand doch an der Straße.»

Ungläubig schaute ich meine Mutter an. Ich hoffte inständig, dass sie mir nun nicht von ihrer vorehelichen Karriere als Bordsteinschwalbe berichten würde.

«Ich dachte, ihr habt euch in Opas Werkstatt kennengelernt.»

«Na ja, fast», sagte sie. «Ich bin doch damals im strömenden Regen mit meinem Käfer liegengeblieben. Da hatte ich gerade erst ein halbes Jahr den Führerschein. Das war so ein Juligewitter, und ich hatte nur ein dünnes Sommerkleid und Trittchen an. Ich stehe also an der Straße, halte mir eine Zeitung über den Kopf und versuche, die vorbeifahrenden Autos heranzuwinken, aber die fahren alle weiter. Bestimmt zwanzig Stück. Irgendwann hält dann einer an, steigt aus und kommt ganz gemächlich auf mich zuspaziert, als wenn ihn der Regen nichts angeht. Die Hände hat er in den Hosentaschen, und die Haare hängen ihm ins Gesicht. Damals hatte er ja noch Haare, und diesen Schnurrbart, Gottogott! Sein

Hemd hatte er fast bis zum Bauchnabel aufgeknöpft, und dazu hatte er so eine ölverschmierte Jeanshose an. Ich dachte nur: Du liebe Güte, was für ein Mannsbild! Dabei war er da erst einundzwanzig. Einundzwanzig, Himmel, waren wir mal jung. Dann lächelt dein Vater mich an und sagt mit diesem Ton ... weißt du, mit diesem Ton halt in seiner Stimme: Nasses Kleid steht dir! Das war so toll, Ina.» Ich war baff. Offenbar gab es den guten alten Fickregen also tatsächlich! «Damals hatte ich kein Gramm Fett am Körper», fuhr meine Mutter fort und massierte eines ihrer Speckröllchen. «Und was ich für einen Hintern hatte, da hat der ganze Fußballverein draufgeguckt, wenn wir ...»

«Mama!»

«Was denn?», lachte sie. «Ich war mal der heißeste Feger hier im Dorf. Das glaubt man heute gar nicht mehr. Aber ich habe keinen anderen rangelassen. Nie!» Einen Augenblick schwiegen wir, bevor sie fragte: «Wollen wir uns Fotoalben angucken?»

«Morgen, Ini.»

Verschlafen rieb ich mir durchs Gesicht. Neben mir lagen Becki und Tatjana in meiner ausgewaschenen Snoopy-Frotteebettwäsche.

«Hallo, ihr Süßen», gähnte ich. «Frohe Weihnachten.»

«Warum bist du traurig?», fragte Tatjana.

«Menno, ey!», machte Becki. «Omma hat gesagt, wir sollen nicht fragen!»

«Oh! Maaaah!»

«Kackegal! Du bist zu klein! Du checkst das alles gar nicht.»

«Checke ich wohl.»

«Was fragste dann so bescheuert?»

«Ini», wandte sich Tatjana wieder an mich, «wollen wir ein Video drehen?»

«Boah, jetzt lass die doch gefälligst erst mal traurig sein!»

Tatjana machte einen Schmollmund. «Wie lange noch?»

Nun schaute auch Becki mich abwartend an. Unten in der Küche hörte ich meine Mutter wirtschaften.

«Erst mal wach werden, ja? Was gibt es denn zum Mittag?»

«Fondueresté in Soße», sagte Becki.

Allein der Geruch des Gulaschs machte mich pappsatt. Auch die Kinder stocherten lustlos in ihrem Essen herum. Um mein Erwachsensein unter Beweis zu stellen, schob ich einen randvollen Löffel in meinen Mund.

Betont beiläufig sagte meine Mutter: «Erzählt Ini doch mal vom Jazzdance», und sofort plapperten die Kinder begeistert durcheinander.

«Stoppstoppstoppstoppstopp!», unterbrach ich sie. «Ich dachte, ihr wolltet da nicht hin?»

«Ach, wir wissen doch nie, was gut für uns ist», sagte Becki, und in nicht minder altklugem Tonfall fügte Tatjana hinzu: «Uns muss man doch immer zu unserem Glück zwingen.»

Meine Mutter warf mir einen vielsagenden Blick zu. Ich musste an Henning denken. Abwesend kaute ich vor mich hin.

«Hast du überhaupt Hunger?», wollte meine Mutter wissen.

Kurz zögerte ich, bevor ich mit vollem Mund sagte: «Nicht so richtig.»

«Ich auch nicht», sagte meine Mutter erleichtert. «Ich habe mir nur was genommen, damit du nicht alleine essen musst. Ich hatte gestern so viel Süßes, mir ist immer noch schlecht.» Damit erhob sie sich und räumte unsere Teller ab. «Lass uns das mal in Zukunft immer so machen. Wenn man keinen Hunger hat, muss man auch nichts essen, ja?»

«Brillante Idee», hörte ich mich sagen.

«Video!», rief Becki.

«Glotze!», konterte ich.

«Gleich kommt ‹Drei Nüsse für Aschenbrödel›», sagte Tatjana.

«Das ist für Babys», nölte Becki.

«Och», machte ich, «lass uns das ruhig mal gucken.»

Wie aus der Pistole geschossen antwortete Becki: «Okay.»

«Danach kommt noch ‹Der kleine Lord›», sagte meine Mutter.

«Dann will ich aber auch ‹Das letzte Einhorn› sehen», sagte Becki.

Es grenzte an ein Wunder, dass das Sofa gegen sechs Uhr abends nicht komplett durchgeweicht war von unserem Rumgeheule. Im Laufe des Nachmittags waren Film und Realität miteinander verschwommen, bis ich keine Ahnung mehr hatte, weshalb ich überhaupt weinte. («Was ist mit deinen Augen? Warum kann ich mich nicht sehen in deinen Augen?!»)

Ein Haufen Einhörner schäumte an den Strand, als Tatjana

fragte: «Traurig sein ist aber manchmal auch ganz schön, oder, Ini?»

Ich streichelte ihren Nacken. Im Schaukelstuhl saß meine Mutter und tupfte sich die Wangen mit einem Taschentuch ab.

Gerade erst war der Abspann des Films angelaufen, als Becki sich aufsetzte. «Jetzt aber das Video.»

«Und das machst du dann auch mal zu deinen komischen Sachen ins Internet, ja?», legte Tatjana nach. «Damit da auch mal was Richtiges ist.»

«Kinder!», sagte meine Mutter. «Ini dreht heute keine Filme, und ins Internet kommt das schon mal gar nicht. Das ist doch peinlich. Und außerdem ...»

«Ist voll nicht peinlich, Omma. Wir haben doch geprobt!»

Widerwillig erinnerte ich mich an meine verschollene Tragikomödie «Wassermelonen ohne Hebefigur».

«Ein bisschen peinlich ist das vielleicht schon», sagte ich. «Manche Sachen muss wirklich nicht die ganze Welt ...»

In jenem Moment hatte ich einen Geistesblitz.

«Ina?», fragte meine Mutter. «Was denn?»

«Ruf mal bitte die Jungs an.»

(Musikeinspielung: James Bond Theme.)

Mission: Impossible

«Herr Meier, wenn ... wenn Sie Ihre PIN nicht kennen, kann und darf ich leider nichts für Sie tun», stotterte Jeannette. «Ich könnte höchstens aus Sicherheitsgründen Ihre VISA-Karte sperren lassen, um Missbrauch zu ...»

«Die Scheißkarte ist doch weg!», bollerte Nils.

«Ja, aber ...»

«Ich habe keinen Cent mehr in der Tasche. Soll ich jetzt Weihnachten hier auf dem Flughafen pennen? Sie müssen doch jemanden kontaktieren können, der meine Karte aus dem Automaten holt.»

«Wir haben keine Kontakte zu australischen Banken.»

Kichernd saß ich neben Nils im Büro und lauschte, als handelte es sich um eines meiner Kinderhörspiele. Jeannette war die Panik deutlich anzumerken. Anstatt über seine Adressdaten herauszufinden, ob es jenen Herrn Meier aus Berlin tatsächlich gab, versuchte sie sofort, Nils abzuwimmeln. Vorsichtshalber regelte ich die Lautstärke der Mithöranlage herunter, damit Jeannette den Braten nicht gegebenenfalls roch. Ich legte meine Hand auf Nils' Arm und lenkte seinen Blick auf den Monitor des Computers.

Ruhiger werden, soufflierte ich über ein Textprogramm. *Wie lange muss sie arbeiten?*

«Tut mir ja leid, dass Sie heute im Callcenter sitzen», sagte Nils. «Wie lange müssen Sie denn noch?»

«Bis elf.»

«Aha», sagte er mit geballter Becker-Faust. Ich konterte mit dem Schumi-Daumen. «Wissen Sie, ich bin langjähriger zufriedener Kunde in Ihrem Haus», fuhr Nils fort. «Sie können mich doch hier nicht hängenlassen.»

«Sie müssen bitte verstehen, Herr Meier, dass ...»

«Ich muss gar nichts verstehen! Sie wollen mir nicht helfen, und ...»

«Einen Moment, bitte, ich stelle Sie zu meinem Vorgesetzten durch.» Ohne weitere Erklärungen drückte Jeannette ihn in die Warteschleife.

«Darf die echt nichts für mich machen?», fragte Nils.

«Datenschutz», antwortete ich. «Du könntest ja sonst wer sein.»

«Scheiße», raunte Nils und verschmolz mehr und mehr mit seiner Rolle. «Dann bin ich ja gerade echt voll am Arsch.»

«Pass auf», sagte ich, «der Teamleiter fragt dich gleich zuerst bestimmt nach deiner Anschrift. Gar nicht drauf eingehen. Geht ja nur darum, zu gucken, welcher Teamleiter da ist und wie lange er arbeitet. Motz einfach nur über den Service und ...»

«Schönen guten Abend, mein Name ist Karsten Kronenbergh.»

«Abend?», reagierte Nils sofort. «Es ist vier Uhr nachmittags. Ich bin in Melbourne, Sie Arschgeige!»

«Herr Meier, ja, ich verstehe Ihre Situation», setzte Karsten zur üblichen Deeskalationstechnik an. «Sagen Sie mir doch bitte mal Ihre ...»

«Ich habe eine Frau und zwei kleine Töchter.» Oscarreif

raufte Nils sich die Haare. Es war Method Acting par excellence. «Ich wollte wenigstens einen der Feiertage zu Hause verbringen, bevor ich weiter nach Singapur muss. Können Sie nicht was von meinem Geld auf ein Konto hier überweisen, an das ich jetzt rankomme?»

Bemüht, ruhig zu bleiben, sagte Karsten: «Herr Meier, ich glaube Ihnen natürlich, dass Sie Herr Meier sind, aber wir können es nicht überprüfen. Angenommen, Sie sind ein Nachbar, mit dem Herr Meier Streit hat, Herr Meier, und wollen ihm eins auswischen, lassen seine Karte sperren und geben uns dann den Auftrag, Geld auf ein ausländisches Konto zu überweisen. Das Geld sieht Herr Meier doch nie wieder. Deswegen ...»

«Mein Nachbar und ich sind Skatbrüder!», brüllte Nils.

Reicht, tippte ich. *Wie lange muss er arbeiten?*

Inzwischen war Nils komplett zu Herrn Meier mutiert und ignorierte mich. Wutschnaubend erhob er sich.

«Einer meiner besten Freunde schreibt für ein bedeutendes deutsches Nachrichtenmagazin!», behauptete er. «Wenn Sie nicht wollen, dass diese Sache mit Ihrem Namen an die Öffentlichkeit geht, dann ...»

«Herr Meier, Sie ...»

«Ich weiß, wie ich heiße!»

«Ja, Herr ... ich möchte ja nur, dass ...»

«Das wird 'ne Mörderstory im Spiegel!»

«Im Spiegel?»

«Ich versuche jetzt irgendwie ein Hotel zu finden, ansonsten rufe ich später noch mal an. Wie lange arbeiten Sie denn?»

«Bis dreiundzwanzig Uhr.»

«Gut. Eventuell melde ich mich später noch mal. Und dann gnade Ihnen Gott!» Nils wollte schon auflegen, da riss er sich den Hörer erneut ans Ohr und zischte: «Da hast du dir ein mächtiges Ei gelegt, Baby!»*

Energisch knallte er den Hörer auf und ließ sich in seinen Stuhl fallen. Einige Sekunden gaffte ich ihn an, bevor ich liebevoll in seine Schulter biss.

«Mann, war ich gerade sauer», sagte Nils. «Wie in diesem einen Film, wo De Niro den einen Typen so fies mit einem Kuli absticht.»

Er schnappte sich einen Stift und hackte ihn spielerisch in meinen Hals. Ich zog die Schultern hoch.

«Das war Joe Pesci!», rief ich. «Und in dem Film wird dreihundertneunundachtzigmal Fuck gesagt.»

«Fuckegal!», sagte Nils und küsste meine Schläfe. «Und nu'?»

«Nu' geit dat los.»

Ihre Ellenbogen auf den Lehnen der Vordersitze abgestützt, lehnte meine Mutter sich vor. «Also noch mal», sagte sie. «Jan und ich gehen zum Pförtner rein, und ich meckere so lange, bis dieser Karsten runterkommt. Ich bin Frau Meier und behaupte, dass mein Sohn in Australien festsitzt und er gefälligst was machen muss. Jan, du bist sein Bruder und übernimmst, falls mir nichts mehr einfällt.»

* **Zitat: Kiefer Sutherland, Stand by Me (1986).**

«So was kann ich wirklich nicht, Mama», beteuerte Jan zum wiederholten Male. «Kann Nils das nicht ...»

«Und wenn der Teamleiter seine Stimme erkennt? Du hast doch schon mal Theater gespielt.»

«Ich war ein Brett vom Stall beim Kindergottestdienst! Da habe ich doch nur wie Falschgeld dagestanden und ...»

«Schnickschnack!», fiel ihm meine Mutter ins Wort. «Ihr macht jetzt einfach mal, was ich sage.»

Es war derselbe Tonfall, in dem sie uns dazu verdonnert hatte, uns bei der Nachbarin zu entschuldigen, weil wir ihren Tulpen mit einer Zwille die Blüten abgeschossen hatten.

Ebenso wie damals machte Jan: «Nnnnjagut.»

«Ich weiß nicht, wie lange wir das durchhalten», wandte sich meine Mutter an mich. «Musst dich beeilen. Nils, du wartest hier.»

Schnippisch fragte der: «Mit laufendem Motor?»

Wir standen auf dem Parkplatz einer Videothek gegenüber dem Callcenter. Auf dem Rücksitz wackelte Becki zwischen Jan und meiner Mutter von einer Backe auf die andere. Tatjana hatten wir unter herzzerreißendem Geheule zu Hause gelassen. Von einem Poster im Schaufenster aus warf Tom Cruise mir einen todesmutigen Blick zu.

«Nicht mit rumspielen!», sagte meine Mutter und gab Becki ihr Handy.

«Schon klar, Omma.»

«Sobald dieser Karsten unten ist, schickst du Ina eine SMS auf Nils' Handy und dann noch eine, wenn er wieder raufgeht», fuhr meine Mutter fort. «Nils, gib Ina das Ding mal.»

Nils schaltete sein Handy auf Vibrationsalarm, bevor er es mir reichte. «Meint ihr, dass das klappt?»

«Na ja, es heißt ja ‹Mission: *Impossible*›», antwortete ich, «und nicht ‹Mission: *Pretty Difficult*›.»*

Wir stiegen aus. Um mich aufzuwärmen, hüpfte ich von einem Bein auf das andere und verpasste einer imaginären Jeannette mehrere rechte und linke Haken.

«Willst du nur die Trainingsjacke anlassen?», fragte meine Mutter. «Das ist doch zu kalt.»

«Sportlich isses», sagte ich und knockte Jeannette mit einem Roundhouse-Kick unters Kinn aus. Jean-Claude Van Damme, dachte ich. Der wäre ich lieber!

«Nee, das geht so nicht, Kind.» Damit öffnete meine Mutter die Autotür und kramte einen Wintermantel unter dem Beifahrersitz hervor. «Hatte doch gesagt, dass ich dir so was kaufe», sagte sie und entfaltete ihn. «Urban Parka nennt man das. Ist ein bisschen robuster. Dachte, so was magst du. Und das da an der Kapuze ist auch kein echtes Fell, das sieht nur so aus. Kann man auch abmachen.»

«Danke, Mama», sagte ich und schlüpfte in die Jacke. «Das ist natürlich besser.»

«Auf geht's!», sagte sie und zog Becki hinter sich her.

Bevor er ihnen folgte, hob Jan eine Hand zu Mr. Spocks Vulkanier-Gruß. Anstatt aber «Lebe lang und in Frieden!» zu sagen, zitierte er «Krieg der Sterne»: «Möge die Macht mit dir sein, junger Jedi.»

* **Zitat: Tom Cruise im David-Letterman-Interview.**

Ich ließ es unkommentiert.

Nachdem die drei im verglasten Foyer verschwunden waren, zog ich meine Kapuze über und lief los. Endlich Hauptdarstellerin eines Actionfilms! Adrenalin pumpte durch meinen Körper, und in meinem Schädel wummerte ein treibender Schlagzeugrhythmus. Um vom Pförtner unbemerkt das Gebäude zu betreten, konnte ich nur den Hintereingang nehmen, wofür ich aber erst auf den Parkplatz des Callcenters gelangen musste. Die einzige Möglichkeit, dorthin zu kommen, ohne die ebenfalls bewachte Autoschranke zu passieren, führte über die Mauer der benachbarten Tischlerei. Anschließend musste ich mich im Schutze von Büschen an den Eingang heranpirschen, um den Überwachungskameras zu entgehen.

Erkenntnis Nummer 1: Wenn man nicht gerade hinüberklettern wollte, wirkte die Mauer deutlich niedriger. Erfolglos versuchte ich, mich an ihr hochzuziehen. Ich war wie eine dieser Kröten, die bei der alljährlichen Wanderung an den von fürsorglichen Tierschützern aufgebauten Pappwänden scheiterten. Ächzend hing ich an den Steinen. Wenn das Tom Cruise sehen könnte! Um Höhe zu gewinnen, wuchtete ich drei Holzpaletten übereinander, hüpfte auf ihnen herum und warf ein Bein in die Höhe, bis ich rittlings auf der eiskalten Mauer saß. Unter dem Knacken von Ästen landete ich in einem Busch auf der anderen Seite.

Erkenntnis Nummer 2: Es waren Dornenbüsche. Just in dem Moment summte Nils' Handy. *Der Teamleiter kommt runter!*, schrieb Becki.

Erkenntnis Nummer 3: Der Abstand zwischen Mauer und Gebüsch war nicht halb so groß wie erwartet. Mit einer Schulter schabte ich am Gestein entlang, während mir von der anderen Seite Zweige durchs Gesicht schmirgelten. Einige Meter von der Tür entfernt hielt ich inne. Mit Robocop-Vision scannte ich die Umgebung, schaltete meine Cyborg-Augen auf Nachtsicht, und der Parkplatz schimmerte grünlich. In meinen Augenwinkeln ratterten rote Zahlenkolonnen rauf und runter. Ich zoomte an die Überwachungskameras heran. Keine von ihnen war auf den Eingang gerichtet. Geduckt sprintete ich zur Tür und zückte meine Mitarbeiterkarte, schlüpfte ins Gebäude und hetzte das Treppenhaus hinauf. Sofort legte das Getrommel in meinen Ohren an Tempo zu. Schnitt auf meine über die Stufen trampelnden Schuhe. Großaufnahme der jeweiligen Stockwerknummer an den Wänden. Mein Keuchen wurde lauter. Eine Totale von unten das Treppenhaus hinaufgefilmt. Nahaufnahme meines Gesichts. Eine weitere Stockwerknummer. Meine Hand auf dem Treppengeländer. Trommeln. Keuchen. Schuhe. Gesicht. Der fünfte Stock. Abrupt stoppte die Musik. Nur das Puckern meines Herzschlags war noch zu hören, bevor es allmählich in ein unheilverkündendes Brummen überging. Ich lugte durch die Glastür, in die weitestgehend unbeleuchtete Etage. Nur an den wenigen besetzten Plätzen brannten Schreibtischlampen. Vier Kolleginnen, eine von ihnen Franziska Buttgereit, saßen um einen der Teamleitertische verteilt. Ein gutes Stück abseits von ihnen entdeckte ich Jeannette in ihrer Ecke. Nachdem ich mich durch die Tür gezwängt hatte, ließ ich sie lautlos zufallen und hoppelte in der Hocke zu ihr herüber. Wenige Schritte von Jeannette entfernt richtete ich mich auf. Sie erschrak. Sofort spürte ich *die Macht* in mir und setzte mit beiden Händen die Kapuze ab, als wäre es meine Jedi-Robe. Ich nehme jetzt Captain Solo und seine Freunde mit, ging es mir durch den Kopf. Widersetzt du dich, wird es dein Untergang sein. Du hast die Wahl, Jabba!

«Was ist denn mit deiner Nase passiert?», fragte Jeannette. Offenbar hatte Annika unsere Begegnung auf dem Klo nicht einmal erwähnt. «Und was machst du hier?», fügte sie hinzu und musterte mich skeptisch.

Einer meiner Ärmel war weiß von der Mauer, während am anderen vertrocknete Blättchen hingen. Erst jetzt fiel mir auf, dass ich mir durch die Holzpaletten einen Splitter in den Daumen gerissen hatte. Blut siffte vom Fingernagel in meine Handfläche. Kurz nuckelte ich an ihm herum, bevor ich mir einen Stuhl schnappte und neben Jeannette in den Schutz der Trennwand rollerte. Anschließend schaltete ich erst ihr Telefon auf den Status Nacharbeit und dann mich selbst von Actionheldin auf verunsichertes Mäuschen. Nervös fummelte ich an meinem Handy herum.

«Wir müssen bitte reden», sagte ich. «Ich konnte einfach nicht bis nach den Feiertagen warten und wollte das aber auch nicht am Telefon besprechen. Ich kann einfach nicht mehr. Warum hast du das alles gemacht?»

Hämisch grinsend verschränkte Jeannette ihre Arme.

«Du nervst halt», sagte sie. «Dein ganzes Gerede, diese ganze Art, immer Bier trinken, deine Scheißtrainingsjacken, immer irgendwelche Männer abschleppen, und dann auch noch die Sache mit Karsten und Matten, irgendwann reicht's auch mal.»

«Jeannette, das mit den beiden ist einfach so passiert. Und die wollten sowieso nichts von dir.»

«Und? Ich aber von denen. Geht halt ums Prinzip.»

«Hast du denn gar kein schlechtes Gewissen, dass du wirklich alle angelogen und manipuliert hast, nur um mich in die Scheiße zu reiten?»

«Püh!», machte Jeannette. «Du warst schon lange mal fällig. Und wir hätten Karsten und Matten sonst was erzählen können. Die haben sofort alles geglaubt.»

«Wissen Franziska und Claudia denn, was wirklich abgegangen ist?»

«Quatsch», kicherte Jeannette. «Franziska war halt sowieso angenervt vom Kronenbergh, weil er mit ihr Schluss gemacht hat, und Claudia macht wirklich alles, sobald sie das Gefühl hat, dass irgendjemand sie mag. Die kennt das gar nicht, dass jemand sie nicht ätzend findet, außer ihren hässlichen Kindern. Die versteht auch gar nicht, weshalb ich sie heute schon die ganze Zeit ignoriere. Guckt immer nur doof rüber.»

«Und was ist jetzt mit dir und Henning?»

«Guck an», sagte Jeannette und lehnte sich zurück. «Dir hat er das also erzählt?»

«Bist du in Henning verliebt?»

«Jetzt bestimmt nicht mehr. Das hat er versaut.»

Unverändert an meinem Handy herumspielend, fragte ich: «Aber hattest du denn keine Angst, dass er Annika das alles erzählt?»

«Henning doch nicht! Das ist doch der totale Schisser. Der sagt doch nie, was er wirklich denkt, sondern sitzt alles aus. Als er neulich mit mir Schluss machen wollte, hat er vorher drei Bier und vier Wodka gebraucht, und dann hat er auch noch gewartet, bis ich gefragt habe, was los ist und ob er das mit uns eigentlich noch will, sodass er nur noch nein sagen musste. Der liebt Annika. Der liebt die wirklich und weiß das nicht mal!

Und Annika nervt doch auch nur noch rum mit ihrem Familienscheiß. Mit der konnte man gar nicht mehr weggehen, ohne dass rumgeheult wurde. Ist auch egal, was jetzt passiert, die anderen Mädels ...»

«Die Proseccoclique?», fiel ich ihr ins Wort.

«Die anderen Mädels», wiederholte Jeannette nachdrücklicher, «die wissen das auch alles. Die haben auch keinen Bock mehr auf Annika. Die bleiben bei mir.»

«Aber ich dachte, du bist Annikas beste Freundin.»

«Bin ich ja jetzt auch wieder. Mal gucken, wann ich sie abserviere, das macht gerade irgendwie zu viel Spaß. Annika hat heute übrigens endgültig mit Henning Schluss gemacht. Per SMS. Schon gewusst?»

Ausdruckslos schaute ich Jeannette an. «Du bist schon ziemlich clever, ne?»

«Wennde meinst.»

In meiner Hosentasche summte Nils' Handy. *Der kommt wieder hoch!*, schrieb Becki. *Der ist voll hübsch!*

«Hä?», fragte Jeannette. «Wozu brauchst du denn zwei Handys?»

Nachdem ich Nils' Handy eingesteckt hatte, hob ich meines auf Jeannettes Augenhöhe, sodass sie das Display sehen konnte, und lächelte in die Kameralinse.

«Weil ich auf meinem gerade so schlecht SMS lesen kann.»

«Was?!», platzte es aus Jeannette heraus. «Hast du das etwa gerade alles gefilmt?»

«Jippiejajeh, Schweinebacke», murmelte ich. «Ich glaube, das könnte mein Meisterwerk sein.»

«Was denn ... aber ich ...?!»

«Pass auf, Jeannette», sagte ich. «Ich lade das Video gleich im Internet hoch, mache es aber erst mal nicht öffentlich. Nur Karsten und Matten kriegen den Link, und du hast ab jetzt vierundzwanzig Stunden Zeit, um mit Annika zu reden. Und das hier sagst du ihr.»

Lächelnd drückte ich ihr einen Zettel mit Instruktionen in die Hand.

Hochwohlgeborene Erzgräfin von und zu Poperzenhausen,
hier die Dinge, die du Annika sagen wirst:

1. *DU warst unsterblich in Henning verliebt und hast dich ihm eines Abends aufgedrängt, als Annika bei ihren Eltern war. Aber er hat sich NICHTS zuschulden kommen lassen.*
2. *Daraufhin habt ihr euch mehrere Male zum Reden getroffen, worauf er sich nur eingelassen hat, um die Freundschaft zwischen dir und Annika zu retten.*
3. *Weil du verletzt, verzweifelt und eifersüchtig warst, hast du ihr eingeredet, dass Henning und ICH was miteinander hätten.*
4. *Du entschuldigst dich bei Annika und sagst ihr, dass du ihr nicht mehr in die Augen schauen kannst, beendest eure Freundschaft UNWIDERRUFLICH und wünschst ihr und Henning nur das Beste, weil Henning ein wirklich unglaublich toller Kerl ist.*
5. *Du lässt dich in eine andere Etage versetzen und sprichst mich nie wieder an.*

Solltest du eine dieser Anweisungen nicht befolgen, mache ich das Video öffentlich, verschicke es anonym an den kompletten Callcenter-Verteiler und verlinke es mit deinem Namen sowie Anschrift und Telefonnummer in jedem erdenklichen Single-Forum. Gib dir Mühe. Du schaffst das!

Wünsche guten Rutsch, Schlampe!

Ohne mich nach Jeannette umzuschauen, eilte ich davon. Im Rausch des Triumphes schwebte ich regelrecht. Ich hatte gerade den Flur zum Treppenhaus betreten, als die LED-Zahlen des Fahrstuhls auf das fünfte Stockwerk sprangen. In der nächsten Sekunde würde er sich öffnen. Weder hatte ich Zeit, zurück ins Büro, noch, die Treppe herunterzuflüchten. Unter keinen Umständen wollte ich Karsten über den Weg laufen, bevor er das Video gesehen hatte, aber ich hatte keine Wahl. Ende Gelände!, durchzuckte es mich. Ich schloss die Augen.

Quietschend öffnete sich die Fahrstuhltür.

«Iiiina!», hörte ich Claudias Stimme. «Deine Feiertage sind ja wohl mal nicht so dolle, habe ich gehört, hm? Kommste doch lieber zur Arbeit, was? Dein Ex sitzt gerade unten vor der Kantine und trinkt einen Kaffee, falls du mit dem reden willst.»

An einem Schokoriegel lutschend, spazierte sie an mir vorbei. Erst wollte ich ihr die Passage vorspielen, in der Jeannette über sie gelästert hatte, aber ich empfand nur noch Mitleid.

«Alles tutti, Claudia», sagte ich. «Erzähl Jeannette mal, dass ich für dich auch einen tollen Link habe, falls sie dir nichts zu sagen hat, ja?»

Eine dämliche Mischung aus Irritation und Dankbarkeit

legte sich über Claudias Gesicht. Grübelnd gaffte sie mich an. Hatte meine Denkarbeit dem Knirschen eines Zauberwürfels geglichen, schien es bei ihr das der San-Andreas-Spalte zu sein. Nachdem sich ihre Hirnhälften erfolgreich verschoben hatten, fragte sie: «Link?» Ich nickte. «Na ja, also, wenn das jetzt so ist», murmelte sie unterwürfig, «also dann ... hm, ulkig, aber ... sag mal, bist du denn eigentlich auch bei Facebook, Ina? Weil, ich habe da ja jetzt schon hunderteinundzwanzig Freunde, sogar Florian Silbereisen, und die Fotos von meinen Jungs sind ...»

«Schick mir einfach mal eine Anfrage.»

Gerade war ich die ersten Stufen heruntergehopst, als Claudia mir hinterherrief: «Ach, hier, Ina, eine Sache noch ganz kurz! Hast du schon von Gunnar gehört?»

Ich stoppte. «Wieso? Was denn?»

«Der telefoniert ab zweiten Januar wieder ganz normal, weil er in Homer-Simpson-Krawatte zu einem Vorstandsgespräch gegangen ist, und da stand wohl irgendwie was drauf wie ‹Faulster Boss der Welt!› oder so, fand er wohl lustig, die aber nicht, und deswegen ...»

«Ich muss weiter, Claudia», sagte ich und setzte mich grinsend in Bewegung.

«Ja, ja, schon klar.»

Ich sprang zu den anderen ins Auto. «Ich liebe es, wenn ein Plan funktioniert!»

Juchzend klatschte meine Mutter in die Hände.

Mit leuchtenden Augen schaute Becki sie an. «Das war total toll, Oma, ehrlich.»

«Dieser Karsten war komplett am Ende mit den Nerven», sagte Jan. «Mama war echt unglaublich. Wie diese eine hier, ehhh … wie heißt diese eine Schauspielerin noch mal, Ina? Die mit der Nase? Und dem Gesicht?»

«Meryl Streep?»

«Genau!»

«So, wohin jetzt?», wollte Nils wissen.

«Zurück nach Hause», sagte meine Mutter, «das muss gefeiert werden.»

«Nee, Mama, ich muss jetzt zu mir und den Clip bearbeiten und hochladen.»

Auf der Stelle war ihr die Enttäuschung anzusehen. Ich setzte mich im Fahrersitz auf, beugte mich zu ihr nach hinten und drückte ihr einen Knutscher auf den Mund.

«Ich hab dich lieb, Mama», hörte ich mich sagen.

Auf der Stelle verzogen meine Brüder die Gesichter. Auch meine Mutter schaute nur verlegen beiseite. Wie man's macht, man macht es falsch! Einen Augenblick hockten wir in peinlich berührtem Schweigen beisammen.

«Scheiße, seid ihr emotionale Krüppel», sagte ich schließlich. «Darf man jetzt etwa seine Mama nicht mehr liebhaben oder was? Euch beide habe ich auch total lieb. Volle Möhre! Und dich erst mal, Becki. So richtig! Mit voll von Herzen und so, weil nämlich …»

«Jetzt mal immer langsam mit den jungen Pferden», fiel Nils mir ins Wort. «Reicht ja, wenn du dich ab jetzt nicht nur zu den Feiertagen und den Geburtstagen mal meldest. Kriegst du das hin?»

Kleinlaut sagte ich: «Auf jeden, Keule.»

Sonnenaufgang

Auf den surrenden Straßenlaternen am Wegesrand hockten Möwen. Ich trabte gleichmäßig atmend in der Dämmerung am Fluss entlang. Ab und an begegnete ich Hundebesitzern, aber der Rest der Menschheit hockte offenbar vollgefressen in seinen Stuben. Bis zum späten Nachmittag hatten sich weder Karsten noch Matten gemeldet. Weil ich Hummeln im Hintern hatte und um nicht weiterhin alle paar Minuten mein Postfach zu aktualisieren, war ich schließlich joggen gegangen. Etwa auf Höhe der Fußgängerbrücke klingelte mein Handy. Es war Henning. An eine Laterne gelehnt hielt ich inne.

«Na?», keuchte ich.

«Oh, was ist denn bei dir los? Störe ich bei irgendwas?»

«Was gibt's denn?»

«Ja, hm ... Jeannette hat bei Annika angerufen und ihr erzählt, dass ... so wirklich verstanden habe ich das alles noch nicht, aber Annika ist jedenfalls nicht mehr sauer auf dich, und ich bin auf einmal total ihr Held. Die hat sich tausendmal bei mir entschuldigt. Ey, die hat mir zur Feier des Tages vorhin sogar einen gebl...»

«Na, herzlichen Glückwunsch, ich lieg auf dem Trockenen! Bleib mal beim Thema.»

«Sorry», sagte Henning. «Wir wollen es auf jeden Fall noch mal versuchen und ... jetzt achte drauf!»

«Was denn?»

«Das glaubst du nicht.»

«Nun sag's.»

«Rate!»

«Muss ich meinen Telefonjoker setzen oder rückst du so mit der Sprache raus?»

«Okay.» Nach einer dramatischen Pause ergänzte Henning: «Wir wollen ein Kind!»

«Na, herzlichen Glückwunsch», sagte ich auf der Stelle trippelnd. «Kinder sind ja immer die beste Lösung, um eine angeknackste Beziehung zu retten.»

«Weißt du, was ich echt begriffen habe», überging Henning meinen Kommentar, «wenn man jemanden so richtig liebt, also so wirklich, dann weiß man das einfach, man spürt das irgendwie, und egal was passiert, man muss das dann durchziehen. Da muss man dann auch einfach mal erwachsen genug sein, um das zu begreifen. Man versucht vielleicht irgendwie, dieses Gefühl zu verdrängen, wenn es mal kompliziert wird, aber das bleibt einfach da, dieses Gefühl halt, das geht nicht weg! Man sucht sich das ja nicht aus, wen man liebt, sondern das ist dann eben so. Das ist wie ... wie ein Geschenk, und man ...»

«Hast du über die Feiertage ‹Der Kleine Prinz› gelesen oder was?», unterbrach ich ihn.

Henning grunzte nur. «Hat sich mit dir und den beiden Kerlen was ergeben?»

Ein Krampf zog sich an der Rückseite meines Oberschenkels hinauf. Meinen Hintern massierend, schaute ich zum Ufer hinüber. Von der Brücke fiel der Schein einer Laterne wie ein

Spotlight auf die Stelle, an die ich mich mit Matten geträumt hatte. Sofort hatte ich das Knistern des Lagerfeuers und seine Stimme im Ohr. *If this world makes you crazy, you call me up, because you know I'll be there. And I see your true colors, shining through, I see your true colors, and that's why I love you, so don't be afraid, to let them show.* Ich war drauf und dran mitzusingen, als mir jemand auf die Schulter tippte. «Wollen wir vor dem Phil-Collins-Konzert noch Schnitzel essen gehen? Mit Ketchup?» Karsten kramte in seinem Hip-Bag. Anschließend rückte er sich den Fahrradhelm zurecht und sagte: «Ein bisschen was muss man doch im Magen haben.» In der Ferne hockte Matten neben eingeplusterten Enten und klimperte auf seiner Gitarre.

«Ina?», fragte Henning. «Was ist denn jetzt?»

«Ich bin in Matten verknallt», hörte ich mich sagen. «Mit Mückenstichen und Dänemark und allem Pipapo.»

«Dänemark?»

«Und Günther Jauch.»

«Was?»

«Henning, ich muss weiter. Grüß Annika mal von mir, ja? Und sag ihr, dass ich ihr demnächst die Halloweensachen zurückbringe.»

«Was machst du denn Silvester? Die Proseccoclique hat vorhin geschlossen abgesagt. Feiern wir im kleinen Kreis. Kannst diesen Matten auch ruhig mitbringen, dann entschuldige ich mich auch bei ihm für die Schlägerei. Du hast das gar nicht so richtig mitgekriegt, wie ich den plattgemacht habe, oder? Also Verliebtsein jetzt mal hin oder her, aber das war schon nicht ganz so schlecht von mir, oder? Und das war auch kein Zufall! Ich hatte da voll die Technik, weil ...»

«Henning, ich melde mich vor Silvester noch mal, ja?», unterbrach ich ihn. «Und versau das nicht mit Annika.»

«Logisch!»

Auf dem Heimweg joggte ich nicht mehr. Ich rannte. Ich rannte, als würde Matten noch heute den Zug an die Westfront besteigen, um in den senfgasdurchströmten Schützengräben Frankreichs zu verrecken. Ich rannte, als blieben mir nur wenige Minuten, um mich vor seinem Choleratod tränenüberströmt von ihm zu verabschieden. Ich rannte, als könne jeden Augenblick ein Asteroid auf die Erde krachen und alles menschliche Leben vernichten. Soll heißen: Ich rannte wie ein gottverdammtes Mädchen, fühlte mich aber unglaublich nouvelle vague dabei.

Schweißüberströmt stand ich schließlich vor meiner Wohnungstür. An der Klinke hing eine Papptüte, von der aus mich ein bis über beide Ohren grinsendes Rentier angaffte. Ich fischte einen Schokoweihnachtsmann heraus, gefolgt von einer Bierflasche und einer «Citizen-Kane»-DVD. *Den hatte ich dir schon im Urlaub gekauft*, hatte Karsten auf ein Kärtchen notiert. *Ich möchte, dass wir uns noch mal kennenlernen, Ina. Habe bis zweiten Januar frei. Liebe Grüße, Karsten.*

«Frollein Maibach?» Frau Stubenrauch stand mit verschränkten Armen in ihrem Türrahmen. «Wegen neulich jetzt aber noch mal. Ich habe den Vermieter am Telefon nicht so richtig verstanden, aber ich mache das noch mal schriftlich, und dann ...»

«Für Sie», sagte ich und überreichte ihr den Schokoweihnachtsmann. Angestrengt blinzelnd schaute sie das Ding an wie eine zu Kriegszeiten geschenkte Orange. «Tut mir leid, dass Sie Weihnachten alleine sind. Wollen wir demnächst mal einen Kaffee trinken?»

Nach einem Moment des Zögerns lächelte Frau Stubenrauch, und es schien, als platze eine jahrealte Rostschicht von ihrer Haut.

«Ach Gottchen», sagte sie schließlich. «Das ist ja jetzt aber mal ... also, also das ist ja ... gerne. Klingelnse einfach mal und kommen rüber, was?»

Ebenso ratlos wie klebrig hockte ich wenig später in meiner Küche. Ich zupfte das T-Shirt von meiner Brust und überflog den Klappentext der DVD. *Der Film rollt sich immer noch auf wie ein Traum und trägt den Zuschauer entlang der mysteriösen Ströme der Zeit und des Erinnerungsvermögens, um am Ende eine reife, wenn auch zweideutige, Schlussfolgerung zu ziehen: Menschen sind die Summe ihrer Widersprüche, und es ist nicht einfach, sie kennenzulernen.*

Das fehlte jetzt gerade noch! Um zur Abwechslung auch mal zu einer reifen Schlussfolgerung zu gelangen, beschloss ich, vor der Liebesbeichte meines Lebens die Sache mit Karsten anständig zu beenden. Auf keinen Fall wollte ich es telefonisch klären. Ich musste ihm in die Augen schauen, DVD und Bier zurückgeben und eine klare Ansage machen. Von Mann zu Mann! (Sie verstehen schon.)

Frisch geduscht schaute ich an Karstens Haus empor. Nur in seinem Schlafzimmerfenster glaubte ich einen schwachen Lichtschein ausmachen zu können. Obwohl Schneeregen vom Himmel grieselte, war mir erstaunlicherweise nicht kalt. An meinen Wangen kitzelte der Pelz meines Urban Parkas. Mäntel sind ja echt mal eine praktische Erfindung!, dachte ich. Nach wie vor hatte ich keinen Schimmer, was ich Karsten sagen wollte. Sämtliche Varianten, die ich während der Bahnfahrt durchgespielt hatte, schienen ausbaufähig. «Hier ist die DVD zurück. Ich gucke jetzt nur noch noch romantische Komödien, in denen ich mich wiedererkenne. Typisch Mädchen halt. Hihihi! Übrigens sind wir beide Arschlöcher. Hau rein, Keule!» Eventuell würde ich ihm auch nur einen Kuss auf die Schläfe geben und mit erstickter Stimme und französischem Akzent hauchen: «Vergiss misch, Liebsta. Vergiss misch um deine' selbst willen!» Anschließend würde ich nicht die Treppen herunterpoltern, sondern nach und nach bis zur Unsichtbarkeit verschwimmen.

Zögerlich kreiselte mein Finger nun über Karstens Klingel, als sich die Haustür öffnete. Ein älterer Herr mit Jagdhund kam herausspaziert.

«Huch!» sagte er. «Frohe Weihnachten!»

«Selber», nuschelte ich und trat ein. Ich blickte das Treppenhaus hinauf, als wären es die Stufen zum Schafott. Mit jedem Schritt wurde ich langsamer. In meinem Magen grummelte es, als sei ich nach der zigsten Fahrt aus einer Loopingbahn gestiegen. Kurz verharrte ich vor Karstens Wohnungstür, bevor ich läutete. Nackte Füße trippelten über das Parkett.

Klimpernd wurde die Kette entriegelt, und die Tür öffnete sich. Franziska Buttgereit stand mit zerzausten Haaren und nur in Slip und T-Shirt vor mir. Am Arsch die Räuber!, ging es mir durch den Kopf.

Überrascht sah Franziska mich an. «Karsten?», rief sie dann. «Ist doch nicht das Essen. Ist für dich.»

Ein Portemonnaie in den Händen, kam er aus dem Schlafzimmer gestolpert und erstarrte in der Bewegung, als er mich bemerkte.

«Ina?! Also, ich ...»

«Soll das ein Scherz sein?», fragte ich.

«Weißt du, ich ...», stammelte er. «Das hat sich gestern nach der Spätschicht halt ergeben, aber das war jetzt auch nur mal so. Irgendwie.»

Entgeistert wandte Franziska sich zu ihm um. «Wie bitte?»

«Wirklich, Ina», sagte Karsten, ohne auf sie einzugehen. «Ist doch jetzt nicht schlimm, oder?»

Demonstrativ hob ich die Weihnachtstüte in die Höhe. «Warum hast du mir dann vorhin das Zeug an die Tür gehängt?»

«Ich dachte, du warst nur bei der Tankstelle, um Wein zu holen?», fragte Franziska.

«Ich, na ja, Ina, ich habe doch gesagt, dass ich eigentlich ganz anders bin. Das ist jetzt halt mal so passiert. Schlimm?» Obwohl Franziska vor Wut hochrot anlief, schob er hinterher: «Ich dachte, wir könnten uns jetzt halt ab und zu mal treffen. Weißt schon, was ich meine. Diese Fünf-Punkte-Geschichte aufbessern und so.»

Wortlos starrte ich ihn an. Weder war ich wütend noch

enttäuscht, ich hätte mir Karsten zum Abschied nur einen Deut weniger schmierig gewünscht.

«Vergiss es, Keule», sagte ich und drückte Franziska die Tüte in die Hand. Ich drehte mich um, machte aber auf den Hacken kehrt und holte die DVD heraus. «Geschenkt ist geschenkt», sagte ich. «Trinkt ihr mal schön Cappuccini und guckt euch ‹Rendezvous mit Joe Black› an. Irgendwie erinnert ihr mich auch ein bisschen an die beiden Hauptfiguren.»

«Ina!», rief Karsten mir noch hinterher, bevor die Tür zugeknallt wurde. In der nächsten Sekunde hörte ich Franziskas Gekeife.

Hamwasdoch!, dachte ich und trat aus dem Haus. Jetzt nur noch schnell die Sache mit der Liebesbeichte meines Lebens! Zügigen Schrittes setzte ich mich in Bewegung. Renn durch Wind und Wetter, Prinzessin! Stürm ihm durchgeweicht in die Arme! Reiß dir die Klamotten vom Leib und flüster ihm gnadenlos romantisch ins Ohr: Fickregen, Baby, Fickregen! Ich lief los. Das Grau der Stadt war umschlungen von winterlicher Dunkelheit. Herzklopfen. Regenschirme. Rückleuchten von Autos auf nassem Asphalt. G'gung! Mein Atem. Streicher. Eisiger Schneeregen auf meinen Wangen. Drama pur. Keine zwanzig Schritte später spürte ich mein Gesicht nicht mehr und winkte ein Taxi heran.

Nachdem wir einige Minuten gefahren waren, vernahm ich eine vertraute Stimme.

«Hey, Sweetheart.»

Neben mir auf dem Rücksitz hockte Johnny. Schüchtern lächelte er mich an.

«Entschuldige bitte», sagte ich und nahm seine Hand. «Ich wollte dich neulich nicht so blöd abfertigen.»

«That's alright», sagte er, ohne mich anzuschauen. «Und? Alles scheiße?»

«Das meiste. Wie immer halt.»

Johnny nickte nur vor sich hin.

«I've been thinking», sagte er dann. «Und ich habe mit Vanessa gesprochen. Wir ... wir wollen es wohl doch noch mal miteinander versuchen. Erst mal, ohne dass die Presse etwas erfährt. Sie will sich jetzt halt doch endlich die Zähne machen lassen, you know?» Leiser fügte er hinzu: «Ich glaube, wir beide sollten uns in Zukunft nicht mehr sehen, Ina.»

Ich drückte ihm einen Kuss auf die Lippen.

«Thanks, Johnny. Für alles», sagte ich. An der nächsten Ampel stieg er aus. «‹Wenn Träume fliegen lernen› ist eigentlich ein ziemlich guter Film», sagte ich noch.

Abgestützt auf der Autotür lehnte Johnny sich ins Taxi.

«Wenn man in dieser Welt ein Fünkchen Glück findet, kommt sofort einer, der es zerstören will», zitierte er seine Figur aus dem Film. Bevor er die Tür zuschlug, ergänzte er: «Pass auf dich auf, Sweetheart.»

«Auf jeden.»

«Haben Sie was gesagt?», fragte der Taxifahrer.

«Ähhh ... nee, nee!»

Ganz im Geiste Weihnachtens gab ich dem Fahrer meine restliche Kohle als Trinkgeld und stieg aus. Ich brauchte keine Rückfahrt. Inzwischen hatte sich der Schneeregen in prasselnde Tropfen verwandelt, aber ich setzte die Kapuze nicht auf. Eine Weile schaute ich zu Mattens unbeleuchteten Fenstern empor. Ich spürte das eiskalte Wasser auf meiner Kopfhaut, wie es meine Schläfe herunterlief und in meinen Nacken sickerte. Schließlich atmete ich tief durch und klingelte. Ehrlichkeit, erinnerte ich mich. Um mehr geht's doch nie! Ich klingelte erneut. Und falls er dich wegschickt, gehst du erhobenen Hauptes davon und weißt, dass du alles richtig gemacht hast! Ich klingelte ein drittes Mal, aber es tat sich nichts. Auch nach mehreren Sekunden Sturmklingeln wollte das erlösende Summen des Türöffners nicht ertönen, weshalb ich Matten anrief. Ich hielt den Atem an.

«Der von Ihnen gewünschte Teilnehmer ist vorübergehend nicht erreichbar.»

Just in jenem Moment vibrierte meine Brust. Kurz überlegte ich, ob vielleicht doch mehr Robocop in mir steckte als vermutet, aber mit einem Griff in die Jackentasche stellte ich fest, dass ich vergessen hatte, Nils das Handy zurückzugeben.

Große, das ist echt scheiße!, schrieb er. Es war nicht seine erste SMS.

Bringe ich dir die Tage vorbei, antwortete ich. *Bis dann!*

Lächelnd stieß Georg sein Glas gegen meines. «Prösterchen!»

Nachdem wir den Wacholderschnaps heruntergestürzt hatten, sagte ich: «Ich habe übrigens echt keine Kohle mehr.»

«Wurscht», antwortete er mit bayerischem Dialekt. «An Weihnachten nehmen wir das hier nicht so genau.»

Aus den Boxen düdelte Schlagermusik. Neben mir an der Theke hockten Willem und Kai-Uwe, die seit knapp einer Stunde meine neuen besten Freunde waren. Wie es sich für eine ernstzunehmende Männerrunde gehörte, hatten wir einander unsere Herzen ausgeschüttet, ohne die Leidensgeschichte des anderen zu kommentieren. Ein wissendes Nicken reichte aus. Immer wieder sah ich aus dem Fenster vom Allgäu-Eck zu Mattens Wohnung hinüber, aber das Licht wollte nicht angehen.

«Ich wüsste gar nicht, wie das geht», sagte Kai-Uwe. «So mit Handy filmen und so.»

Inzwischen schaute er sich das Video von Jeannette zum dritten Mal an. Willem lugte über seine Schulter.

«Ist aber schon 'ne Granate», murmelte er. «Da kannste echt mal nichts sagen.»

Georg verpasste ihm einen Klaps an die Schläfe. «Mensch, du Depp!»

«Ja, is' doch wahr!»

«Komm, geh mal lieber an den Automaten», sagte Georg und drückte ihm zwei Euro in die Hand. Willem verpieselte sich.

Gedankenverloren an einer Brezel knabbernd, starrte ich in mein Bier und zog an einer Zigarette. In Horrorfilmen starben zuerst immer diejenigen Weiber, die tranken, Drogen nahmen und vorehelichen Geschlechtsverkehr hatten, ging es mir durch den Kopf. Ich hätte es niemals bis in eine der Fortsetzungen geschafft. Mehr zu mir selbst murmelte ich dann: «Matten hat gerade garantiert irgendeine Zwanzigjährige am Start.»

«Willst du den nicht noch mal anrufen?», fragte Georg.

«Gerade versucht. Ausgeschaltet. Der Drops ist echt gelutscht.»

Seufzend stützte sich Georg an den Zapfhähnen ab. «Weihnachten ist aber auch immer so eine Zeit, du.»

«Kannste laut sagen», ergänzte Kai-Uwe.

Auf den Spielautomaten einhämmernd, schickte Willem ein «Joh!» hinterher.

Ich fühlte mich verstanden. Und angenommen. Einen Augenblick überlegte ich ernsthaft, mir eines der Fächer im Sparschrank hinter dem Tresen zuzulegen, als einige Kerle Anfang fünfzig den Laden betraten. Georg schenkte uns einen weiteren Schnaps ein.

«Guck se dir alle an», sagte er. «Eine ganze Welt voller einsamer Herzen.»

(Soundeffekt: *BIIIING!*)

Schlagartig stand ich unter Strom und setzte mich auf.

«Mei, was denn jetzt los?»

«Ich weiß, wo Matten ist», sagte ich und zog mir schon die Jacke über. «Die Offene Bühne der Einsamen Herzen!»

«Nananananana!», machte Georg. «Aber erst noch den Schnaps.»

Wir prosteten einander zu und tranken. Bevor ich mich davonmachte, fragte er: «'nen Zehner für Taxigeld?»

Über die Theke gelehnt, gab ich ihm ein Küsschen auf die Wange. «Schreib's auf meinen Deckel, Burschi.»

«Ich hoffe, das ist der wert!», rief Georg mir hinterher.

Verbrauchte Luft schlug mir entgegen, als ich die Tür zum Lochfraß aufstieß. Durch eine Wand von Lederjacken und Wintermänteln zwängte ich mich hinein und stellte mich auf die Zehenspitzen. Matten hockte in einer dunklen Ecke der Bühne auf einem Sofa. Hinter ihn an die Wand projiziert flackerte ein Lagerfeuer. Am Mikro stand ein Kerl, Typ Germanistikstudent kurz vor dem überfälligen Abbruch, der mit zittriger Stimme ein Gedicht vortrug. Es klang wie ein Hochzeitsgedicht, das Tante Erna auf den letzten Drücker fabriziert hatte, aber nichtsdestotrotz herrschte respektvolle Stille. Unter den genervten Blicken der anderen Gäste bahnte ich mir meinen Weg zum Tresen. Auf einem der Hocker entdeckte ich Schacke, der große Augen machte, als er mich bemerkte. Fragend tippte er mit dem Finger gegen seine Nase, worauf ich verschmitzt meinen Verband zurechtzog wie einen kneifenden BH.

«Selbst wenn ich auch scheiter», beendete der Teilzeit-Poet sein Gedicht, «mein Leben geht weiter.»

Es wurde spärlich applaudiert.

«So, liebe Leute», hörte ich Mattens Stimme aus den Boxen dringen. Obwohl er mich im Dunkel der Menge ohnehin nicht sehen konnte, duckte ich mich. «Es gab diesmal leider nicht so viele Anmeldungen wie in den letzten Jahren. Will noch irgendwer spontan auf die Bühne? Karaoke singen vielleicht?»

Keine Reaktion. Nur Schacke räusperte sich mehr als lautstark. Anschließend schaute er mich aufmunternd an. Ratlos zog ich die Augenbrauen zusammen.

«Dann spiele ich noch was?», fragte Matten und erntete

Jubel. Vorsichtig linste ich zwischen den Köpfen hindurch und beobachtete, wie er sich an seinem Laptop zu schaffen machte. «Ist ein bisschen was Ruhigeres», fuhr er fort und begann zu klimpern. «Hab vorhin noch schnell ein Video dazu gemacht. Und ich glaube, das Lied ist heute auch mal jemandem gewidmet. Als Entschuldigung, sozusagen. Falls sie das noch will. Und falls sie es nicht blöd findet, dass ich mich nicht gleich gemeldet habe, nachdem ich ihr neuestes Werk gesehen habe, sondern aufs Schicksal gesetzt habe. Emoscheiße irgendwie, ja, aber dass sie jetzt hier ist, ist schon mal ein gutes Zeichen.»

Schacke räusperte sich erneut. Ich schaute zu ihm hinüber. Im nächsten Moment zog er eine Spielkarte aus seiner Lederjacke und hielt sie mir demonstrativ hin. Es war der Joker. Scheiß die Wand an, Alter!, durchzuckte es mich.

«Das findet sie gerade bestimmt alles total kitschig», sagte Matten, «aber da muss sie jetzt durch.» Obwohl wir nach wie vor keinen Blickkontakt hatten, ergänzte er an mich gerichtet: «Schön darfst du übrigens ruhig bleiben, Angelina. Nur nicht unbekannt.»

Damit tippte er auf seinen Laptop und spielte «Alle Fotos von dir, als du jung warst, wurden schon gemacht», und an die Wand projiziert liefen Ausschnitte meiner Videos. In meinem Hirn herrschte Ausnahmezustand. Ich war kaum in der Lage, dem Lied zuzuhören. Romantische Gegenoffensive Now! Tatterig kramte ich Nils' Handy aus dem Parka und schaltete meines auf volle Lautstärke, wartete bis zum Ende des Liedes, und als der letzte Akkord ausklang, rief ich mich selbst über Nils' Handy an. Das Läuten zerriss die andächtige

Stille. Ein kollektives Stöhnen ging durch das Lochfraß. Lächelnd drängelte ich mich die paar Schritte zu Schacke hinüber und kletterte auf die Verstrebungen seines Hockers. Ich stützte mich an seiner Schulter ab, streckte mein noch immer klingelndes Handy in die Höhe und rief: «Ich muss jetzt ‹Marmor, Stein und Eisen bricht› singen, Keule!»

Das für dieses Buch verwendete FSC®-zertifizierte Papier
Lux Cream liefert Stora Enso, Finnland.